O SANATÓRIO

OSANA

TÓRIO

SARAH PEARSE

TRADUÇÃO DE
Marcelo Schild Arlin

Copyright © Sarah Pearse Ltd 2020

TÍTULO ORIGINAL
The Sanatorium

COPIDESQUE
Manoela Alves

REVISÃO
Alessandra Volkert, Ana Cristina Gonçalves, Letícia Féres, Letícia Taets Lira, Rayana Faria e Thais Entriel

PROJETO GRÁFICO E DIAGRAMAÇÃO
Larissa Fernandez e Leticia Fernandez

DESIGN DE CAPA
R. Shailer/ TW

FOTOS DE CAPA
©Alamy

ADAPTAÇÃO DE CAPA
Antonio Rhoden

CIP-BRASIL. CATALOGAÇÃO NA PUBLICAÇÃO
SINDICATO NACIONAL DOS EDITORES DE LIVROS, RJ

P374s

Pearse, Sarah
    O sanatório / Sarah Pearse ; tradução Marcelo Schild Arlin. - 1. ed. - Rio de Janeiro : Intrínseca, 2022.
    480 p. ; 23 cm.

    Tradução de: The sanatorium
    ISBN 978-65-5560-552-5

    1. Ficção inglesa. I. Arlin, Marcelo Schild. II. Título.

21-74639

CDD: 823
CDU: 82-3(410.1)

Meri Gleice Rodrigues de Souza - Bibliotecária - CRB-7/6439
23/11/2021 24/11/2021

[2022]
Todos os direitos desta edição reservados à
EDITORA INTRÍNSECA LTDA.
Rua Marquês de São Vicente, 99, 6º andar
22451-041 — Gávea
Rio de Janeiro — RJ
Tel./Fax: (21) 3206-7400
www.intrinseca.com.br

Para minha família

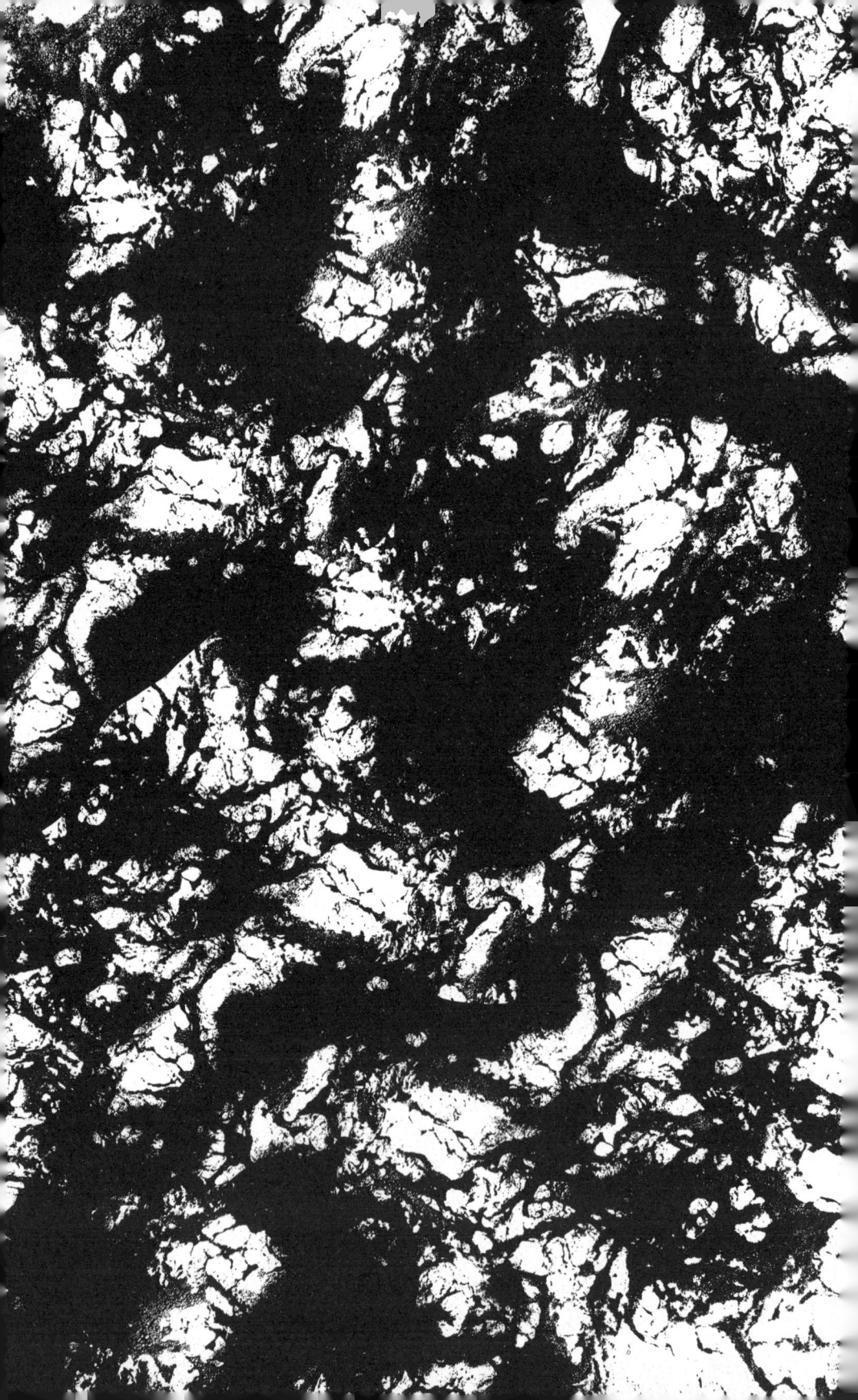

Ensinam-nos a viver quando a vida já passou.
                                            Michel de Montaigne

Sempre amei restrições. Elas me trazem conforto.
                                                    Joseph Dirand

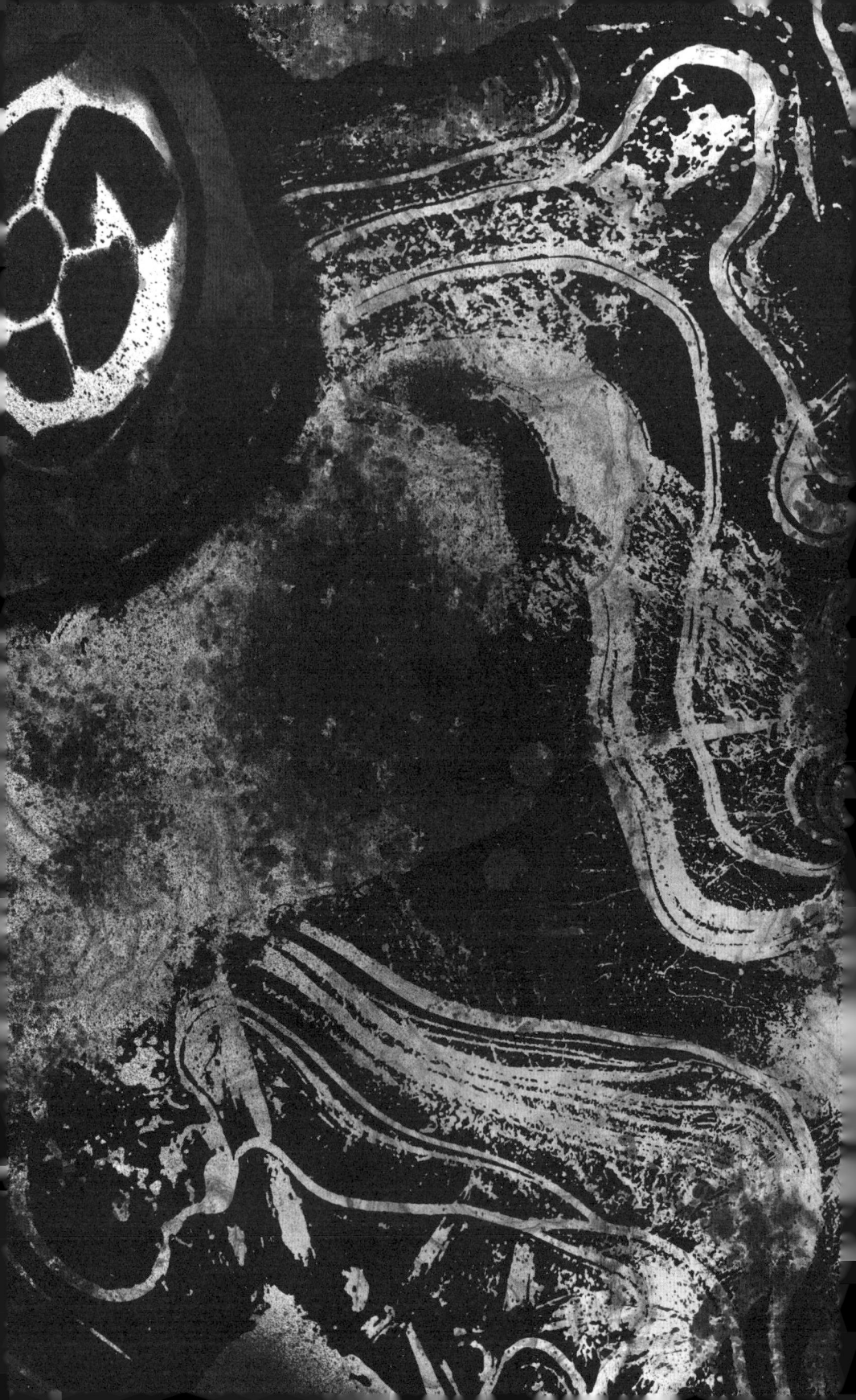

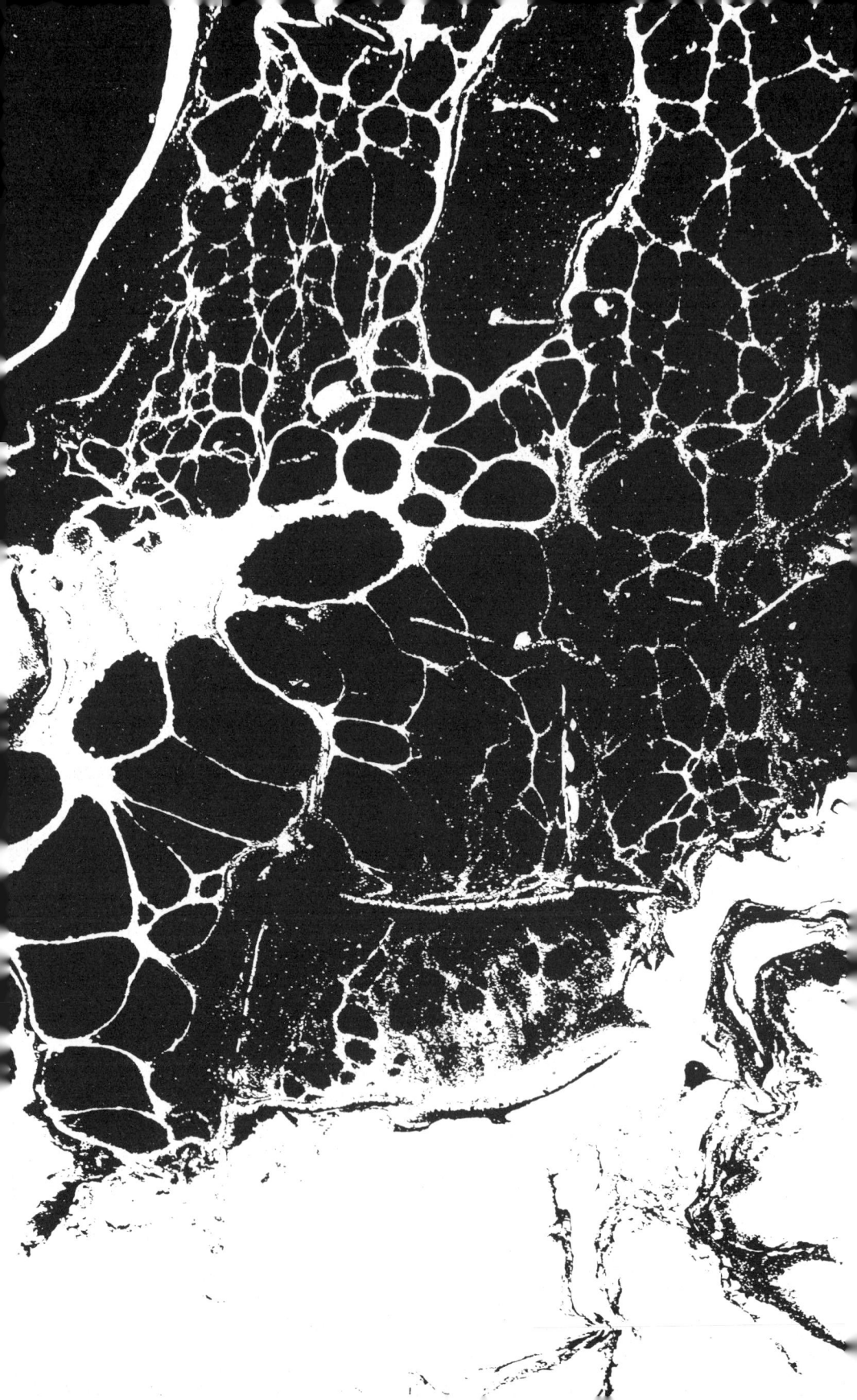

PRÓLOGO

Janeiro de 2015

Equipamentos médicos descartados estão espalhados pelo chão: instrumentos cirúrgicos enferrujados, garrafas quebradas, potes, o encosto arranhado de uma cadeira velha inutilizada. Um colchão rasgado está curvado contra a parede, manchas amarelas feito bile marcando a superfície.

Segurando firme sua maleta, Daniel Lemaitre sente uma forte onda de repulsa: é como se o tempo tivesse dominado a alma do prédio, deixando algo podre e doente em seu lugar.

Ele avança rapidamente pelo corredor, os passos ecoando no chão de azulejos.

Fique de olho na porta. Não olhe para trás.

Mas os objetos em decomposição atraem seu olhar, cada um contando histórias. Não é difícil imaginar as pessoas que haviam ficado ali, tossindo ferozmente.

Às vezes, ele acha que pode até sentir o cheiro de como este lugar costumava ser, o odor forte e acre de produtos químicos ainda pairando nas velhas alas de operações.

Daniel para quando chega na metade do corredor.

Um movimento na sala oposta: um borrão escuro, distorcido. Sente um frio na barriga. Imóvel, ele olha tudo o que há na sala, objetos cobertos pelas sombras: um monte de papéis espalhados pelo chão, os tubos retorcidos de um equipamento de respiração, uma cama quebrada, amarras puídas dependuradas.

Sente a pele formigar de tensão, mas nada acontece. O prédio está quieto, silencioso.

Ele solta a respiração e volta a andar.

Não seja burro, diz a si mesmo. *Você está cansado. Muitas noites acordado até tarde, muitas manhãs acordando cedo.*

Chegando à porta da frente, Daniel a abre. O vento uiva furiosamente, empurrando-a para trás até forçar as dobradiças. À medida que avança, ele é cegado por uma rajada gelada de flocos de neve, mas é um alívio estar do lado de fora.

O sanatório o deixa inquieto. Embora Daniel saiba o que aquela construção se tornará — ele projetou cada porta, cada janela e interruptor do novo hotel —, neste momento não consegue evitar reagir ao passado, ao que ela costumava ser.

O exterior não é muito melhor, ele pensa, olhando para cima. A desoladora estrutura retangular está salpicada de neve. Está se degradando, abandonada: as sacadas e balaustradas, a longa varanda, despedaçadas e apodrecendo. Algumas janelas continuam intactas, mas a maioria está fechada com tábuas, feios quadrados de compensado cravejando a fachada.

Daniel pensa no contraste com sua própria casa em Vevey, com vista para o lago. O design contemporâneo de formas retangulares é construído principalmente de vidro, para proporcionar vistas panorâmicas da água. Tem um terraço na cobertura, um pequeno atracadouro.

Ele projetou tudo.

Com essa imagem vem Jo, sua esposa. Ela terá acabado de chegar do trabalho, a mente ainda às voltas com os orçamentos de propaganda e os relatórios, já encurralando os filhos para que façam o dever de casa.

Ele a imagina na cozinha, preparando o jantar, seu cabelo acaju caindo sobre o rosto enquanto ela corta e fatia com eficiência. Será algo fácil: massa, peixe, salteados. Nenhum dos dois é bom em tarefas domésticas.

O pensamento o anima, mas apenas por um momento. À medida que atravessa o estacionamento, Daniel sente os primeiros lampejos de receio em relação a dirigir para casa.

Não era fácil chegar àquele sanatório isolado e elevado em meio às montanhas, mesmo se fizesse um tempo ótimo. Aquela localização fora uma escolha deliberada, com a intenção de manter os pacientes tuberculosos afastados da poluição das vilas e das cidades e deixar o restante da população longe deles.

Mas a localização remota significava que a estrada que levava até lá era um pesadelo, uma série de curvas muito fechadas entrecortando uma densa floresta de pinheiros. Na subida, naquela manhã, a própria estrada mal era visível. Flocos de neve se arremessavam contra o vidro do carro como dardos brancos de gelo, tornando impossível enxergar mais do que alguns metros à frente.

Daniel está quase no carro quando bate o pé em algo, os restos esfarrapados de um cartaz, um pouco cobertos de neve. As letras são toscas, pintadas em vermelho de qualquer jeito.

NON AUX TRAVAUX!! NÃO ÀS OBRAS!!

Com cada vez mais raiva, Daniel pisoteia o cartaz. Os manifestantes estiveram ali na semana anterior. Mais de cinquenta deles, gritando palavrões, balançando seus cartazes chamativos na sua cara. O protesto fora filmado com celulares e compartilhado nas redes sociais.

Aquela foi somente uma das intermináveis batalhas que eles precisaram enfrentar para dar vida ao projeto. As pessoas diziam que queriam progresso, o dinheiro dos turistas que viria em seguida, mas quando se tratava de efetivamente construir, elas protestavam.

Daniel sabia por quê. As pessoas não gostam de um vencedor.

Fora o que seu pai lhe dissera certa vez, e era verdade. Os moradores locais tinham ficado orgulhosos no começo. Tinham aprovado os pequenos sucessos dele — o shopping center em Sion, o edifício residencial em Sierre com vista para o Ródano —, mas, então, ele tinha ido longe *demais*, não tinha? Um sucesso muito grande, uma personalidade.

Daniel ficou com a sensação de que, aos olhos daquelas pessoas, ele já tinha recebido sua fatia do bolo e agora estava sendo ganancioso por pegar mais. Apenas 33 anos, e sua firma de arquitetura já estava prosperando, com escritórios em Sion, Lausanne, Genebra. Um planejado para Zurique.

Era a mesma coisa com Lucas, o desenvolvedor imobiliário e um de seus amigos mais antigos. Com pouco mais de trinta anos, já era dono de três hotéis reconhecidos.

As pessoas se ressentiam do sucesso deles.

E este projeto fora a pá de cal. Teve de tudo: *haters* na internet, e-mails, cartas para a firma. Objeções ao planejamento.

Atacaram Daniel primeiro. Boatos começaram a circular em blogs locais e em redes sociais, dizendo que o negócio enfrentava dificuldades. Depois, passaram a atacar Lucas. Histórias parecidas, histórias que ele poderia simplesmente desconsiderar, mas uma em particular perdurou.

Ela o incomodava, mais do que ele admitia.

Envolvia subornos. Corrupção.

Daniel havia tentado falar com Lucas sobre isso, mas o amigo não quis saber de conversa. Pensar nessa história lhe causa um incômodo, uma coceira, como tantas outras coisas neste projeto, mas ele afasta o pensamento à força. Precisa ignorá-lo: foco no resultado.

Este hotel vai consolidar sua reputação. A motivação e a obsessão por detalhes que Lucas cultivava incentivaram Daniel a desenvolver um projeto espetacularmente ambicioso, um objetivo que ele não imaginara ser possível.

Ele chega ao carro. O para-brisa está coberto por uma camada espessa de neve fresca, além do que os limpadores de para-brisa podem lidar. Vai precisar raspá-la.

Mas quando coloca a mão no bolso para pegar a chave, repara em algo.

Uma pulseira, caída ao lado do pneu dianteiro.

Ele agacha e a pega. É fina, de cobre. Daniel a gira entre os dedos e nota uma série de números gravados na parte de dentro... Uma data?

Ele franze o cenho. Deve ser de alguém que esteve ali hoje, certo? Do contrário, já estaria coberta de neve.

Mas o que estavam fazendo tão perto do seu carro?

Imagens dos manifestantes passam por sua mente, rostos furiosos, debochados.

Seriam eles?

Daniel se força a inspirar lenta e profundamente, mas, ao guardar a pulseira no bolso, vislumbra algo: um movimento atrás do monte de neve que se acumulou rente à parede do estacionamento.

Um perfil indistinto.

A mão dele está suada em torno do chaveiro. Pressionando o controle com urgência para abrir o porta-malas, ele congela ao levantar os olhos.

Uma figura, de pé na sua frente, posicionada entre ele e o carro.

Daniel a encara, paralisado por um instante, seu cérebro a mil, tentando processar o que está vendo. Como alguém poderia ter se movimentado com tanta rapidez em sua direção sem que ele percebesse?

A figura está vestida de preto. Algo cobre seu rosto.

Parece uma máscara de gás; o mesmo formato, mas sem o filtro na frente. No lugar dele, há um espesso tubo de plástico indo do nariz à boca. Um conector. O tubo é estriado, preto. Daniel estremece enquanto a figura balança de um pé para o outro.

O efeito é horripilante. Monstruoso. Algo retirado das profundezas mais escuras do inconsciente.

Pense, diz a si mesmo, *pense*. Sua mente começa a se revolver procurando possibilidades, maneiras de tornar aquela coisa inofensiva. É uma pegadinha, é isso. Um dos manifestantes tentando assustá-lo.

Então, a figura dá um passo em sua direção. Um movimento preciso, controlado.

Tudo o que Daniel vê é aquela máscara emborrachada preta se ampliar diante dele de uma forma pavorosa. As linhas estriadas do tubo. Então ele ouve a respiração: um estranho som molhado de sucção vindo da máscara. Expirações úmidas.

O coração dele está martelando no peito.

— O que é isso? — pergunta Daniel, ouvindo o medo na própria voz. Um abalo que ele tenta conter. — Quem é você? O que está tentando fazer?

Uma gota escorre por seu rosto. Neve derretendo contra o calor da sua pele ou suor? Ele não sabe dizer.

Vamos lá, ele diz a si mesmo. *Controle-se. É algum babaca idiota de brincadeira. Apenas passe por ele e entre no carro.*

É então que, daquele ângulo, ele repara em outro carro. Um carro que não estava lá quando ele chegou. Uma picape preta. Uma Nissan.

Vamos, Daniel. Anda.

Mas seu corpo está congelado, recusando-se a obedecer. Tudo o que ele consegue fazer é ouvir o estranho som da respiração vindo da máscara. Está mais alto agora, mais acelerado.

Um suave som de sucção seguido por um assovio agudo.

Repetindo sem parar.

A figura se aproxima cambaleando, com algo na mão. Uma faca? Daniel não consegue distinguir. As luvas espessas que ela está usando escondem boa parte do objeto.

Vamos, anda.

Ele consegue se impulsionar para a frente, um passo, depois dois, mas o medo faz seus músculos travarem. Ele tropeça na neve, o pé direito derrapa.

Quando se endireita, é tarde demais: as mãos enluvadas cobrem sua boca. Daniel cheira o mofo rançoso da luva, mas também a máscara — o curioso odor de plástico queimado da borracha misturado com alguma outra coisa.

Algo familiar. Mas antes que seu cérebro consiga fazer a associação, algo perfura sua coxa. Uma dor aguda. Seus pensamentos se dissipam, então sua mente silencia.

Um silêncio que, em segundos, mergulha no nada.

Comunicado à imprensa — Embargado até meia-noite de 5 de março de 2018

Le Sommet
Hauts de Plumachit
Crans-Montana 3963
Valais
Suíça

HOTEL 5 ESTRELAS PRONTO PARA ABRIR NA ESTÂNCIA SUÍÇA DE CRANS-MONTANA

Localizado em um ensolarado platô acima de Crans-Montana, no alto dos Alpes Suíços, o Le Sommet é uma criação do desenvolvedor imobiliário suíço Lucas Caron.

Após oito anos de extenso planejamento e construção, um dos sanatórios mais antigos da cidade está pronto para reabrir como um hotel de luxo.

O prédio principal foi projetado no final do século XIX pelo bisavô de Caron, Pierre. O hospital se tornou mundialmente reconhecido como centro para o tratamento de tuberculose antes que o advento dos antibióticos o obrigasse a se diversificar.

Recentemente, obteve reconhecimento internacional por sua arquitetura inovadora, o que rendeu a Pierre um prêmio póstumo das Artes Suíças em 1942. Por combinar traços minimalistas com grandes janelas panorâmicas, telhados planos e formas geométricas sem adornos, um juiz descreveu o prédio como "inovador, projetado para cumprir sua função de hospital e, ao mesmo tempo, criar uma transição ininterrupta entre a paisagem interior e a exterior".

Segundo Lucas Caron, "estava na hora de darmos um novo sopro de vida a este prédio. Tínhamos certeza de que, com a visão certa, conseguiríamos restaurar a construção e criar um hotel que homenageasse seu rico passado".

Sob orientação da firma suíça de arquitetura Lemaitre SA, uma equipe foi reunida para restaurar o prédio, acrescentando um spa e um espaço de última geração para eventos.

Sutilmente reformado, o Le Sommet usará materiais locais naturais, como madeira, ardósia e pedra, de forma inovadora. O interior elegante do hotel não apenas refletirá a poderosa topografia exterior, mas também se baseará no passado do prédio para criar uma nova narrativa.

Na opinião de Philippe Volkem, CEO da Valais Turismo, "sem dúvida, esta será a joia da Coroa do que já é uma das melhores estâncias de inverno do mundo".

Para perguntas da imprensa, entre em contato com RP Leman, Lausanne.

Para perguntas em geral e reservas, acesse <www.lesommet-cransmontana.ch>.

1

Janeiro de 2020
Primeiro dia

A linha de bonde da cidade de Sierre, no vale, para Crans--Montana sobe uma linha quase vertical pela encosta da montanha.

Atravessando vinhedos cobertos de neve e as pequenas cidades de Venthône, Chermignon, Mollens, Randogne e Bluche, a rota, de mais de quatro quilômetros, leva os passageiros novecentos metros montanha acima em apenas doze minutos.

Fora da alta estação, o bonde costuma funcionar com apenas metade da capacidade de lotação. A maioria das pessoas sobe as montanhas de carro ou pega o ônibus. Mas hoje, com as estradas praticamente paradas por causa dos engarrafamentos, ele está cheio.

Elin Warner está de pé no lado esquerdo do vagão, observando tudo atentamente: os pesados flocos de neve se acumulando nas janelas, pilhas altas de malas no chão coberto de gelo semiderretido, os adolescentes magrelos forçando passagem pelas portas.

Seus ombros se retesam. Ela se esqueceu de como garotos daquela idade podem ser: egoístas, indiferentes a todos e focados em si mesmos.

Uma manga encharcada roça em seu rosto. Ela sente o cheiro de umidade, de cigarros, de fritura, o penetrante odor almiscarado e cítrico de pós-barba barato. Depois, uma tosse pigarrenta. Gargalhadas.

Um grupo de homens está empurrando para atravessar a porta, falando alto, malas The North Face abarrotadas nas costas. Eles estão espremendo a família ao seu lado ainda mais para dentro do vagão. Para ela. Um braço roça no seu, bafo quente de cerveja contra seu pescoço.

Ela é assaltada pelo pânico. Seu coração está acelerado, martelando no peito.

Será que isso nunca vai parar?

Um ano se passou desde o caso Hayler, e ela ainda pensa sobre ele, sonha com ele. Acorda à noite entre lençóis úmidos de suor, o sonho vívido em sua mente: a mão em torno da sua garganta, paredes úmidas contraindo-se, aproximando-se dela.

Depois, água salgada; espumando, borrifando sobre sua boca, seu nariz...

Controle isso, ela diz a si mesma, forçando-se a ler as pichações na parede do bonde.

Não deixe isso te controlar.

Seus olhos dançam sobre as palavras rabiscadas ondulando sobre o metal:

MICHEL 2010

BISOUS XXX

INES & RIC 2016

Erguendo o olhar ao acompanhar as palavras até a janela, ela leva um susto. Seu reflexo... dói olhar para ele. Ela está magra. Magra demais.

É como se alguém a tivesse esvaziado, removido seu âmago. Os ossos da face estão pontudos como facas, e seus olhos azul-esverdeados oblíquos, mais arregalados, mais pronunciados. A bagunça desfiada do cabelo louro-claro e a mancha da cicatriz no lábio superior não ajudam a suavizar sua aparência.

Ela tem treinado sem interrupções desde a morte da mãe. Corridas de dez quilômetros. Pilates. Musculação. Pedalando pela costa entre Torquay e Exeter sob o vento forte e a chuva.

É demais, mas ela não sabe como parar, mesmo se pudesse. Isso é tudo que ela tem, a única maneira de expulsar o que está em sua mente.

Elin se vira. O suor escorre pela sua nuca. Olhando para Will, ela tenta se concentrar no rosto dele, na familiar barba por fazer brotando do seu queixo, nos indomáveis tufos de cabelo louro-escuro.

— Will, estou com calor...

Ele faz uma careta. Ela vê o esboço de futuras rugas naquele rosto ansioso, as linhas em torno dos olhos, leves dobras percorrendo sua testa.

— Você está bem?

Elin faz que não com a cabeça, lágrimas surgindo em seus olhos.

— Não me sinto bem.

Will baixa a voz.

— Sobre isso ou...

Ela sabe o que ele está tentando dizer: *Isaac*. São as duas coisas: ele, o pânico... estão entrelaçados, conectados.

— Não sei — responde ela, sentindo um nó na garganta. — Continuo remoendo isso, você sabe, o convite vindo do nada. Talvez vir tenha sido a decisão errada. Eu deveria ter pensado mais sobre isso, ou pelo menos falado com ele direito antes que o deixássemos fazer a reserva.

— Não é tarde demais. Sempre podemos voltar. Diga que estou com problemas no trabalho. — Sorrindo, Will empurra com o indicador os óculos mais para cima no nariz. — Vão ser as férias mais curtas que alguém já viu, mas quem se importa?

Elin se força a retribuir o sorriso dele, sentindo uma silenciosa pontada de devastação ao pensar no contraste entre antes e agora. Como ele aceitou isso com tanta facilidade: o novo normal.

É o oposto de quando eles se conheceram. Na época, ela estava chegando ao seu auge. É como vê aquele momento agora: estava chegando no ápice de sua vida de vinte e poucos anos.

Tinha acabado de comprar seu primeiro apartamento perto da praia, o último andar de uma casa de veraneio vitoriana. Pequeno, mas com pé-direito alto, vista para um pequeno quadrado de mar.

O trabalho ia bem, ela tinha sido promovida a sargento-detetive, recebera um caso importante, e sua mãe estava reagindo bem à primeira rodada de quimioterapia. Ela achava que estava superando seu luto por Sam, lidando bem com ele, mas agora...

Sua vida se contraiu. Fechou-se para se tornar algo que teria sido irreconhecível para ela alguns anos antes.

Com um tranco, o bonde se arrasta para cima, afastando-se da estação numa velocidade cada vez maior.

Elin fecha os olhos, mas isso só piora as coisas. Cada som, cada vibração, são amplificados sob suas pálpebras.

Ela abre os olhos para ver a paisagem passando rapidamente: manchas borradas de vinhedos cobertos de neve, de chalés, de lojas.

Sua cabeça começa a girar.

— Quero sair.

— O quê? — diz Will, virando-se. Ele tenta disfarçar, mas ela consegue ouvir a frustração na voz dele.

— Preciso sair.

O bonde entra em um túnel, mergulhando-os na escuridão. Uma mulher grita.

Elin inspira devagar, cuidadosamente, mas a sensação de morte iminente começa a surgir. De repente, seu sangue parece um fluido pegajoso circulando dentro dela, mas, ao mesmo tempo, é como se ele estivesse disparando por todas as partes.

Mais respirações. Mais devagar, como ela ensinou a si mesma. *Conte até quatro ao inspirar, prenda, e conte até sete ao expirar.*

Isso não adianta. Ela sente um nó na garganta. Sua respiração está curta, acelerada. Seus pulmões tentam com todas as forças absorver oxigênio, desesperadamente.

— Seu inalador, onde está? — pergunta Will.

Revirando o bolso, ela pega o inalador e o pressiona: *Ótimo.* Ela o pressiona outra vez, sente o jato de gás atingir o fundo da garganta, chegar à traqueia. Em poucos minutos, sua respiração volta ao normal.

Mas quando sua mente se acalma, eles estão lá, em seus pensamentos.

Seus irmãos. Isaac. Sam.

Imagens, repetindo-se.

Ela vê rostos de crianças, bochechas salpicadas de sardas. Os dois têm os mesmos olhos azuis arregalados, mas, enquanto os de Isaac são frios, enervantes de tão intensos, os de Sam vibram de energia, com um brilho que atrai as pessoas.

Elin pisca, incapaz de parar de pensar na última vez que viu aqueles olhos — vagos, sem vida, aquele brilho... apagado.

Ela se vira para a janela, mas não consegue apagar da mente as imagens do seu passado: Isaac sorrindo para ela; aquele sorriso malicioso familiar. Ele ergue as mãos, mas os cinco dedos esticados estão cobertos de sangue.

Elin estende a mão, mas não consegue alcançá-lo. Ela nunca consegue.

2

O micro-ônibus do hotel está aguardando no pequeno estacionamento no topo da linha do bonde. Ele é de um cinza-escuro brilhoso, a matiz esfumaçada de suas janelas manchada de neve.

Discretas letras prateadas estão gravadas na parte inferior esquerda da porta: *le sommet*. Letras em caixa-baixa, sutis, em uma fonte bonita e robusta.

Elin se permite sentir a primeira pontada de empolgação. Até aquele momento, ela vinha falando do hotel com desdém em conversas com amigos:

Pretensioso.

Mais estilo do que essência.

Na verdade, ela havia descolado cuidadosamente o Post-it de Isaac, sentindo prazer com o folheto imaculado abaixo, passando os dedos sobre o papelão fosco da capa, saboreando a novidade de cada página minimalista.

Ela sentira algo estranho, uma mistura nada familiar de empolgação e inveja, uma sensação de ter deixado passar algo indefinível, algo que ela sequer sabia que queria.

Já Will havia ficado visivelmente entusiasmado, elogiando a arquitetura, o design. Havia olhado as páginas e, depois, pesquisado na internet para saber mais.

Naquela noite, enquanto comiam curry de cordeiro, ele mencionara para ela detalhes do design do interior: *influenciado por Joseph Dirand... um novo tipo de minimalismo, ecoando a história do prédio... criando uma narrativa.*

Ela sempre se impressionou com a capacidade de Will de assimilar aqueles detalhes e fatos complexos. Isso a faz se sentir protegida, segura, certa de que ele tem todas as respostas.

Elin se vira. Um homem alto e esguio caminha na direção deles. Está usando um suéter de lã cinza com as mesmas letras prateadas gravadas em relevo: *le sommet.*

— Somos nós — diz Will, e sorri.

Eles se atrapalham quando o homem vai pegar a mala dela ao mesmo tempo que Will.

— A viagem foi boa? — pergunta o motorista. — De onde vocês vieram?

Recolhendo as bagagens, o homem as coloca na traseira do ônibus.

Com um olhar, Elin pede que Will responda ao motorista. Jogar conversa fora daquela maneira é um grande esforço para ela.

— Do sul de Devon. O voo partiu na hora certa... isso nunca acontece. Eu disse para Elin que é a pontualidade suíça mantendo a EasyJet na linha. — Will sorri, os olhos escuros pesarosos, as sobrancelhas arqueadas. — Merda, isso foi bem clichê, não foi?

O homem ri. É assim que Will lida com estranhos: ele os neutraliza com uma mistura de puro entusiasmo e autodepreciação. As pessoas ficam sempre desarmadas e, depois, encantadas. Will faz isso com facilidade. Afinal de contas, ela pensa, em pé atrás dele, essa foi a primeira coisa que a atraiu nele. Esse é o lance dele, não é?

Sem esforço.

Para Will, nada é insuperável. E não é fanfarronice dele, é simplesmente como sua mente funciona: divide rapidamente um problema em partes lógicas e administráveis. Uma lista, alguma pesquisa, um telefonema ou dois: respostas encontradas, problema resolvido. Para ela, mesmo coisas simples do cotidiano são uma agonia terrível, que perdura até que atinjam proporções totalmente desmedidas.

Esta viagem, por exemplo. Ela ficara estressada ao pensar no voo, em como ficaria muito próxima de outras pessoas no aeroporto e no avião, nas turbulências, nos atrasos.

Até mesmo fazer as malas a incomodara. Não pelo simples fato de precisar comprar coisas novas, mas por causa das perguntas que deveria se fazer para saber o que comprar: quais mudanças de tempo deveria prever, quais eram as melhores marcas.

Como resultado, tudo dela é novo em folha, e passa essa sensação. Ela enfia para dentro da calça a etiqueta, que já havia pensando em cortar em casa e agora está pinicando.

Will simplesmente jogara coisas na mala. Levara menos de quinze minutos para deixar tudo pronto, mas, ainda assim, ele se enquadra perfeitamente naquele cenário: botas de caminhada surradas, casaco acolchoado Patagonia, calças The North Face levemente desgastadas.

De algum modo, contudo, as diferenças deles se complementam. Will aceita Elin e suas fraquezas, coisa que nem todo mundo faria, como ela bem sabe. E ela se sente grata por isso.

Com um gesto expansivo e tranquilo, o motorista abre a porta. Elin pula para dentro, lançando um olhar de soslaio para a traseira.

Uma das famílias que viajaram no bonde já está lá. Duas garotas adolescentes de cabelos brilhosos, cabeças baixas, assistem a alguma coisa em um tablet. A mãe segura uma revista. O pai desliza o polegar pela tela do celular.

Elin e Will se sentam nos dois lugares no meio do ônibus.

— Melhor? — pergunta Will em voz baixa.

Está melhor. Assentos de couro limpos, nada de vozes altas e abruptas. E o melhor de tudo: a total ausência de corpos úmidos espremidos contra o dela.

O ônibus avança bem lentamente. Virando à direita, dá um solavanco no chão irregular antes de deixar o estacionamento.

Bem devagar, eles chegam à bifurcação no fim da estrada. O motorista dobra à direita, e os limpadores de para-brisa apressam-se para remover a neve que cai. Tudo está bem, até alcançarem a primeira curva. Com um movimento rápido, o ônibus dá meia-volta, tomando a direção oposta. Quando o ônibus se apruma com um solavanco, Elin fica tensa.

Às margens daquele trecho da estrada, não há neve ou árvores, nem sequer uma faixa de grama. O micro-ônibus está se agarrando à beira da montanha, e há apenas uma fina barreira de metal entre ele e a queda vertiginosa até o fundo do vale.

Ao seu lado, ela sente que Will está tenso e sabe o que ele fará em seguida: tentará disfarçar o desconforto com um riso, um assobio baixo entre os dentes.

— Credo, eu não me arriscaria a dirigir aqui à noite.

— Não existe opção. É o único jeito de chegar ao hotel — diz o motorista, olhando para eles pelo retrovisor. — Isso faz algumas pessoas desistirem de vir.

— É mesmo? — Will põe uma das mãos no joelho de Elin, aperta forte demais e dá outra risada forçada.

O motorista assente.

— Existem fóruns sobre isso na internet. Garotos publicam vídeos no YouTube, filmando a si mesmos fazendo as curvas, gritando. Os ângulos da câmera fazem com que pareça pior do que é. Eles colocam o telefone para fora da janela e apontam para além da beirada, mostrando a queda... — As palavras dele cessam conforme ele olha atentamente para a estrada à frente. — Esta é a pior parte. Depois que passarmos por aqui...

Ao levantar os olhos, Elin sente um frio na barriga. A estrada estreitou-se ainda mais, e agora mal dá passagem para o micro-ônibus.

O asfalto é de um cinza esbranquiçado e turvo, com gelo reluzindo em alguns pontos. Ela se força a olhar para a frente, na direção do horizonte de picos escarpados cobertos de neve.

Aquilo termina em uma questão de minutos. Conforme a estrada se alarga, Will relaxa a mão que aperta o joelho de Elin. Então, pega o celular e começa a tirar fotos pela janela, franzindo a testa, concentrado.

Elin sorri, tocada por todo aquele cuidado ao tirar as fotos. Ele estava esperando por este momento: a vista da paisagem, o primeiro vislumbre do hotel. Ela sabe que, mais tarde, ele brincará com essas imagens no laptop. Vai analisá-las com seu olhar crítico. Manipulá-las. Compartilhá-las com seus amigos artistas.

— Há quanto tempo você trabalha para o hotel? — pergunta Will, se virando para a frente.

— Há pouco mais de um ano.

— Você gosta?

— Há alguma coisa sobre esse prédio, a história dele, que entra e não sai mais da sua cabeça.

— Pesquisei sobre ele na internet — murmura Elin. — Eu não conseguia acreditar em quantos pacientes realmente...

— Eu não pensaria demais sobre isso — diz o motorista, interrompendo-a. — Se você revirar o passado, especialmente o deste lugar, vai enlouquecer. Se desencavar os detalhes sobre o que aconteceu... — Ele dá de ombros.

Elin pega sua garrafa de água. As palavras dele ecoam em sua mente: *Não sai mais da sua cabeça.*

Já está na minha cabeça, ela pensa, imaginando o folheto, as fotografias nos sites.

Le Sommet.

Eles estão somente a poucos quilômetros de lá.

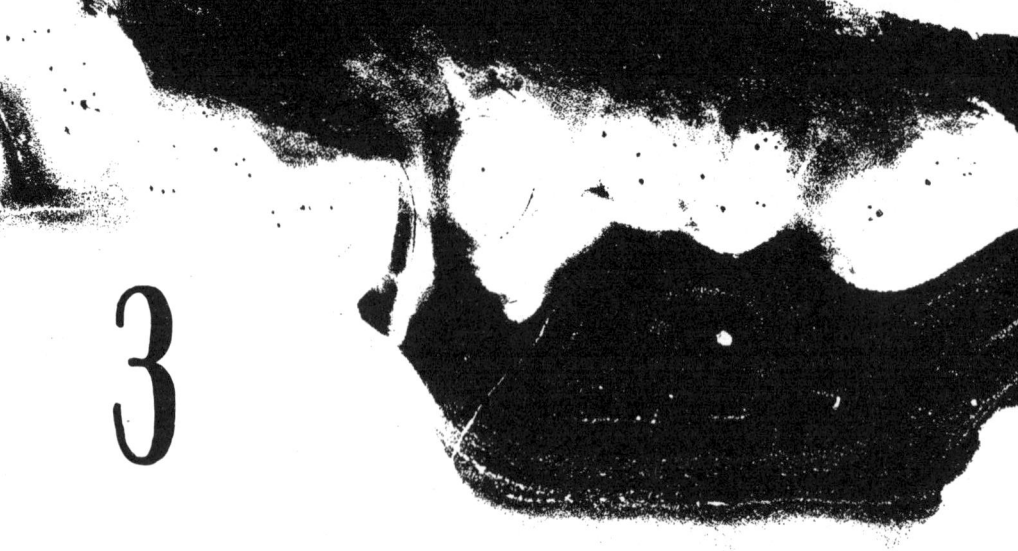

3

Colocando o celular no bolso, Adele Bourg passa o aspirador de pó pela porta do quarto 301.

Não que ele se chame de verdade 301. Le Sommet é muito… diferenciado para isso.

Eles tinham rejeitado praticamente todos os clichês alpinos: o clima de chalé com peles falsas, cardápios "tradicionais" — e isso incluía se livrar dos desinteressantes números de quartos.

Em vez disso, este quarto, como os outros, recebeu o nome de um dos picos da cordilheira do lado oposto ao hotel.

Bella Tola.

Adele consegue vê-la pelas amplas janelas, o pico serrilhado perfurando o céu. A vista dói. Foi uma das últimas escaladas que ela fez antes de engravidar de Gabriel. Agosto de 2015.

Ela se lembra de tudo: do sol, do céu sem nuvens. Óculos escuros com armações neon. O arnês raspando contra suas coxas. O toque frio da pedra cinza em seus dedos. As pernas bronzeadas de Estelle bem acima dela, contorcidas em uma posição impossível.

Gabriel, seu filho, agora com três anos, nascera meses depois, em junho, resultado de um caso rápido com Stéphane, um colega estudante que adora montanhas, durante um fim de semana em

Chamonix. Tudo parou naquele momento: as escaladas, as trilhas, o curso de administração, as noites de bebedeira com os amigos.

Adele ama o filho incondicionalmente, mas às vezes precisa se esforçar para se lembrar de quem ela costumava ser. Como seu mundo era antes de ter sido destruído e depois refeito em algo completamente diferente. Responsabilidades. Preocupações. Lembretes se empilhando em sua mesa. Este trabalho, a monotonia de seus dias: trocar lençóis, esfregar superfícies, aspirar a sujeira de outras pessoas.

Ela engole em seco, curvando-se para ligar o aspirador na tomada. Ao se levantar, olha em volta. Não vai demorar, pensa, avaliando a situação do quarto.

Adele gosta desta parte, do cálculo do tempo e do esforço necessários. É uma arte, a única parte do processo que exige que ela utilize o cérebro.

Seus olhos percorrem a decoração minimalista: a cama, as cadeiras baixas, os redemoinhos abstratos que contam como pinturas na parede esquerda, as cobertas de caxemira em tons sem vida.

Nada mal, pensa.

Aquelas pessoas eram organizadas. Cuidadosas. A cama mal está desfeita, o arranjo de colchas ao pé da cama ainda está arrumado.

A única bagunça que nota são as xícaras meio vazias nas mesas de cabeceira e um casaco preto jogado na cadeira no canto. Olha com cuidado o emblema costurado na parte superior do braço. Moncler. Provavelmente, vale três mil francos.

Ela sempre pensou que aquele tipo de descuido — jogar o casaco na cadeira — era coisa de gente rica. Era o mesmo com os quartos. A maioria dos hóspedes parecia indiferente às complexidades e detalhes que engrandeciam aqueles cômodos: a mobília sob medida, os banheiros de mármore, os tapetes com tufos tecidos à mão.

Adele sempre estava lidando com a imundície de alguém negligente, com os lençóis manchados, com a comida pisoteada nos tapetes. Ela se lembra da camisinha enrugada e nojenta que pescou da privada na semana passada.

O pensamento dói como um arranhão. Ela o afasta e coloca os fones de ouvido. Sempre trabalha ao som de uma playlist e ajusta suas tarefas ao ritmo das músicas. A favorita é a de rock mais antigo, heavy metal. Guns N' Roses, Slash, Metallica.

Está prestes a dar o *play* quando para ao notar uma mudança do lado de fora. O céu havia escurecido sutilmente, assumindo aquele tom de cinza-chumbo que precede a nevasca, sinistro em sua uniformidade. A neve já está caindo sem parar, acumulando-se em torno do letreiro do hotel, os carros estacionados na frente.

Sente pontadas de ansiedade, como se minúsculos dardos tremulassem em seu peito. Se a tempestade piorar um pouco mais, ela poderá ter problemas para chegar em casa. Em qualquer outra noite aquilo não importaria, pois a creche dela é flexível, mas hoje Gabriel parte para a semana dele com o pai, e ela precisa estar de volta a tempo de se despedir. Um adeus que sempre fica estancado na garganta enquanto Stéphane observa com o rosto impassível, já segurando uma das mãos de Gabriel.

Um medo sombrio e irracional a domina toda vez que seu filho parte: talvez ele não volte, talvez não *queira* voltar, talvez acabe escolhendo morar com Stéphane.

Adele vê aquele medo agora, refletido no vidro. Seu cabelo escuro preso em um rabo de cavalo alto, o rosto contraído, seus olhos amendoados franzidos de preocupação. Ela dá meia-volta. Ver a si própria daquela maneira — sombria, distorcida — é como olhar para as partes mais sinistras da sua alma.

Voltando ao celular, ela está mais uma vez prestes a apertar *play* quando percebe, pelo canto do olho, algo na sacada.

Uma faixa brilhante na neve.

Adele abre a porta, curiosa.

Um ar congelante invade o quarto, acompanhado de minúsculos flocos de neve soprados pelo vento. Caminhando até a sacada, ela pega o objeto.

Uma pulseira.

Revirando-a entre os dedos, nota que é feita de cobre, parecida com a que as pessoas usam para aliviar a artrite. Números minúsculos circundam a parte de dentro. Uma gravação.

Deve pertencer a um dos hóspedes. Ela a colocará em uma das mesas de cabeceira para que eles a vejam quando entrarem.

Adele volta para o quarto e fecha a porta. Colocando a pulseira na mesa mais próxima, dá mais uma olhada na neve que cai intensamente lá fora, formando montes cada vez maiores ao longo da varanda.

Caso ela se atrase, Stéphane não vai esperá-la. E tudo o que Adele encontrará é um apartamento silencioso e um vazio que vai consumi-la até que Gabriel volte para casa.

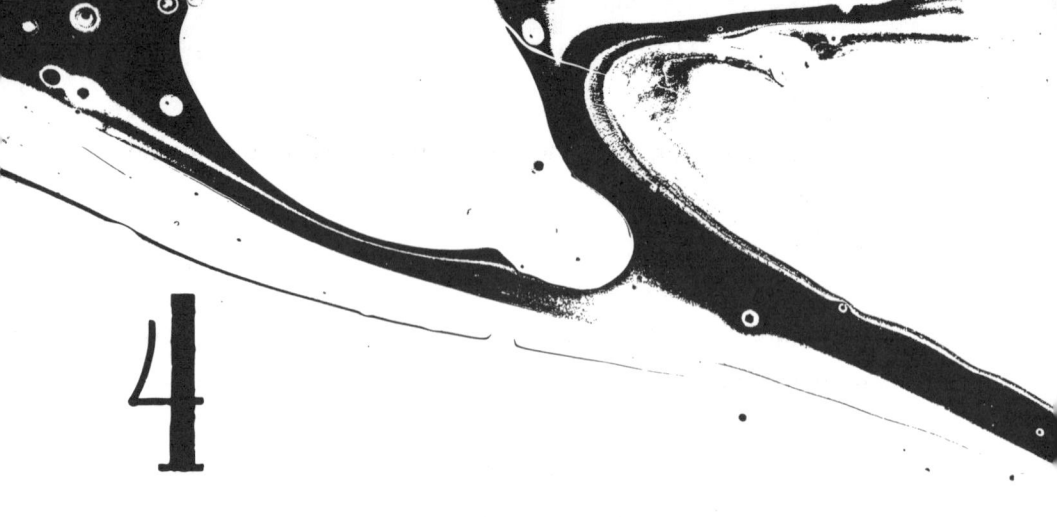

4

—Elin, você vem para...? — A última palavra de Will se perde em meio ao som da bandeira fustigada pelas rajadas de vento.

Flocos de neve espessos despencam no rosto dela.

Seu estômago se contrai. Apesar da presença de Will, e do hotel à sua frente, Elin não consegue evitar ficar impressionada com o isolamento deles. Com o tanto que o lugar é afastado de tudo. A viagem da cidade levara mais de uma hora e meia. Com cada minuto passando, a estrada sinuosa levando-os cada vez mais alto na montanha, Elin não conseguia evitar a sensação crescente de desconforto.

A neve foi a razão de levarem mais tempo que o normal para chegar até ali, mas, ainda assim, Elin não consegue deixar de pensar que estão muito distantes da civilização. Fora o hotel, tudo o que ela pode ver é um monte de árvores, neve, a opulência sombria das montanhas pairando sobre eles.

— Elin? Você vem?

Will caminha na direção da entrada do hotel, batendo as malas deles na neve.

Ela assente, segurando firme a alça da mala. De pé ali, diante do hotel, ela sente algo estranho, uma perturbação no ar, uma curiosa inquietação que não tem nada a ver com a neve que cai.

Elin olha ao redor. A entrada para carros e o estacionamento estão vazios.

Não há ninguém aqui.

Todas as pessoas do bonde já haviam entrado.

É o prédio, ela pensa, observando a grande estrutura branca. Quanto mais olha, mais sente certa tensão.

Uma anomalia.

Ela não a tinha percebido no folheto que Isaac enviara. No entanto, pensa, aquelas fotos foram tiradas a uma certa distância, destacando o plano de fundo do cenário: os picos cobertos de neve, a floresta de pinheiros esbranquiçados pelo gelo.

Eles não tinham se concentrado no prédio propriamente dito, no quanto ele parecia bruto.

Não há dúvida quanto ao seu passado, o que ele costumava ser. Há algo brutalmente clínico na arquitetura, o ar da instituição em linhas simples, os implacáveis planos e fachadas retangulares, os tetos planos modernistas. Vidro por toda parte: paredes estonteantes inteiramente de vidro, permitindo a visão do interior.

Esta é a anomalia, ela pensa, a tensão que ela acabara de sentir. Esta justaposição... é arrepiante. A austeridade institucional contrastando com a beleza.

Provavelmente, aquilo foi intencional, ela pensa. Quando projetaram o prédio, montaram uma decoração elaborada para tentar ocultar o fato de que aquele não era um lugar aonde as pessoas iam para se divertir.

Aquele era um lugar onde pessoas lutaram contra a doença, onde pessoas morreram.

Faz sentido, agora, que seu irmão celebre seu noivado aqui.

Este lugar, para Isaac, é apenas uma fachada.

Encobrindo o que realmente existe.

5

— Merda! — murmura Adele, tentando girar a chave na fechadura. Por que ela não estava conseguindo? É sempre assim quando está com pressa...

A porta para o vestiário se abre, uma lufada de ar fresco. Adele se encolhe, deixa as chaves caírem.

— Você está bem?

Um pouco de alívio. Ela conhece aquela voz: Mat, um sueco de cabelo louro-claro, um dos muitos funcionários estrangeiros do hotel. Ele trabalha no bar. Superconfiante. Olhos verde-claros que primeiro examinam você, depois param de te enxergar.

— Estou. — Ela se abaixa e pega o chaveiro. — Estou com pressa, só isso. É a semana do Gabriel com o pai. Ele o leva para sua casa hoje à noite. Eu queria estar de volta para me despedir.

Finalmente conseguindo abrir o armário, ela pega a bolsa e o casaco.

— Acabaram de anunciar que o bonde não está funcionando. — Mat enfia a chave no armário. — Vai ficar assim até de manhã.

Adele olha pela janela. A tempestade está furiosa agora, o vento uiva ao colidir na lateral do hotel.

— E os ônibus?

— Ainda estão rodando, mas vão estar cheios.

Ele está certo. Mordendo o lábio, Adele confere o relógio.

Precisa estar no vale em uma hora. Se ela se apressar, pode ser que consiga chegar a tempo.

Depois de se despedir, Adele sai pela porta lateral. Para por um instante, tremendo, atordoada com a força do vento. Ele é forte, soprando projéteis gelados de neve no seu rosto e nos olhos. Suas bochechas ardem com o frio.

Cobrindo o nariz com o cachecol, desce a pequena trilha até a frente do hotel.

A cada passo, seus pés afundam na neve, que começa a atravessar o couro fino de suas botas. *Idiota.* Ela deveria ter calçado as botas de neve. Os pés dela estarão encharcados em minutos.

Tentando se desviar dos montes maiores de neve, ela caminha, e para ao sentir o celular vibrar no bolso. Vê na tela uma mensagem de Stéphane:

Saindo do trabalho agora. Vejo você daqui a pouco.

Trabalho.

A palavra desperta um velho ressentimento, amargo. Adele se odeia por isso.

Ela sabe que não adianta nada ficar pensando no que poderia ter sido — a ascensão na carreira, o aumento de salário, as viagens —, mas não consegue evitar.

Por mais que ela tente arranjar isso em sua mente, criar justificativas, está mais do que evidente que foi ela quem se sacrificou, não Stéphane. Ele não precisou renunciar aos seus planos quando Gabriel nasceu, deixar a faculdade. Ele se formou em primeiro lugar e logo conseguiu um emprego em uma multinacional em Vevey, trabalhando com gerenciamento de marcas. Stéphane era muito requisitado, estava se saindo bem, e ganhando ainda melhor.

A namorada dele trabalha para a mesma empresa, recebendo um salário igualmente impressionante, Adele sabe. Lise não é de ostentar, mas a maneira sutilmente cara com a qual se cuida e sua autoconfiança inata falam por si só.

Elin não tem muita dificuldade para lidar com aquilo — é uma inveja mesquinha e boba, nada além disso, mas é o efeito que isso pode ter sobre Gabriel que a incomoda. Adele sabe que não demorará muito para ele começar a reparar nas diferenças entre o trabalho do pai e da mãe.

Parte dela está com medo de que ele a menospreze, que considere a ela e o que ela pode lhe dar inferior ao que Stéphane pode oferecer.

Adele sabe que é idiotice pensar no futuro daquela maneira porque, no momento, tudo o que Gabriel ama não tem nada a ver com dinheiro: dengo e histórias antes de dormir. Chocolate quente com creme de chantili. Brincar no tanque de areia com outras crianças. Andar de trenó.

Ela sorri ao se lembrar da viagem na semana anterior. Espremidos no trenó, os dois alcançaram tamanha velocidade que, descontrolados, colidiram contra a cerca no pé da colina. Gabriel acabou estirado em cima dela, morrendo de rir.

Instantaneamente, aquela lembrança a faz reavaliar suas ansiedades. *Recomponha-se*, ela diz a si mesma, dando um passo para o lado para desviar de um galho caído. *Pare de pensar no pior.*

É neste momento que ela sente algo no tornozelo, uma pressão. Será que prendeu o tornozelo em alguma coisa? Em outro galho? Olhando para baixo, ela congela. Uma mão enluvada segura seu tornozelo.

Um puxão repentino a derruba para trás.

Adele cai de cara na neve macia e fina.

Partículas minúsculas e geladas enchem sua boca, seus olhos.

6

Os pingentes brancos pendurados no teto lembram a Elin um nó de forca.

Os fios são tão compridos que atravessam vários metros, o cabo pendendo frouxo no meio antes de continuar descendo. O pingente em si não é nada mais do que um espasmo branco de fio formando um laço intricado.

Sem dúvida, uma manifestação artística extremamente cara, que ela não "saca", mas, pensa Elin, seja lá como você a veja, é estranho ter aquilo em uma recepção de hotel.

Algo tão sinistro no que deveria ser um espaço acolhedor.

O resto não é muito melhor: cadeiras de couro dispostas em torno de uma estreita mesa de madeira, uma placa de pedra cinza para o balcão da recepção. Até mesmo o quadro acima da lareira é sombrio: redemoinhos de tintas cinza e preta espalhadas raivosamente sobre a tela.

— O que você acha? — pergunta Elin, cutucando Will. — O sonho de todo arquiteto?

Ela já consegue prever o que ele dirá: *tensiona até os limites, profundo, imersivo*.

Elin absorvera aquelas palavras por osmose porque, para ela, possuem uma espécie de poesia. Como Will fala sobre arquitetura, como ele vê toda aquela maravilha nos tijolos e no cimento, revela muito sobre como ele pensa e sente.

— Adorei. Prédios como este influenciaram imensamente a arquitetura do século XX. As características que as pessoas associam ao modernismo foram aplicadas pela primeira vez em sanatórios. — Will para de falar ao ver a expressão dela. — Você não gosta, não é?

— Não sei. Para mim, parece frio. Clínico. Um espaço tão grande, e não há praticamente nada aqui. Algumas cadeiras, mesas.

— É proposital. — Elin ouve a leve tensão nas palavras dele... Will está frustrado por ela não entender de imediato. — As paredes brancas, madeira, os materiais naturais. É um aceno para o design original do sanatório.

— Para que ele pareça estéril, você quer dizer? — comenta ela.

Para Elin, parece estranho alguém ter projetado um lugar justamente para que não tivesse nenhum calor, nenhum conforto.

— Era uma questão de higiene, mas eles também pensavam que pintar com cal ajudava a trazer uma "limpeza interior". — Ele faz as aspas com os dedos. — Na época, os arquitetos estavam experimentando usar o design para influenciar o modo como as pessoas se sentiam. Um prédio como este era considerado um instrumento médico por si só, cada detalhe projetado de maneira personalizada para ajudar os pacientes a se recuperarem.

— E todo esse vidro? Não sei se isso me ajudaria.

Elin olha pela ampla janela a neve sendo soprada em rajadas furiosas que se arrastavam para além da moldura. Praticamente não havia nenhuma barreira entre ela e o mundo exterior. Apesar do calor vindo da lareira, ela estremece.

Will acompanha seu olhar.

— Eles achavam que a luz natural e a vista ampla da paisagem eram curativas.

— Talvez.

Olhando além dele, seus olhos se detêm em uma pequena caixa de vidro pendurada no teto por um cabo de metal.

Elin caminha até a caixa e encontra dentro dela um pequeno frasco prateado. Há algumas palavras escritas abaixo, em francês e em inglês.

CRACHOIR — CUSPIDOR. *Usado pelos pacientes para reduzir a disseminação de infecções.*

Ela faz um gesto para que Will se aproxime.

— Está me dizendo que isto não é esquisito? Pendurado aqui, que nem uma instalação artística estranha.

— Todo este lugar é uma instalação. — Ele toca o braço dela e suaviza o tom de voz. — Mas a questão não é essa, certo? Você está nervosa, não está? Porque vai vê-lo de novo.

Elin assente, recostando-se nele, inspirando aquele conhecido cheiro reconfortante da colônia pós-barba, que lembra manjericão picante e tomilho.

— Já faz quase quatro anos, Will. As coisas mudam, não é? Já não faço mais a menor ideia de quem ele seja.

— Eu sei. — Ele a abraça forte. — Mas não pense demais nisso. Deixe o passado para trás. Sua vinda para cá é um novo começo. Não apenas com Isaac, mas também com o caso Hayler. Está na hora de estabelecer um limite.

É tão fácil para Will, pensa Elin. É arquiteto, então cada dia é uma página em branco para ele. Está sempre recomeçando, criando.

Foi isso que a impressionou na primeira vez que se encontraram. Como ele parecia sempre tão bem-disposto, nem um pouco embrutecido pela vida. Elin se perguntou se já havia conhecido alguém assim de verdade, otimista, empolgado com a vida. Empolgado com as mínimas coisas.

Elin estava correndo quando se conheceram. Ela havia terminado seu turno, o qual passara à sua mesa praticamente só revirando papeladas, e decidira correr pelo caminho ao longo da costa, saindo do seu apartamento em Torhun e indo na direção de Brixham. Uma ida e volta fácil de dez quilômetros.

Quando parou para se alongar na calçada acima da praia, avistou Will ao lado da parede, fumaça espiralando em torno dele, suspensa no ar parado. Ele estava fazendo churrasco, preparando peixe, pimentões e frango que cheiravam a cominho e coentro.

Elin sentiu imediatamente seus olhos nela. Cerca de um minuto depois, ele a chamou, fez uma piada. Alguma frase qualquer, do tipo "Parece que minha vida é mais tranquila do que a sua". Ela riu, e eles começaram a conversar.

Ela se sentiu atraída por ele na mesma hora. Havia uma complexidade incomum na aparência dele, algo que ao mesmo tempo a intimidava e a entusiasmava.

Cabelo louro acastanhado desgrenhado, olhos pretos de ar escandinavo, uma camisa chevron de manga curta abotoada até o pescoço.

Não era bem o tipo dela.

Fez sentido quando ele lhe disse o que fazia: era arquiteto. Ele contou detalhes, os olhos se iluminando enquanto falava: era diretor de design, especialmente interessado em empreendimentos imobiliários de uso misto, restauração à beira-mar.

Ele apontou para o novo complexo residencial e de restaurantes ao longo da costa: um prédio como um reluzente navio de cruzeiro branco encalhado que ela sabia que tinha sido elogiado, premiado. Ele lhe disse que gostava de manteiga de amendoim e de museus, de surfar e de Coca-Cola. O que a impressionou de cara foi o quanto tudo aquilo foi fácil. Não havia nem uma ponta do constrangimento que qualquer um sente com estranhos.

Elin sabia que aquilo era porque Will estava completamente confortável consigo mesmo. Ela não precisava pensar duas vezes: ele era um livro aberto, e ela abriu-se para ele de uma maneira que não fazia havia muito tempo.

Trocaram números de telefone, e Will ligou para ela naquela mesma noite, e depois na seguinte. Sem ansiedade. Sem joguinhos. Ele fez perguntas a ela: perguntas difíceis sobre o trabalho policial, as normas da polícia, suas experiências.

Elin logo ficou com a sensação de que ele não a via da maneira que ela sempre se vira. O efeito daquilo era quase atordoante, fazia com que ela quisesse viver como ele a via, ou o que pensava que via.

Com ele, ela visitou novos lugares: galerias, museus, enotecas pouco conhecidas perto do cais em Exeter. Eles falavam de arte, música, *ideias*. Compravam livros de mesa e realmente os liam. Planejavam viagens de final de semana, sem muitas frescuras.

Ela não estava acostumada com nada daquilo. Sua vida, até aquele momento, fora resolutamente desprovida de cultura: noites de sábado assistindo à televisão, lendo revistas idiotas. Comida indiana. O bar.

Mas ela deveria ter percebido que aquilo não poderia durar, que a verdadeira Elin se revelaria, no final das contas. A solitária. A introvertida. Aquela que achava mais fácil correr do que dar a mão.

Ela ficava um pouco irritada com a negligência com que lidou com tudo aquilo, com aqueles meses em que tudo *funcionou*. Se ela tivesse percebido o equilíbrio frágil daquela situação, tão perto de desmoronar, ela teria sido mais atenta, cuidadosa.

Em poucas semanas, tudo mudou. Tudo aconteceu ao mesmo tempo, num redemoinho. O tratamento da mãe parou de funcionar. Elin ganhou um novo chefe e foi encarregada de um caso desafiador.

Sob pressão, voltou ao seu modo de funcionamento padrão: fechada, recusando-se a confidenciar o que sentia. Logo sentiu algo mudar no relacionamento deles. O que ela se tornara não era o bastante para ele, não fazia sentido.

Os limites que ela impusera ao relacionamento, limites com os quais ele parecera feliz no início — o fato de que ela precisava do próprio espaço, da própria independência, de algumas noites em que simplesmente queria apenas *ser* —, não estavam mais funcionando.

Elin o sentia testando-a sutilmente, como uma criança mexendo em um dente mole: sair uma noite com o pessoal do trabalho, um feriado com os amigos. Mais noites ficando na casa dele.

Percebeu que, se ele não conseguisse obter o que sempre tivera dela, então buscaria alguma coisa para colocar no lugar, outra parte dela que ainda não lhe fora oferecida. Compromisso. Certeza.

Will queria que a vida deles se misturasse, se fundisse, se emaranhasse.

Aquilo chegou ao ponto crítico seis meses atrás. No restaurante tailandês favorito deles, ele perguntou o que ela achava de os dois procurarem um lugar para morar juntos.

Estamos juntos há mais de dois anos, Elin, isso não é uma loucura.

Ela adiava a resposta, dava desculpas, mas sabia que a paciência dele não duraria para sempre. Elin precisava tomar uma decisão. Seu tempo estava acabando.

— Els…

Ela se vira, tragando o ar.

Isaac.

Isaac está aqui.

7

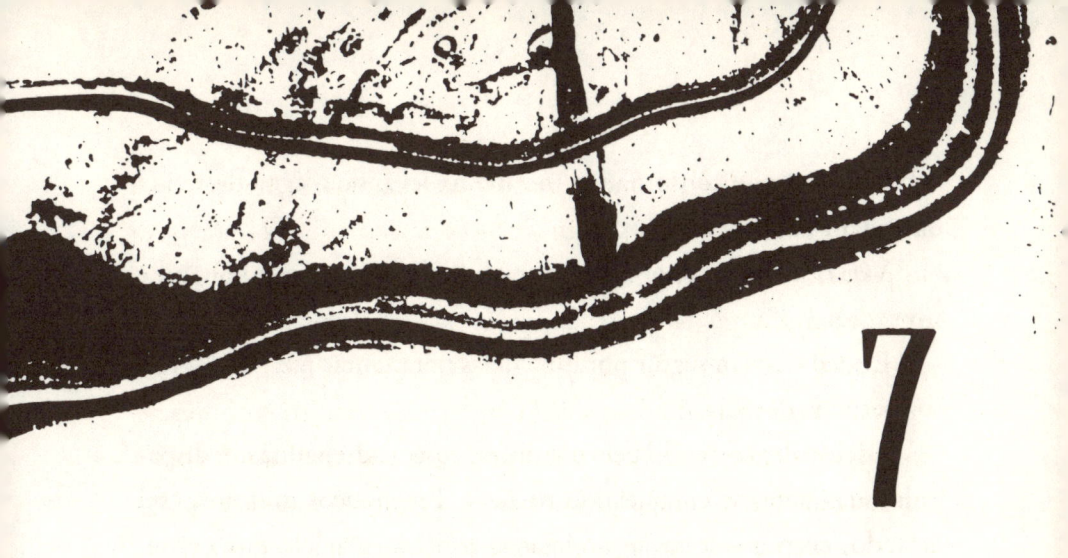

Assolada pelo pavor, Adele se arrasta de joelhos.

A mão que aperta seu tornozelo relaxa. Ela ouve um grunhido, um farfalhar frenético — nenhuma palavra de desculpas, nada para indicar que aquilo havia sido um acidente.

Alguém estivera espreitando na escuridão. Esperando para lhe fazer tropeçar.

Perguntas invadem sua mente, mas ela as repele. Ela precisa escapar.

Jogando o corpo para a frente, Adele se levanta e começa a correr, sem ousar olhar para trás. Seus olhos varrem toda a profunda escuridão daquela paisagem.

Pense, Adele, pense.

Voltar para o hotel não é uma boa ideia. Ela precisará pegar o passe quando chegar à porta, e isso vai demorar demais, eles a alcançarão.

A floresta.

Se ela conseguir entrar no meio das árvores, na escuridão de suas copas, então talvez o despiste. Correndo o mais rápido que consegue pela pequena subida que leva à floresta, Adele ouve passos no seu encalço e o som da respiração.

Talvez ela esteja em vantagem: conhece o caminho, andou por aqui no verão. A trilha serpenteia preguiçosamente pela floresta, sobre riachos que contornam a montanha levando a água derretida das geleiras até o vale abaixo.

Várias trilhas saem da principal. Trilhas de mountain bike no verão.

Ela vai desviar, seguir por uma delas para tentar fazer seu agressor perdê-la de vista.

Adele sobe correndo pelo caminho, com a adrenalina em disparada, suas botas se enlameando na neve. Em poucos minutos, está arfando, com a respiração acelerada, errática, mas ela está conseguindo despistá-lo, dá para perceber. Ela não consegue mais ouvi-lo.

Vinte metros adiante, coloca seu plano em ação. Corre para a direita e se esconde atrás de um pequeno grupo de pinheiros, mergulhando nas sombras. O suor escorre pelas suas costas por dentro do casaco. Ela mal ousa respirar.

E se ele perceber as pegadas dela na neve? Elas poderiam guiá-lo diretamente para onde Adele está... Ela só pode esperar que a cobertura inconsistente de neve, amontoada em torno de pedras e galhos quebrados, tenha apagado seu rastro.

Finalmente, Adele o ouve passar por ela, os baques leves e constantes de alguém correndo, chutando a neve para o alto. Curvando-se, ela cruza a trilha em disparada, mergulhando em um pequeno caminho à direita. Ela olha de relance para trás na tentativa de ver onde ele está, mas seus olhos só encontram mais árvores, neve. A floresta é densa demais.

Afastando os galhos com os braços, avança com cautela entre as árvores. Ela congela. Percebe um movimento repentino à esquerda. Seus olhos voltam-se para aquela direção.

Ela é tomada por um alívio quando uma marmota salta para fora de um monte de neve. Agitando os pelos, livrando-se de alguns flocos brancos, ela para, olhando na direção de Adele, e depois corre em meio às árvores.

Outro movimento. Outro som.

Desta vez, uma tossida abafada.

Merda. Ele a encontrou.

A mente dela dispara.

A cabana... a que serve de armazém para o hotel. Ela tem certeza de que a cabana está logo mais abaixo, paralela a esta trilha. Talvez esteja trancada, mas havia uma chance...

Mais sons. Respiração.

Fique calma, diz a si mesma. *Você está perto agora.*

Adele recua, passo a passo.

Silêncio.

Respirando devagar, ela decide agir.

Desce lentamente a montanha. Seus olhos procuram pela cabana em cada brecha entre as árvores, mas não há nada ali. Apenas mais floresta. Mais neve.

Adele xinga baixinho ao expirar. Ela subiu demais, não foi? Está muito acima da primeira trilha. Este é um caminho completamente diferente...

Lágrimas ardem em seus olhos. É a neve. Foi por isso que ela errou. A neve cobriu todos os sinais: as pedras que ela tanto conhecia, tocos de árvores, clareiras. Precisará retornar pela trilha principal. De volta por onde veio.

Ouvindo o estalo surdo de um graveto partindo, Adele dá meia-volta.

Uma figura está de pé diante dela. Uma figura sem rosto.

Adele pisca, as lágrimas fazem sua visão desfocar. *Um sonho*, pensa, esfregando os olhos. Talvez seja apenas isso. Talvez ela tenha deitado na cama naquele último quarto, adormecido...

Mas quando sua visão clareia, percebe que não é nenhum sonho, nenhuma alucinação semiconsciente.

A pessoa está usando uma máscara, por isso não tem rosto.

De lado, parece uma máscara cirúrgica: alças finas dividindo a bochecha em duas, bem apertadas atrás da cabeça; mas, de frente, Adele percebe que é mais do que isso. *Uma máscara de gás*, ela pensa com uma sensação fria de horror, vendo o largo tubo estriado indo da boca até o nariz. Um tipo peculiar de máscara de gás...

A máscara é enorme, cobre completamente o rosto da figura. Ela não consegue perceber nenhuma característica distintiva.

A figura está caminhando, indo em sua direção. Adele sente os joelhos cederem.

Chega de correr. Ela não consegue mais.

8

Elin fica tensa. Isso não está certo, pensa. Ela não deveria ter concordado em vir.

Isaac dá um passo para a frente, hesitando, e depois finalmente puxa Elin para si.

Uma onda de choque a trespassa. O cabelo dele está contra o rosto dela, mais comprido, cachos escuros quase abaixo do queixo. Ele também tem um cheiro diferente: tabaco, um sabonete desconhecido.

Mordendo o lábio, Elin fecha os olhos. Tarde demais. Imagens tomam conta de sua mente.

Um mar cintilante, salpicado de branco. Água, espessa pelas algas, balançando dentro de baldes vermelhos. Gaivotas gritando como gatos.

Recuando, os olhos de Isaac encontram os dela, e Elin percebe neles uma estranha mistura de emoções.

Amor? Medo? É impossível saber. Ela não consegue mais ler o rosto de Isaac. O tempo turvou sua percepção dele. Essa ideia dói — ele é a única família que lhe resta, e parte dele é estranha para ela.

Ele pigarreia e leva os dedos até a pálpebra, coçando o canto do olho. Um gesto familiar — ele tem eczema. Sofreu crises durante toda a infância, causadas por uma variedade de gatilhos, como calor, roupas sintéticas, estresse.

— Vimos pessoas saindo do bonde. Laure tinha certeza de que você não conseguiu pegá-lo, mas eu queria conferir.

— Acabamos pegando um trem mais cedo. — Elin força as palavras para fora. Ela olha além dele. — Onde está Laure?

— Ela precisou ir falar com o chefe sobre algo para a festa. Não vai demorar.

Isaac se vira para Will.

— Bom finalmente conhecer você, cara — diz.

Ele aperta a mão de Will vigorosamente antes de se inclinar para a frente para dar um meio abraço, algo que Isaac domina, contornando as costas de Will com a mão esquerda. Dois, três tapinhas cordiais. Um cumprimento masculino, mas ainda assim uma demonstração de poder — o gesto sutil de Isaac invadindo o espaço corporal de Will, a tomada de controle.

Will não percebe, exibe um rosto amigável, sorridente.

— Bom conhecer você também, e parabéns. Uma notícia importante...

— Eu poderia dizer o mesmo. Você fez o impossível, não fez?

Will hesita, sem entender direito.

— O que quer dizer?

— Elin. — Isaac faz um gesto com a cabeça para ela.

Uma pausa. Will enrijece, fazendo as coisas que só faz quando se sente ameaçado — aprumando os ombros para alargar o peito, movendo o queixo para a frente.

Suas bochechas ficam coradas. Uma cor pouco habitual, porque Will não costuma sentir vergonha, mas, até aí, Isaac sempre foi capaz de fazer isto: constranger pessoas. Ele tem o poder de deixá-las apreensivas.

— Você conseguiu prender minha irmã. — A risada de Isaac estilhaça o silêncio. — Eu achava que isso nunca aconteceria. Veja bem, ela sempre foi uma caixinha de surpresas.

É uma piada clichê, e eles riem, mas Elin sabe o que ele está fazendo. Está mostrando que ainda a conhece, que ainda pode interpretá-la. Ele está mostrando a ela quem está no comando.

— Eu poderia dizer o mesmo, não é? — retruca ela, mas, assim que diz as palavras, se arrepende.

Sua resposta chega tarde demais, é veemente demais, ríspida demais, obviamente muito misturada com outro sentimento, e não surte efeito. Elin desvia o olhar, sentindo o pescoço arder.

Will muda de assunto.

— Quando vocês chegaram?

— Há poucos dias. Nós íamos esquiar, mas fecharam os teleféricos. — Isaac aponta para a neve espiralando do lado de fora. — Está assim desde que chegamos.

Esquiar. Ele é bom nisso, lembra-se Elin. Tirou um ano sabático na França antes da pós-graduação e, depois, férias. Ele fez aquilo da maneira mais difícil: trabalhava, economizava, então voltava a trabalhar. Não havia moleza para nenhum dos dois, nenhuma herança ou poupança deixada pelos pais de onde pudessem tirar dinheiro.

Ele parece em forma, ela pensa, observando os músculos definidos e firmes marcando a camisa. Forte. Como ela, o rosto dele está mais magro, mais definido, com rugas novas, mas seus olhos azuis não mudaram: bem abertos, intensos. Indecifráveis. As amigas da escola diriam que ele não tinha mudado. Ainda exibia aquela barba por fazer, o cabelo desgrenhado. O eterno jovem baterista de uma banda *indie*.

— Quando todo mundo chega para a festa?

— Em poucos dias. — Isaac apoia-se ora em um pé, ora no outro. — Achamos que seria legal se vocês chegassem primeiro. Uma festa de pré-noivado. Um pouco de tempo com a família.

Levantando a mão, ele roça levemente no colar dela.

— Ainda está usando?

Encolhendo-se, Elin agarra o delicado círculo de prata, sem pensar, afastando-o do toque dele.

— E então, o que acham deste lugar? — Isaac afasta a mão do colar para fazer um gesto amplo. — Do hotel?

Elin fica tensa. Ela conhece aquele tom, significa que ele quer uma reação. O fato de que costumava ser um sanatório, o minimalismo calculado... Ele quer que ela ache aquele lugar desconfortável.

— É fantástico. Único. — Levantando a mão para tirar o cabelo da frente do rosto, ela percebe o quanto ele está curto. Algo novo, que ela fez depois que a mãe morreu.

— E você, Will? Qual é a opinião do arquiteto?

Will está de volta em terreno familiar, usando todas as palavras que ela previra, e mais: *delicado, bem executado, uma contenção perfeita*. Enquanto ele fala, ela observa Isaac.

Parte dele não mudou, ela pensa. A atenção dele já está vacilando, seu olhar se move na direção dela sem ninguém notar. Um único olhar carregado. E revela muita coisa: mostra que está de saco cheio de Will, que ele sabe que ela está ciente disso e, pior ainda, que ele sabe que Will não percebeu. *Ele está por cima*.

Alguns minutos depois, Will se vira.

— Elin, eu estava perguntando ao Isaac sobre o pedido de casamento.

— Sim — diz ela. — Eu...

Mas ela não consegue terminar. Uma voz a interrompe:

— Funcional... é como eu descreveria. Um anel, na minha bota de esqui.

Laure. Ali está ela, atrás de Isaac. Sorrindo, um pouco ruborizada. Ela abraça Elin de leve, antes de recuar, cumprimentando Will.

Ela percebe Will examinando-a, uma tênue expressão de aprovação da qual ele se livra rapidamente. Elin sente uma pontada de ciúmes. Vira fotos recentes de Laure, mas elas não lhe faziam jus: ela tem o tipo de rosto que só toma vida pessoalmente. Seus traços são marcados, firmes: olhos escuros, uma franja reta perfeita terminando logo acima das sobrancelhas grossas, bem contornadas.

Ela mudou. Há em Laure um porte, uma compostura que não tinha antes. A Laure da qual se lembra era mais relaxada, de rosto sincero, com uma expressão aberta. Agora, ela parece mais contida.

Está usando coisas que Elin jamais consideraria, ela pensa, tentando não olhar muito o conjunto da obra, cheio de criatividade: jeans verde de cintura alta, vários coletes, em camadas. Um cardigã verde-limão de malha fina está pendurado por cima. Um cachecol, também cinza, em torno do pescoço. Pulseiras prateadas envolvem o pulso.

— Desculpe por avisar com tão pouca antecedência. — Laure dá de ombros. — Foi tudo muito em cima da hora.

Um eufemismo. Elin recebera o convite havia apenas um mês, um pacote com um folheto fosco e minimalista dentro com um Post-it neon colado em cima:

Estamos noivos e faremos uma festa. Aqui… Uma seta apontava para o folheto, abaixo. *Vocês só precisam pagar as passagens de avião — Laure trabalha no hotel. Me digam. Vocês têm meu telefone. Isaac.*

O convite foi inesperado. Desde que Isaac partira para a Suíça, havia quase quatro anos, eles se falam apenas de vez em quando. Alguns e-mails, um raro telefonema. Ele contara poucas coisas — o namoro com Laure, seu trabalho dando aula na universidade em Lausanne, mas só isso. Podiam passar meses sem trocar uma só palavra.

Nem o funeral da mãe o trouxera de volta. Desculpas esfarrapadas: *Não posso sair do trabalho. Emergência com um aluno.* A memória azeda, áspera, faz Elin querer engolir em seco, como um pedaço de carne que ela não consegue mastigar.

Laure a observa com uma expressão perplexa.

— Você não parece com... — Ela para um segundo, reelabora a frase. — Lembro que... — Novamente, ela fica sem saber o que dizer.

— O quê? — responde Elin, com rispidez. — Você se lembra de quê?

Laure sorri preguiçosamente.

— Nada. Faz muito tempo, só isso.

Will lança um olhar afiado para Elin. Ela sabe por quê: não lhe contara que conhecia Laure. Que elas tinham uma história.

— Estávamos pensando aqui... Vocês querem jantar com a gente hoje à noite? — pergunta Isaac. — Se estiverem cansados, podemos deixar para lá, tentamos amanhã.

— Não. Tudo bem por nós. A que horas?

Elin fica ruborizada, constrangida com seu entusiasmo.

— Umas sete? — Ele olha para Laure, que assente. — Antes disso, vamos fazer um tour para vocês. Eu...

Ele não consegue terminar a frase, é interrompido pelo barulho alto de vidro estilhaçando. Uma rajada de ar frio enche a sala. O murmúrio das conversas cessa.

Silêncio.

Elin se vira, o coração disparado. Uma janela lateral está balançando com força nas dobradiças. Há estilhaços de vidro espalhados pelo chão, junto com uma poça de água que vai aumentando, enormes lírios brancos.

Embora ela saiba que não existe nenhuma ameaça — é uma janela aberta pelo vento, um vaso derrubado —, seu coração continua acelerado, a adrenalina inunda seu corpo. Elin sente suas mãos fechando com força, as unhas cravando a pele.

Um funcionário aparece e fecha a janela, afasta as pessoas dos destroços. Elin abre as mãos e olha para elas.

Dá para ver a marca das unhas na palma das mãos.

Meias-luas. Crescentes perfeitas.

9

Lá fora, a tempestade está ficando mais forte. A neve é açoitada pelo vento em redemoinhos furiosos contra a janela. Aquilo não distrai Laure. Ela é boa no que faz, eficiente, e os conduz sem interrupções pelo hotel. Do restaurante para o lounge, da biblioteca para o bar.

Mais vidro. As mesmas paredes brancas despidas, o design austero.

— Finalmente, mas não menos importante... — Laure os conduz até o final do corredor e abre uma porta, então anuncia: — ... o spa.

O espaço da recepção é amplo, a parede atrás do balcão coberta de enormes placas de mármore cinza marcado por linhas escuras. Outra instalação abstrata pende do teto acima da recepcionista: um complexo emaranhado de fios de metal encrustado de luzes minúsculas.

Laure passa os dedos por uma das paredes.

— O acabamento de todas é em gesso Marmorino, feito de mármore em pó e uma pasta de cal. O efeito é uma textura de camurça. É projetado para capturar a luz, que muda com o passar do dia. É parecido com o efeito que tentaram obter nas paredes do sanatório... Eram foscas para reduzir a luz para os pacientes, mas ainda eram claras.

Apesar do amplo espaço e do pé-direito alto, está inacreditavelmente quente ali, com um cheiro forte de menta e eucalipto. Os olhos de Elin disparam para o canto da sala. Ela nota outra caixa de vidro pendendo do teto. Dentro, há um capacete com uma aba pontiaguda feito do que parece ser cobre. Indo até lá, ela lê o texto no interior.

CAPACETE CLIAS: *Um capacete de bombeiro adaptado para ser mais pesado. Usado para fortalecer os músculos do pescoço.*

Isaac segue seu olhar.

— Parte da "narrativa". — Ele faz as aspas com os dedos. — Todos os espaços comuns têm. Artefatos do antigo sanatório.

Ela assente, atordoada.

Laure murmura algo para a mulher no balcão, depois se vira de volta.

— Margot, a nossa recepcionista do spa, vai fazer um tour com vocês mais tarde, mas só vou mostrar a piscina. A atração.

Sua voz é alta, aristocrática. Como gerente assistente do hotel, ela está acostumada a assumir o comando.

Elin imagina Laure com os hóspedes, os funcionários. Respondendo a perguntas. Dando instruções. Ao observá-la, Elin é tomada por uma sensação de inadequação: *elas realmente têm a mesma idade?* Laure parece mais velha, uma adulta, uma líder. Mas, até aí, pensa Elin, talvez ela sempre tenha sido.

Ela se lembra de quando se conheceram: Laure, com oito anos, pequena e forte, com duas tranças grossas como cordas descendo pelas costas. Laure sabia, intuitivamente, qual era seu papel no mundo: comandante, planejadora, a que cria brincadeiras, atribui papéis. *Você é a sereia. Eu sou o pirata.* As outras crianças concordavam, desesperadas para participar da brincadeira.

Elin sabia por quê: Laure emitia uma vibração que ela nunca dominara. *Não dar a mínima.*

Laure se sentia segura com quem era. Havia algo definido nela, uma solidez ancorando-a ao mundo, algo que Elin invejava. Elin era o oposto. Importava-se demais, preocupava-se com as coisas mais insignificantes: *seria ela quieta demais? Barulhenta demais? Não era descolada o bastante?*

Contudo, as diferenças entre elas nunca as separaram. A amizade que tinham era firme, ferozmente protegida pelas duas, especialmente por Elin, porque Laure foi sua primeira amiga de verdade. A primeira garota que "a entendia", não tentava mudá-la, não ria dela por não ser como todo mundo.

E veja como você retribuiu, uma voz atormentava sua mente. *Ela aceitou você, virou sua amiga, e veja o que você fez?*

Laure abre uma porta grande à direita. Seguindo-a para dentro, Elin pisca, cega pela luz que inunda o espaço. Vidro do chão ao teto cerca a piscina, de modo que a primeira coisa que ela vê não é a água, mas sim a neve em redemoinhos lá fora, a vasta amplidão de céu cinzento.

Logo além do vidro, vê uma varanda de madeira e várias piscinas ao ar livre. A primeira, bem do outro lado do vidro, está fumegante, espirais difusas serpenteiam preguiçosamente no ar.

Will assobia entre os dentes.

— Eu não esperava por isso.

— Eles ampliaram os fundos do prédio para maximizar esta vista — diz Laure. — Todo este vidro foi planejado. Quando o tempo está bom, você tem uma visão de 360 graus das montanhas, recebe a luz natural...

— Eu estava contando a Elin sobre a importância da luz no projeto original. — Will ainda está olhando para fora. — Eles achavam que ela ajudava na recuperação, não achavam?

— Sim. — Laure se vira. — O tratamento padrão para tuberculose na época era focado sobretudo no meio ambiente. Ar fresco, luz do sol. Acreditava-se que raios ultravioletas eram curativos, portanto colocavam os pacientes nas varandas e nas sacadas, mesmo durante o inverno, para que pegassem sol.

Elin faz um grande esforço para assimilar aquilo tudo: a neve, a água cintilante.

— El? Tudo bem? — pergunta Will.

— Sim. Apenas um pouco zonza.

— Provavelmente é a altitude — diz Laure. — Estamos bem alto para um hotel. Mais de 2.200 metros.

— Não acho que seja isso — diz Isaac lentamente. — Você costumava ser assim quando criança. Você se sentia desconfortável quando íamos para um lugar novo.

— Isaac, pare. — Suas palavras saem mais amargas do que ela pretendia. — Qual é a importância disso? Não sou mais uma criança, não é?

Ele levanta as mãos mostrando as palmas, em um gesto de rendição.

— Calma, eu só estava... — Ele balança a cabeça.

Observando-o, a raiva cresce em seu peito. Aquela preocupação fraternal é fingimento; ela notou o sorriso fugaz, superior.

Quando eram crianças, ele fazia aquilo o tempo todo: mudava de assunto para expô-la, desnudá-la. Ela se lembra de um jantar em que comentara com a mãe sobre uma nova amiga, e Isaac imediatamente interrompera com algo depreciativo: *Não é aquela garota nova? A esquisita, que está sempre sozinha?*

Will pega sua mão e aperta.

— Vamos?

— Vamos.

Grata, Elin olha para a piscina. Ela é grande para um hotel, as laterais e o fundo estão cobertos com os mesmos azulejos de mármore cinza. Veios minúsculos tremulam neles como chamas.

Miragens brilhantes das árvores cobertas de neve lá fora refletem na água.

Uma mulher de maiô preto está sozinha dando voltas na piscina, seu corpo musculoso iluminado pelos holofotes sob a água. Seus braços e pernas cortam a água em um ritmo coordenado, como o nado livre de uma atleta.

Isaac franze o cenho.

— Não é a Cécile?

Seguindo o olhar dele, Laure enrijece.

— Cécile? — Elin ecoa, intrigada.

— Cécile Caron. A gerente do hotel — diz Laure, com uma voz tensa. — É irmã do dono. Nada todo dia. Costumava participar de competições nacionais.

— Ela é boa — diz Elin, fascinada com a destreza tranquila da mulher.

— Você ainda gosta de nadar? — Laure muda de assunto.

Elin fica ruborizada, o calor sobe pelas costas.

Aquela onda familiar de emoção a consome: constrangimento, medo, frustração.

Quando ela vira para o outro lado, cai a ficha: Isaac nunca disse a Laure como as coisas mudaram depois que Sam morreu.

Ele não contou nada.

10

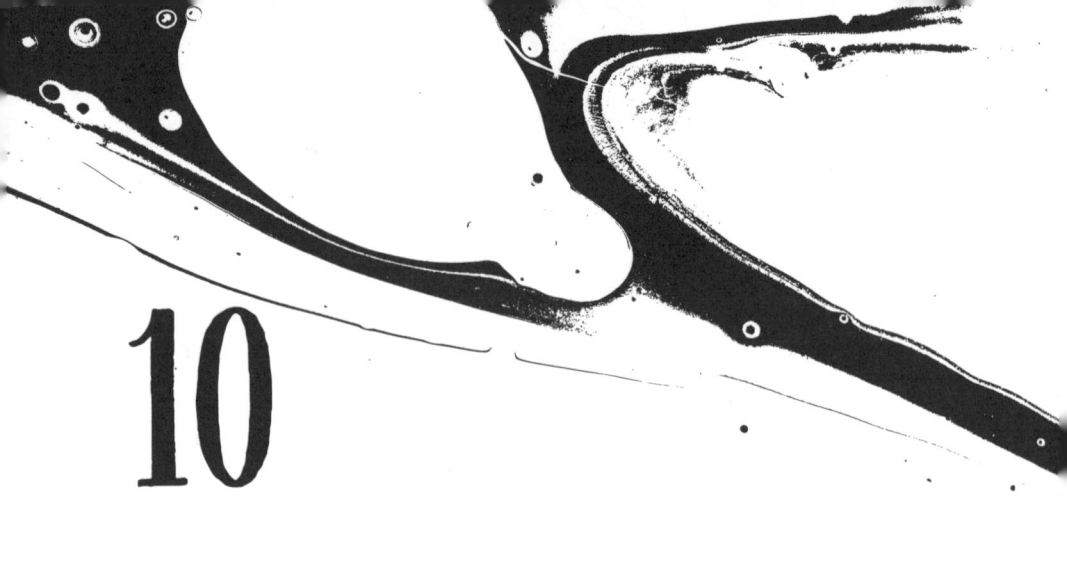

É um alívio sair da área da piscina. Expirando com força, Elin se recosta na parede. Sua respiração está pesada, difícil.

O que há de errado com ela? Aquilo deveria ser uma pausa, uma oportunidade de relaxar. Essa é a desvantagem de não estar trabalhando: sua mente está hiperativa e mal utilizada.

Mas isso é escolha sua, ela pensa, a cabeça saltando para o e-mail que recebeu de sua chefe, a inspetora-detetive Anna, uma semana atrás.

Falei com Jo. Preciso da sua decisão no final do mês.

Duas semanas. Duas semanas para decidir qual é a resposta. Ela se lembra da última vez que falou com Anna, a frustração e a decepção na voz da chefe.

Você é uma detetive boa demais para deixar isso tomar conta de você, Elin.

Detetive.

Até a palavra é bruta. Significa coisas demais. Não apenas esperanças e sonhos, mas também sangue, suor e trabalho árduo: o período de uniformes, provas, entrevistas.

Agora, tudo aquilo está sendo questionado.

Afastando aquele pensamento, ela segue Laure de volta pelo corredor. Logo à frente, dois homens estão muito envolvidos em uma conversa.

Laure desacelera. Elin a pega trocando um olhar com Isaac.

— Quem são? — pergunta ela.

— Um dos funcionários, com o dono do hotel, Lucas Caron.

Laure tira um fio de cabelo inexistente do rosto. Sua mão treme.

Ela está aflita. Por quê?

— Ele não deveria estar viajando? — diz Isaac, baixinho.

Laure assente.

— Com Cécile. Não deveriam estar de volta até a semana que vem.

Will ainda olha para um dos homens, o louro de barba.

— Então este é o homem… Lucas Caron…

Ele continua olhando. Elin segue seu olhar e vê o que atraiu seu interesse.

Lucas Caron chama atenção. Está muito óbvio que é alguém poderoso, importante. *Um chefe.*

Ele é alto, atlético, mas não é sua estatura que emana poder, é sua postura, com as pernas afastadas, os gestos grandiosos, expansivos. Somente pessoas com influência, dinheiro, possuem aquele tipo de crença inerente de que têm o direito de ocupar tanto espaço.

Suas botas de caminhada, as roupas casuais, técnicas — lã cinza, calças de alpinista. Só falta mesmo um cartão de visita: *Sou importante, então não preciso mostrar que sou.*

— Já ouvi falar dele? — pergunta Isaac.

— Ele é um nome conhecido no mundo da arquitetura… pelo seu estilo transgressor, pela sua abordagem — Will hesita. — Se não for pedir demais, seria muito bom ser apresentado a ele em algum momento.

— Tenho certeza de que Laure pode arranjar isso para você, mas eu tomaria cuidado — O tom de Isaac é claro. — Ele não tem muita sorte com arquitetos.

— Isaac. — Laure lança um olhar de advertência para ele.

— Daniel Lemaitre? — Will se apressa em dizer.

Isaac ergue uma sobrancelha.

— Você sabe disso?

Will sorri.

— Arquitetura é um mundo pequeno. Ainda nenhuma novidade sobre isso?

— Nada — responde Laure.

— O que aconteceu? — pergunta Elin, ainda observando Lucas Caron.

— Daniel era o arquiteto principal do hotel. Ele desapareceu na reta final do planejamento. Uma noite não chegou em casa. Deixou o local à tarde, e foi isso. O carro dele estava aqui, no estacionamento, mas não encontraram nenhum sinal dele. Sumiu. — Isaac estala os dedos. — Sem deixar rastro. Nada. Nunca encontraram a bolsa dele, o telefone…

— Foi um grande acontecimento na época — comenta Laure. — Cécile e Lucas conheciam bem o Daniel. Amigos de infância. Lucas ficou arrasado. Isso comprometeu o projeto por algum tempo… O hotel deveria ter sido inaugurado em 2007, mas atrasou um ano.

— Ninguém sabe o que aconteceu com o Daniel? — pergunta Will.

— Houve teorias. Pessoas diziam que ele tinha problemas com a empresa dele. — Isaac dá de ombros. — Algo sobre uma expansão rápida demais, problemas financeiros…

— As pessoas pensavam que ele tinha fugido?

— Ou isso, ou…

— Isaac, pare. Chega. Ele vai ouvir — intervém Laure, tratando de mudar de assunto. — Acho que isso é tudo do tour...

— Obrigada, eu...

Elin para, os olhos pousando na porta ao lado de Laure. Ela não se parece com as outras portas no hotel. É ornamentada, decorada de um jeito muito elaborado: entalhes de pinheiros, picos montanhosos contornando as bordas.

— O que é isso?

Laure puxa o cachecol ao redor do pescoço.

— Costumava ser um consultório. Está fechado agora. Não acessível aos hóspedes.

— Está vazio?

— Não exatamente. — A mão sobe de novo até o cachecol... puxando, ajustando. — É uma espécie de arquivo. Onde objetos da época em que era um sanatório estão armazenados. De início, eles planejavam fazer disso uma atração para que os hóspedes pudessem aprender sobre a história do hotel.

— Não terminaram?

— A obra foi adiada. — Laure para por um segundo, e Elin sente que ela está ponderando algo. Então continua: — Se você estiver interessada, pode dar uma olhada.

Isaac franze o cenho.

— Laure, agora não. Eles provavelmente querem desfazer as malas.

— É claro. — Laure reluta. — Uma outra hora.

— Não. Eu quero ver. Adoro qualquer coisa histórica. — É verdade, mas Elin pode ouvir o tom de desafio em sua voz. É isso que Isaac desperta nela. Deixa-a irascível, combativa.

Will fica tenso.

— Elin, acabamos de chegar. Quero encontrar nosso quarto, me ajeitar.

— Bem, então vá com Isaac. Não vamos demorar.

— Certo — diz ele, com firmeza. — Vejo você lá em cima.

Elin observa os dois partirem com uma pontada de incômodo. *Isso é realmente uma boa ideia? Bisbilhotar um lugar privado?*

— Escute, não se preocupe, de verdade...

— Tudo bem. — Laure sorri. — Mas já aviso que está uma bagunça. Tudo o que eles removeram antes da reforma foi jogado aqui.

Enfiando uma chave na fechadura, ela abre a porta.

— Você não estava brincando — murmura Elin.

A sala está entulhada até o teto com equipamentos médicos: aspiradores, garrafas, uma cadeira de rodas antiquada, estranhos apetrechos de vidro. Tudo está coberto por uma fina camada de poeira.

Não há um pingo de ordem naquilo tudo. Algumas coisas estão em caixotes, outras, amontoadas no chão. Detritos do consultório espalhados entre elas: caixas de papelão, arquivos.

— Eu te avisei. — Laure ergue uma sobrancelha.

— Não está tão mal assim. Já vi pior.

Como a casa dela. A bagunça a pegara desprevenida: armários entulhados, livros empilhados. Roupas ainda penduradas em um frágil fio de metal que vez ou outra despenca por causa do peso. Ela parece não conseguir reunir a força de vontade ou a energia para dar um jeito nisso.

— Interessante, né? — Laure encontra seu olhar. — Tudo isso. O que este lugar costumava ser.

Algo muda em seu temperamento, a compostura cede um pouco, revelando uma energia e um entusiasmo familiares; um vislumbre da antiga Laure.

De repente, Elin repara não apenas na bagunça, mas na própria sala. O ar parece denso, sufocante. Espesso com a poeira. Ela imagina aquilo: partículas minúsculas e imundas pairando. Forçando o olhar para a prateleira à direita, pega uma pasta. Uma pilha de papéis despenca no chão.

— Eu pego. — Laure dá um passo na direção de Elin, mas escorrega.

Elin dá uma guinada para a frente e segura o braço de Laure para estabilizá-la.

— Foi por pouco — diz Laure, se recompondo.

— Você está bem?

— Graças à sua agilidade.

— É a prática. — Elin sorri. — Minha mãe vivia caindo. Ela costumava brincar dizendo que precisava de um colchonete, e não de um tapete.

Sua voz embarga. Ela se vira, horrorizada com as lágrimas brotando em seus olhos. O luto será sempre assim? Constrangedoramente bruto?

Laure a observa.

— Você cuidou dela?

— Sim. Mais ou menos em tempo integral nos últimos meses. Eu estava de licença do trabalho mesmo, então... — responde, ouvindo a si própria dando uma desculpa, minimizando a situação, então emenda: — Eu queria fazer aquilo. Também tínhamos cuidadores, mas mamãe gostava que eu estivesse lá.

— Eu não sabia — diz Laure em voz baixa.

Ela dá de ombros.

— Fico feliz por ter feito isso.

É a verdade. Ela não consegue explicar melhor. Até aquilo acontecer, não fazia ideia de que podia ser tão paciente, abnegada, mas essa atitude lhe veio com facilidade.

Um reflexo. Cuidar da mãe. Retribuir. Ela descobrira algo intensamente gratificante na natureza fixa das tarefas. Não havia nada da imprevisibilidade do trabalho na polícia, a sensação irritante de deixar algo inacabado.

— Acho incrível. Fazer isso por alguém. — Laure fica um pouco hesitante. — Sinto muito, você sabe. Sua mãe... ela era uma pessoa adorável.

Elin pisca, espantada. *Aí está! Mais um vislumbre da antiga Laure.* Aquela emoção fácil, tanto dada quanto recebida. Sem desejar nada em troca.

Ela abre a boca, prestes a replicar, mas as palavras ficam presas na garganta. Os olhos das duas se encontram, e Elin desvia o olhar.

Curva-se e reúne em uma pilha os papéis caídos. Ela percebe que também há fotografias no meio da papelada. A imagem no topo é perturbadora: uma fileira de mulheres sentadas do lado de fora, na varanda. Elas são magras, parecem doentes, têm os olhos voltados para a câmera. Fitando diretamente os de Elin.

Pacientes, ela pensa, estremecendo diante daquela intrusão do passado do hotel no seu presente, de súbito perfeitamente ciente do quão pouco a separa do que ocorreu antes.

Repentinamente, ela sente a garganta apertar. Uma respiração não segue a outra como deveria. Em vez disso, se esconde, esquiva, impossível de agarrar. Seu peito está subindo e descendo, seus pulmões parecem cheios de líquido.

Não entre em pânico. Não deixe que isso te domine. Não aqui. Não na frente de Laure.

Laure a examina com atenção.

— Algo errado?

Elin revira o bolso, fechando a mão com força em torno do inalador.

— Estou bem. — Ela suga o gás do inalador até encher os pulmões. — Asma. Piorou no último ano, mais ou menos. Não acho que a altitude ajude. Ou a poeira aqui.

Laure ainda a está observando.

É mentira. Não tem nada a ver com a asma. Ela já esteve em grandes altitudes e não se lembra desta sensação.

É este lugar. Este prédio.

Seu corpo está reagindo a algo aqui, algo vivo, que respira, algo emaranhado com o DNA do prédio, tão parte dele quanto as paredes e pisos.

11

—Eles não vêm, não é? — Will revira a colher pelas sobras de sua mousse de limão e olha para ela.

Elin finge que não consegue ouvir e come uma garfada de torta de chocolate. A massa é crocante, o chocolate, amargo, mas a textura é uma decepção: espessa e enjoativa. Ela afasta o prato.

— Elin? — Will tenta capturar seu olhar.

Ela olha para a mesa. Cera escorre de duas velas atarracadas em pratos de cerâmica entre eles; as chamas tremeluzentes destacam o grão circular da madeira. Sobre a mesa, restos de comida: taças de vinho meio vazias, uma jarra de água com gelo, escorregadia com a condensação, a cesta de pão da qual Will nunca abre mão.

— El? Está escutando?

— Dissemos em torno das sete e meia.

— Sim — Will inspeciona o relógio —, e já passa das nove. Não acho que...

Elin pega o telefone. Nenhuma chamada perdida. Nenhuma mensagem.

Laure e Isaac simplesmente não apareceram. Tomada pela raiva, ela repreende a si mesma: *Ele não mudou. Nunca vai mudar. Por que imaginei que mudaria?*

Com lágrimas de frustração e constrangimento surgindo nos olhos, Elin se vira, fingindo estudar o restaurante. Ele está movimentado, quase todas as mesas ocupadas, o zumbido de conversas. Ele é menos árido à noite, o branco luminoso das paredes esmaecido pela lareira, pela luz de velas, mas, ainda assim, *o vidro*. Elin o odeia. Odeia como ele a faz se sentir vulnerável.

Mesmo à noite, as janelas dominam tudo. Elas cobrem toda a extensão do salão, um palco escancarado, a escuridão lá fora se fundindo com reflexos sombrios, em *staccato*, das pessoas no interior.

Will entrelaça seus dedos com os dela.

— Você está irritada, não está? Você esperava uma coisa — ele hesita — diferente.

Elin pega a jarra de água e serve um pouco em seu copo.

— Sim, mas não deveria. Isso é o que ele faz. É uma questão de poder. Ele sente um prazer estranho sabendo que vou ficar furiosa. Isso é o que ele quer. Uma reação.

— Também reparei em outra reação — diz Will suavemente. — Laure. Você nunca disse que a conhecia.

— Não achei que fosse importante. — Elin observa a vela, um tremeluzir líquido da chama. — Foi há muito, muito tempo. Éramos apenas meninas.

Ele espera Elin continuar.

— Nossas mães eram amigas de escola. A mãe dela se casou com um suíço que conheceu quando dava aulas de inglês no Japão. Eles se mudaram para cá quando a Laure nasceu. — Elin dá de ombros. — Não nos visitavam muito. Só a vi o quê? Três, quatro vezes?

Ela está diminuindo a importância daquilo. Desde o instante em que Laure e a mãe, Coralie, chegavam todo mês de agosto, carregadas de malas, Elin e Laure se tornavam inseparáveis. Elas passavam horas nadando, andando de caiaque, fazendo piqueniques na floresta atrás da praia: baguetes recheadas de queijo macio e fatias grossas e grudentas de bolo de gengibre.

Quando Laure voltava para casa, o verão terminava para Elin. Ela passava horas escrevendo para a amiga, elas se telefonavam todo sábado.

Mas Elin sabe por que está diluindo aquilo: as memórias de Laure trazem à tona memórias dela antes de Sam, e ela não consegue evitar comparar a antiga Elin com esta em que se transformara.

Mas há também outra coisa, algo que ela vem tentando ignorar desde que chegou: *a culpa*. A culpa pelo modo como tudo terminou com Laure, pela forma como a amizade definhara e morrera de repente.

— Você a visitou aqui alguma vez?

Ela responde que não, balançando a cabeça.

— Minha mãe queria, mas o dinheiro estava apertado.

— Vocês não mantiveram contato?

— Não — responde ela abruptamente. — Depois que Sam morreu, não nos falamos mais.

Elin se lembra das cartas que Laure enviou. Depois, mensagens de texto. Mas Elin respondia sem entusiasmo — uma, duas vezes, e depois as respostas pararam. De alguma maneira, era mais fácil não manter contato. Não só por causa das memórias, mas também porque parte dela sentia inveja. Para Laure, a vida não mudara. Ela conseguiu seguir em frente.

— Você sabe como ela e Isaac se conheceram?

— Acho que eles se conheceram em uma rede social. Isaac veio trabalhar aqui... E a universidade em Lausanne não fica longe de Sierre, que é onde Laure mora. Ela o ajudou a se instalar. Tenho a impressão de que isso foi de propósito, que ele sabia como eu ia ficar morrendo de raiva.

— Então, ignore. Divirta-se. Não dê a ele o que ele quer. Relaxe. — Will se recosta na cadeira. — Isso aqui, as férias, só vai funcionar se você não deixar que as coisas te atinjam.

Ela corre os olhos pelo salão.

— Estou tentando, mas este lugar... Tem alguma coisa esquisita aqui, não? Algo assustador.

— Assustador? — Will sorri. — Você só não gosta porque está fora da sua zona de conforto.

Ele está brincando, mas apenas em parte. Will nunca disse com todas as palavras, mas Elin sabe que a inflexibilidade dela o irrita. E, como não consegue entendê-la, lidar com ela, ele a transforma em algo engraçado.

Elin força um sorriso.

— Zona de conforto? Ah, para com isso, sou a espontaneidade em pessoa... sempre fazendo o que dá na telha...

— Você costumava ser — comenta Will com seriedade, encontrando o olhar dela. — Quando nos conhecemos.

Ela segura o copo com mais força.

— Você sabe o que aconteceu — diz ela, com a voz trêmula. — Você sabe pelo que passei no último ano.

— Sei, sim, mas você não pode deixar que isso te destrua. O caso Hayler, sua mãe, Sam, esse lance com o Isaac... Você deixou tudo escalonar a tal ponto que agora está engolindo a sua vida toda. Seu mundo está ficando cada vez menor. — Ele sorri, mas ela percebe que não é um sorriso espontâneo. — Ainda estou esperando aquele acampamento que você prometeu. Comprei uma barraca e tudo o mais...

— Pare. — Elin empurra a cadeira para trás, horrorizada ao notar seu peito subindo e descendo.

Ela vai chorar outra vez. Aqui, no restaurante, com Will. O que ele está dizendo parece uma advertência. Que ele, assim como o emprego dela, não ficará esperando para sempre.

Ela se levanta. Não consegue encarar a possibilidade de mais uma perda.

— Elin, relaxa, eu só estava provocando...

— Não. — O calor sobe por suas costas, seu pescoço. — Não consigo mais, Will. Não agora. Não aqui.

12

Ele voltou. Adele pode ouvir o arrastar ritmado dos passos, sua respiração pesada e forçada.

Ela permanece sentada, com as costas apoiadas na parede, sem se mexer. Ela não se moveu desde que chegou aqui.

Escute. Observe. Não desperdice energia.

De repente, sente uma pressão em seu braço. Um empurrão para o lado. Adele desaba no chão. Sente o movimento como um golpe, e ondas vibrantes de dor irradiam pelo seu ombro e pelo seu pescoço.

Gritando, se encolhe em posição fetal.

Os olhos dela estão bem fechados.

Mantenha os olhos fechados. O que quer que aconteça, mantenha os olhos fechados.

Esse é o mantra que ela fica repetindo mentalmente. Não tem ideia de quem é aquela pessoa ou o que quer com ela, mas sabe que a coisa monstruosa em seu rosto está ali para assustá-la. Ela sabe que, se ficar com medo, vai se sentir fraca e não conseguirá voltar para Gabriel.

Um dia seu pai contou o que o medo fazia com o cérebro, uma reação primitiva impossível de controlar. Como se chamava? Aquela parte do cérebro? *Pense...*

Tudo o que lembra é que, quando aquela parte minúscula do cérebro percebe uma ameaça, ela desativa o pensamento consciente para o corpo concentrar toda a energia em encarar a ameaça.

O problema disso é que o resto do cérebro "desliga". O córtex cerebral, o centro de raciocínio e julgamento do cérebro, fica comprometido, tornando impossível decidir a melhor ação durante uma crise.

Outro som.

Um zíper, ela pensa. Roçando.

Adele engole em seco. O que ele está fazendo?

Pense. Pense. Ainda dá tempo... Desde que você não olhe, você pode sair dessa...

Somente quando sente as mãos nela, se dá conta de que fechar os olhos é um erro de cálculo, que, inconscientemente, seu raciocínio já está comprometido. Ao fechar os olhos, ela fez o trabalho por ele, jogou fora qualquer chance de escapar, por menor que fosse.

Sim. O medo já botou tudo a perder.

Adele não sente a princípio. O frio e o esforço deixaram sua pele dormente.

Tudo que ela sente é pressão. A pressão da ponta de um dedo na coxa direita.

Somente quando a afiada ponta metálica de uma agulha desliza através do tecido subcutâneo até o músculo é que ela sente.

Uma dor cega, intensa.

Ela tenta chutar, gritar. Abre os olhos, mas não consegue ver nada. Uma escuridão a devora. Uma escuridão impenetrável que sufoca tudo.

13

—Por favor — diz Will, agarrando a mão de Elin ao alcançá-la. — Volte.

— Não consigo. — Balançando para trás sobre os calcanhares, Elin sente o puxão novamente, o mergulho no pânico.

— Elin. — Ele aperta a mão dela mais forte. — Se você continuar indo embora sempre que discutirmos, não faz sentido estarmos juntos, faz? Se não podemos compartilhar coisas, não temos uma conexão de verdade.

Ela olha para ele. O rosto dele está corado, furioso, mas seus olhos estão calorosos por trás dos óculos. Elin sente uma onda de culpa: ele se importa. Ele quer conversar, o que é normal, não é? Para um casal. *Normal* é o que ela precisa ser — tentar ser — por Will.

Ela assente, seguindo-o de volta à mesa. Quando estão novamente sentados, Will toca levemente seu braço.

— Quer falar sobre isso?

— Sim. — Elin hesita. Ela não quer brigar outra vez, mas as palavras saem antes que possa impedi-las. — Will, sobre o que você estava dizendo, você está errado. Eu *estou* tentando. Olhe para nós...

— Você estava, mas parou nos últimos meses. O passado é como um bloqueio na estrada. Você fica relutante em sair de casa a menos que seja para correr, e não gosta mais de socializar. — Ele pausa. — Ouvi você, outra noite, na cama. Você gritou o nome do Sam. Eu pensei que você estava progredindo nisso, Elin. Com o luto. Que estava melhor.

Ela assimila as palavras dele. *Melhor?* Como ficaria melhor? O luto por Sam está guardado dentro dela, em cada célula.

Elin não sabe como resolver aquilo. Como eliminar alguém da vida quando ele é o fio que liga todas as partes dela?

Ela sabe que é difícil para Will — ele quer ver progresso, algum tipo de sinal de que ela superará, se não agora, então em breve. Às vezes, ela se pergunta se ele a considerou um projeto quando começaram a namorar, como um de seus prédios antigos que precisava ser reformado. Basta uma pequena mudança, mais um "tapa", o ajuste final, e ela estará nova em folha. Mas ela não está, ainda não. Está ficando para trás no cronograma, no cronograma dele, o que não é nada bom para Will.

— Fico com medo, Elin. De até que ponto isso pode chegar. — Will olha para ela. — Seu emprego… Eles não vão segurá-lo para sempre. Você sabe disso, não sabe?

Sei disso, ela quer dizer, *mas não tenho certeza de que posso voltar a ser detetive.*

Ela continua dizendo a si mesma que tudo vai ficar bem quando descobrir a verdade sobre o dia em que Sam morreu, que então será capaz de seguir em frente. Mas e se isso não acontecer? E se esta for sua nova realidade?

Ela sente a garganta apertar, e um soluço sai sufocado.

Will coloca uma das mãos sobre a dela e a aperta.

— Escute, eu não deveria ter dito nada. Nós dois estamos cansados. — Ele pega sua taça. — Você tem revirado todas as coisas da sua mãe, viajamos o dia todo, e agora isso.

Ele tem razão. Nas últimas duas noites, ela ficou revirando as coisas da mãe até tarde da noite. Cada objeto — livros, roupas, as fotografias desbotadas ainda emolduradas — a inundou de memórias, a deixou estranhamente isolada, à deriva. Faz mais de seis meses que ela morreu, mas Elin ainda sente um luto visceral.

Terminando a taça de vinho, Will baixa a voz.

— Isso é o que mais me irrita, sabe? Isaac ter deixado nas suas mãos a responsabilidade de cuidar da mãe de vocês, de todo o patrimônio dela, da administração de merda dela, das coisas pessoais, e agora você veio até aqui, por ele, e precisa aturar os joguinhos que ele fica fazendo.

— Eu sei — diz Elin, com a voz embargada. — Mas pensei que poderia ser diferente desta vez.

Will ergue uma sobrancelha.

— Veja bem, ele deveria *querer* estar aqui, Will. Não deveria ser tão difícil... e ele disse, não disse? Ele disse que deveríamos nos encontrar para o jantar.

— Pare — interrompe Will. — Estamos caindo na dele. O que estamos fazendo... ficando irritados, questionando, analisando demais as coisas... Você disse que é isso o que ele quer. Vamos só aproveitar a noite. — Ele pega o cardápio e dá uma olhada nas opções. — Quer um coquetel?

Elin hesita, mas se tranquiliza.

— Você tem razão. Vamos aproveitar ao máximo nosso tempo aqui.

Will chama o garçom.

— Um deste aqui — ele aponta para o cardápio. — E este.

Quando os coquetéis chegam, ele ri.

— Minimalistas, como tudo neste lugar.

Ele tem razão. Os drinques são discretos, contidos. Nada de azuis ou rosa vívidos, nenhuma decoração cafona. O Martini de lichia dela é de um leve tom corado, com uma lichia inteira na borda do copo. O dele é quase sem cor.

Elin bebe um pouquinho. Imediatamente, sente o gosto doce intenso na boca. A vodca queima o fundo de sua garganta, é tomada por um calor repentino. É forte.

— Quer experimentar o meu? — Will empurra seu copo para ela.

Ele a encara e abre um sorriso fraco. Ele pode estar forçando um sorriso agora, mas depois de alguns drinques, não vai mais.

Segurando a haste do copo, Elin sente a tensão em seus ombros se aliviar. *Will tem razão.* Ela não pode deixar que Isaac a atinja. Além disso, pensa, ela não está aqui para construir pontes.

O que importa é fazê-lo admitir o que fez de uma vez por todas.

14

Will abre a porta e tropeça para dentro do quarto. Atrapalhado, estende a mão e enfia o cartão-chave na fenda na parede. Um fracasso: o cartão de plástico dobra para trás e desliza, errando o alvo.

— Me dá. — Rindo, Elin pega o cartão e o insere cuidadosamente na fenda estreita. O quarto se ilumina, e os pontos de luz salpicados acima de sua cabeça trazem um grande alívio àquele lugar.

Ela reage na mesma hora, sente um calafrio amargo trespassar seu corpo. Tudo naquele quarto a incomoda, deixando seus nervos à flor da pele.

Não é que ele seja vazio. Tem uma cama, um sofá, uma mesa e cadeiras, mas não há nenhum dos objetos decorativos que se vê em qualquer quarto, como almofadas, cortinas, vasos.

A cama é embutida na parede, projetando-se em uma linha ininterrupta, assim como o armário, com um estranho vão abaixo. Há um sofá comprido e baixo, com um estofado de linho em um tom de branco quase igual ao da parede ao qual o móvel se encaixa perfeitamente.

Talvez o desconforto diga algo sobre ela mesma. Lembra-se da sua última avaliação no trabalho: *Elin tem dificuldades para se adaptar a mudanças. Isso pode comprometer o futuro de sua carreira...*

— Qual é o problema? — pergunta Will.

Ele tira os sapatos com os pés, abre um sorriso relaxado. Suas pálpebras estão pesadas, frouxas. Ele está bêbado. Já faz tempo que ela não o vê tão bêbado assim.

O telefone de Will está na mão dele. Um toque soa alto.

Elin sabe o que é, o grupo de WhatsApp dos amigos de escola dele. Que serve só para mandarem piadas.

O grupo de Will se comunica de uma maneira totalmente diferente dela e seus amigos: nenhuma interação é permitida além das piadas e uma breve resposta. Nenhuma cordialidade ou conversa, só um bombardeio de piadas.

Ele está olhando para a tela, sorrindo.

— Olhe. — Ele ergue o telefone.

Elin passa os olhos pela tela e vê uma mensagem: *Estou tão sem grana que até a minha última conversa foi fiada.*

Ela não consegue resistir e ri. Embora jamais admitisse, a maioria das piadas é, na verdade, muito boa. É um humor infantil, básico, um humor que nem ela nem Will deixaram de ter.

Olhando para o próprio telefone, ela suspira.

— Isaac ainda não ligou. Nem mandou mensagem.

Ela joga o telefone na cama e pressiona os dedos nas têmporas. A cabeça está começando a latejar, como em uma batida surda.

Pegando um copo, ela se serve de água mineral e dá um longo gole.

A água não tira o sabor dos coquetéis: o gosto do álcool está ficando azedo e metálico em sua boca.

— Deixe para lá. — Will sorri. — Não estrague a noite agora. Não agora que você conseguiu relaxar.

Elin fica tensa. O efeito do álcool está começando a passar, e ela sente a irritação voltar completamente. Will desce o braço até sua cintura e a puxa para perto dele, depois põe as mãos em concha na cintura dela.

— Poderíamos ter uma primeira noite romântica...

— Talvez — diz ela, dando de ombros.

Não vai acontecer. Quanto mais tenta não pensar em Isaac, na refeição esquecida, mais a frustração aumenta dentro dela.

Elin está furiosa: *a primeira noite deles, e ele os abandonou. Nenhuma pessoa normal faria aquilo. Não deveria ser tão difícil assim, certo? Os dois lados deveriam se esforçar. Comunicação.*

Fazendo um caminho sinuoso pelo quarto, Elin abre a porta e sai para a varanda. Redemoinhos de gelo esbranquiçado congelam as ripas de madeira.

Ela inspira o ar puro e gelado.

Mais uma vez.

Sua mente começa a desanuviar, ela sente o gosto do álcool se dissolver, indo embora.

— Will, olhe! — chama Elin. — Finalmente você pode ver a vista.

As nuvens estão se abrindo, revelando faixas pálidas do céu. O semicírculo nebuloso da lua lança uma luz suave sobre os picos montanhosos no outro lado.

À primeira vista, é magnífico. No entanto, quanto mais ela olha, mais percebe como as montanhas parecem sinistras com seus picos brutos, serrilhados. A mais alta é curva como uma garra.

Ela estremece. Pensa no que Isaac lhe contou sobre Daniel Lemaitre, o arquiteto desparecido. *Nenhum corpo. Nenhuma prova.*

Não é difícil de imaginar, ela pensa, olhando para fora. *Este lugar consumindo alguém, engolindo a pessoa inteira.*

— É impressionante — comenta Will da porta. — Mas é melhor você entrar. Esse casaco é fino. Já ouvi falar de pessoas bêbadas ficarem insensíveis ao frio e serem encontradas, no dia seguinte, usando poucas roupas, mortas por hipotermia. — Ele olha como que maravilhado para a cadeira de madeira ao lado dela. — Essa cadeira reclinável... é a mesma que eles deviam usar antigamente, no sanatório...

— Nerd — provoca Elin.

Ela sorri, depois congela, colocando o dedo sobre os lábios. Ouve algo: passos, pés guinchando na neve. Um ruído mais baixo. Uma voz falando em um francês melódico.

Espiando sobre a sacada, vislumbra cabelos pretos picotados, um cachecol.

Respira com força.

Laure.

Laure está saindo da recepção, caminhando pela neve perto da frente do hotel. Ela está vestindo um espesso casaco acolchoado preto, com o zíper aberto. O cachecol cinza ainda está em torno do pescoço, mas solto, com as pontas pendendo até a cintura.

Laure para bem abaixo da sacada deles. Segura um cigarro, do qual filetes de fumaça se desprendem formando redemoinhos no ar. Fala alto e rapidamente em um telefone, gesticulando, fazendo a minúscula ponta brilhante do cigarro dançar contra o céu noturno como um vaga-lume.

Elin permanece imóvel, com medo de se mexer, de chamar atenção para si.

Laure se vira, muito levemente. A luz do lado de fora ilumina seu rosto, destacando seus ângulos: parte da mandíbula, o nariz marcante, as sobrancelhas.

Sua expressão é feroz, tem os olhos semicerrados, os lábios um pouco curvados.

Elin não entende francês, mas o sentimento na voz de Laure é claro. Afiado. Raivoso. Nada como a pessoa que ela vira havia poucas horas.

Elin olha, paralisada. Esta nova Laure é estranha para ela.

15

Segundo dia

O cheiro é o que ela sente primeiro: pão saído do forno, café forte, o apetitoso aroma de queijo.

Elin examina a mesa: uma cesta de croissants brilhantes, baguetes, pãezinhos cravejados de pedrinhas de sal. Um garçom de cabelo escuro, brandindo pegadores de madeira, enche uma cesta vazia de *pains au chocolat*. Ele chega para o lado, revelando presunto, salames, salmão defumado, tigelas de cerâmica com iogurte cremoso.

O estômago dela revira.

— Agora, isso é o que chamo de café da manhã — diz Will, esfregando as mãos.

Elin ri.

— Tem certeza de que vai dar conta disso?

O apetite dele é lendário. Depois de surfar, ele era conhecido por comer não uma, mas duas pizzas de trinta centímetros, e depois terminar com uma quantidade industrial de sorvete. O café da manhã é a refeição favorita dele, o grande reabastecimento.

Sorrindo, ele cutuca Elin.

— E então, o que você vai comer?

— Não estou com fome, na verdade. — Pegando a jarra de suco de laranja, ele despeja um pouco em um copo. Enquanto serve, a mão dela vacila. — Merda.

Ela observa o suco formar uma poça na toalha de mesa, luz solar líquida, antes de ser absorvido.

— Ruim de copo — sussurra Will, tentando não rir.

Elin sorri, tentando ignorar a dor surda na têmpora. É por isso que ela não bebe. Ela se esforçara demais, pensa, consciente do momento, quatro coquetéis depois, quando começou a se tratar menos de diversão e mais de entorpecimento.

Ecos perigosos, ela pensa. Sua mãe fez a mesma coisa quando Sam morreu. Bebeu para afugentar a dor.

Elin se lembra de dias nos quais a mãe mal saía da casa. Passava horas olhando para a praia, com infindáveis xícaras de chá esfriando na mão.

O pai seguiu pelo caminho oposto. Acelerando, disparou em um tipo de ação implacável. Esvaziou o quarto de Sam. Jogou fora todos os jornais da casa. Desligava a televisão, decidido, na hora do noticiário.

Ela sempre pensa que a partida dele, apenas poucos anos depois da morte de Sam, foi a continuação natural daquilo. Começando outra vida no País de Gales, com uma nova esposa e uma nova família: a maneira mais extrema de seguir em frente. Superar apagando o passado.

Elin, contudo, não conseguia escapar delas, das palavras das quais ele se esforçara tanto para fugir.

Elas estavam por toda parte: no quiosque à beira-mar, nas notícias altíssimas no restaurante que servia peixe com batata frita.

Garoto morre afogado. A cidade continua de luto após a trágica morte de Sam Warner, oito anos.

Elin afasta o pensamento.

— Eles estão aqui?

Pegando um prato, ela olha para o outro lado do salão. Por mais que tente pensar naquilo de uma forma positiva, será constrangedor: a refeição perdida, a lembrança de ver Laure da sacada, furiosa e exposta.

Will olha sobre o ombro dela.

— Não. O terreno está limpo.

Espetando um pedaço de salame, ele o alavanca para seu prato.

Elin é tomada pela náusea. As fatias grossas de salame estão banhadas de óleo, cheias de minúsculos pedacinhos de gordura.

— Vou comer um pouco de pão.

Pegando um pãozinho simples, ela coloca uma única colherada de geleia vermelha no prato.

Elin encontra uma mesa ao lado da janela e bebe um pouco de suco de laranja. O líquido é espesso, fresco, ela sente na língua a polpa fibrosa.

Com a cabeça começando a desanuviar, ela olha para fora. Neve fresca em montes altos contra as janelas, branquíssimos contra o azul do céu. Pela primeira vez, o cenário parece convidativo em vez de sinistro. Talvez a sugestão de Will de darem uma caminhada não tenha sido uma ideia tão ruim assim.

Will dá passos largos na sua direção, segurando um prato abarrotado.

— Não olhe agora, mas Isaac acaba de entrar. Está sozinho. — Sentando-se, ele baixa a voz. — Ele está vindo para cá.

Elin levanta os olhos à medida que seu irmão se aproxima.

— Oi — diz ela, mantendo um tom neutro. Já estuda as palavras, prepara frases inteligentes na cabeça, mas para quando vê o rosto dele.

Aconteceu alguma coisa, Elin pensa, olhando para o cabelo bagunçado, a expressão selvagem em seus olhos.

— Laure desapareceu — diz ele em voz baixa, olhando ao redor para ter certeza de que ninguém vai ouvi-lo.

— O quê? — A pulsação dela acelera.

— Ela desapareceu — repete Isaac. — Aconteceu alguma coisa com ela.

16

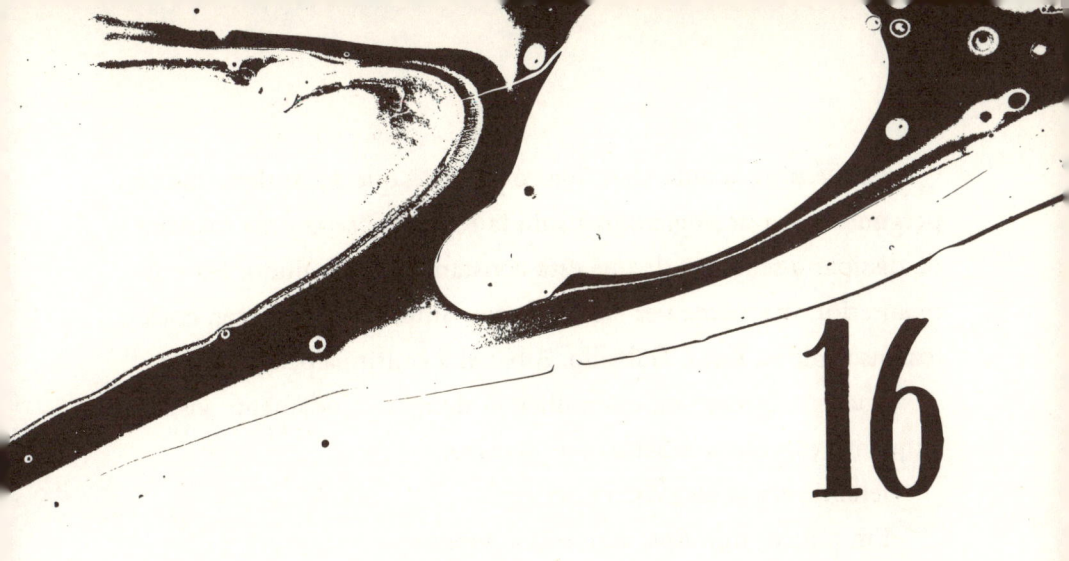

Jérémie Bisset sobe rapidamente o caminho estreito atrás do Le Sommet que adentra a floresta. Em um instante, os arredores escurecem e a trilha aberta dá lugar a uma massa densa de pinheiros. No verão, o caminho é rochoso, usado por trilheiros para acessar a geleira além da floresta, mas agora está atolado de neve. Sufocado.

Ele vira a cabeça para o alto. Durante a noite, o céu ficou limpo. Ele agora é de um azul-claro, esbranquiçado, listrado com colunas fragmentadas de nuvens. Isso não vai durar. A previsão para a próxima semana é desfavorável.

Em poucos minutos, ele encontra um ritmo; um metrônomo constante de bastão e esqui. Uma onda de euforia: ele ama aquilo, a longa caminhada montanha acima. No inverno, ele passeia toda manhã antes do trabalho. Ajusta o alarme para antes do amanhecer e sobe a trilha na direção de Aminona.

É a única coisa que faz com regularidade. Geralmente, odeia qualquer forma de rotina, pois isso o faz lembrar do hospital. Dos últimos dias com o pai. Todo dia, um ciclo nefasto de frágil regularidade: turnos pelas alas, medicação, o apagar das luzes.

Jérémie deixa esse pensamento para trás. Sua respiração está mais difícil agora, acelerada. Os tendões das pernas e os quadríceps já estão ardendo.

Não é uma subida fácil, mas é por isso que gosta dela. Ele se pergunta se é psicológico, se a subida repetitiva seria uma maneira de dissipar a sensação de que está constantemente caindo. Na noite anterior, mais uma vez ele despertou antes do amanhecer, entre lençóis úmidos. Luto. Trabalho. A batalha contínua pela custódia.

Imagina o rosto da ex-mulher, o desdém nitidamente visível enquanto ela colocava Sebastien no carro.

Jérémie afasta essa visão e acelera.

Em poucos minutos, atravessa a floresta.

Uma luz repentina, brilhando da neve. A escuridão sombria da copa da floresta deu lugar a uma clareira aberta, acima do limite das árvores. Nenhuma vegetação consegue nascer aqui. A única coisa que há entre ele e a geleira acima é uma parede de calcário, cujas ondulações serrilhadas estão cobertas por uma crosta de neve.

Jérémie para e escuta a própria respiração, expirações curtas, entrecortadas. Suor escorre por suas costas dentro da roupa térmica. Aguardando sua respiração acalmar, ele olha ao redor. Consegue ver até o fundo do vale. Guindastes protuberantes dividem a cidade em dois ângulos retos gigantes, pairando sobre as formas cuboides do centro industrial. Uma geometria compacta criada pelo homem, nada parecida com a pureza da vastidão deste lugar.

O vento sopra, puxando seu casaco. Ele estremece, pensando na previsão do tempo, na tempestade que se aproxima.

Em movimentos rápidos, arranca as capas dos esquis e remove as tiras finas presas na base para poder deslizar montanha a baixo. A superfície especial permite que deslize para a frente na neve, mas não para trás.

Enrola as capas com muita habilidade, as dobra contra a tela para que uma não grude na outra e as guarda na bolsa. Fechando o zíper, ele para.

Um barulho. Passos?

Jérémie vira, inspeciona os arredores.

Nada. Nenhum sinal de vida.

De novo.

Desta vez, o som está abafado.

Virando a cabeça, examina com mais atenção a paisagem ao redor. Não há ninguém ali. Prende a respiração, os ouvidos zunem no silêncio.

Outro som.

Talvez esteja vindo de cima...

Jérémie passa os olhos por toda a superfície íngreme da rocha acima dele.

Alarmado, sente o coração disparar.

Quanto mais ele olha, mais as montanhas acima parecem estar se movendo em sua direção. Cobertas pela camada de neve mais espessa em décadas, as cornijas e os cumes imponentes não parecem mais familiares, mas sinistros, estranhos...

Jérémie desvia os olhos das montanhas. *Ele está cansado*, pensa. Quatro horas de sono... isso acaba com ele.

Ele se agacha, aperta mais as botas, ajustando as fivelas para descer a montanha. Patinando para a frente, alcança a trilha que segue paralela à floresta.

Sem nenhum sistema de teleféricos naquele lado do vale, a neve é espessa, intocada, uma extensão de branco inviolado. Quando começa a se virar, Jérémie sente uma descarga de adrenalina. Os esquis lançam no ar espessas nuvens translúcidas de neve fresca. Aproximadamente na metade da descida, ele desacelera. Vê algo adiante: um brilho, um reflexo na neve que não deveria estar ali.

Um pedaço de metal? É difícil dizer...

Quando chega perto do brilho, ele para.

Uma pulseira.

Um arco liso de metal bronze. Cobre.

É aí que vê outra coisa, presa a algum tipo de material. Um algodão azul desbotado. Sua respiração fica presa na garganta, os olhos encontrando o botão na parte de baixo. O tecido... é uma roupa.

Jérémie destrava os pés dos esquis, um calafrio percorrendo seu corpo. A cada passo, tropeça na neve funda e fresca, enterrando as pernas até os joelhos. Quando alcança a pulseira, ele se ajoelha e tenta puxá-la para cima. Ela não sairá com facilidade. Está presa na neve e no gelo como se estivesse fixada no cimento. Escavando a neve com a mão, ele remove o máximo que pode, tentando conseguir espaço para balançar a pulseira de um lado para o outro. Mas ela não se move. Ele precisar fazer mais, afofar a neve compactada em torno da pulseira. Retirando a luva, ele usa os dedos para arranhar, alavancar a neve até que se solte.

Não vai adiantar.

Em poucos segundos, seus dedos estão vermelhos, dormentes. Tirando a mochila, pega o canivete, o abre e começa a esfaquear a neve, picando a superfície dura com a lâmina, arrancando pedaços densos e cristalinos.

Melhor.

Depois de escavar alguns centímetros, consegue ver mais da pulseira, mais do tecido.

Jérémie segura a tira de cobre e a puxa com força. Ele dá um solavanco para trás, e a pulseira e o tecido vêm com ele, junto com outra coisa.

Jérémie olha, congelado.

Sente a ânsia de vômito no fundo de sua garganta. Largando o canivete e a pulseira, vomita sem parar na neve.

17

— Isaac... — Elin começa, suas palavras perfurando o estranho silêncio. — Se isso é alguma brincadeira esquisita...

Ele fizera coisas assim quando criança. Nada era além dos limites. Qualquer coisa para conseguir uma reação.

— Não é. — Os olhos de Isaac se fixam nos dela. — Quando acordei, ela tinha desaparecido.

O rosto dele está pálido, com sombras arroxeadas sob os olhos.

— Talvez ela tenha ido nadar. Ou ido à academia — sugere Elin. — O hotel é enorme. Deve haver muitos lugares onde ela possa estar.

— Já conferi. Ninguém a viu. Ir embora assim não é uma coisa que ela faria. — Ele puxa uma cadeira e se senta. — Também encontrei isso perto da nossa porta.

Retirando um objeto do bolso, ele o coloca sobre a mesa diante dela.

Um colar.

Os elos finos da corrente derramam sobre a mesa, um ouro líquido e sinuoso. Elin olha, encontrando o pequeno "L" dourado no centro.

— Isso pode simplesmente ter caído.

— Olhe bem — insiste Isaac. — A corrente está partida. Alguma coisa aconteceu.

— Como o quê?

Uma onda familiar de frustração — ela tinha se esquecido daquilo. A busca incessante por atenção, as mudanças infindáveis de um drama para o outro.

— Não sei, mas ela teria sentido o colar partir. Pararia para pegá-lo, se pudesse. Foi a Coralie que deu isso para ela. É especial. — Ele hesita antes de completar: — Como o colar de Sam é especial para você.

A mão de Elin se ergue em um gesto automático e agarra a corrente. A mãe mandara fazer o colar alguns anos depois que Sam morrera: seu anzol da sorte para pegar caranguejos, moldado em prata.

— Então, o que você está tentando dizer?

— Parece que ela saiu com tanta pressa que não teve tempo de pegá-lo, ou não conseguiu...

— Talvez.

Um garçom aparece ao lado de Isaac.

— Café?

Isaac assente bruscamente.

— Puro, por favor.

— Talvez ela tenha ido caminhar? — diz Will, ainda mastigando. — O tempo melhorou.

— Talvez, mas por que não deixaria um bilhete? Há algo errado. Eu sei. Ela não sairia assim sem me avisar.

A ansiedade de Isaac é contagiosa. O coração de Elin bate forte, embora o que ele está dizendo seja uma reação exagerada. Por que presumir que ela desapareceu? Laure não sumiu há muito tempo. Há muitas explicações possíveis para aquele sumiço.

Então, ela relembra a cena que vislumbrou ontem à noite. Laure falando ao telefone lá fora, a expressão violenta, furiosa, em seu rosto.

— Quando você a viu pela última vez?

— Ontem à noite. Estávamos na cama, lendo. Apagamos a luz por volta das onze.

— Você não ouviu nada à noite? Nenhum barulho estranho?

Will olha para ela com uma expressão surpresa. Ele nunca a viu assim, pensa Elin. *No modo de trabalho.* Ela também fica surpresa. Está afastada da polícia há um ano, mas ele continua ali, como um reflexo, que a faz inquirir, reunir informações.

— Nada — responde Isaac.

O garçom volta com um bule de café, coloca diante deles sobre a mesa. O vapor sobe espiralando em uma linha irregular até o teto.

— Escute — diz Elin. — No trabalho, vemos coisas assim o tempo todo. As pessoas entram em pânico porque alguém saiu e não avisou, ficam preocupadas porque isso não costuma acontecer, mas geralmente há uma explicação... algum tipo de emergência, um amigo precisando de ajuda...

— Sem deixar um bilhete? Sem telefonar? — caçoa Isaac, com frieza na voz. — Para com isso, vocês tinham acabado de chegar. A gente tinha marcado para se encontrar hoje.

Mais uma vez, Elin pensa em Laure andando de um lado para o outro lá fora ao telefone, a ponta brilhante do cigarro dançando contra a noite.

— Quer dizer que você não tem ideia de onde ela poderia estar?

O rosto de Isaac é uma sombra.

— Não.

Ele se serve de uma xícara de café. O líquido fumegante transborda, fazendo uma poça na mesa.

— O telefone dela sumiu? Alguma coisa dela?

Se este fosse um caso de desaparecimento, pensa Elin, esta é a primeira coisa que ela confirmaria. *Foi espontâneo ou planejado?*

— Nada. Nem o telefone nem a mala. — Isaac pega um guardanapo e o esfrega sobre o líquido. — Elin, as roupas dela estão lá, todos os produtos de higiene pessoal... ela não levou nada. Alguém que estivesse planejando fugir levaria alguma coisa, né?

— Escute — diz ela, procedendo com cautela. — Às vezes, as pessoas realmente vão embora. Abandonam suas coisas. Não seria a primeira vez. — Ela para por segundo, sem saber como se expressar corretamente. — Isaac, aconteceu alguma coisa ontem à noite?

— Não.

Algo no jeito como ele fala a deixa tensa. *Ele está escondendo algo.*

— Isaac, por favor. Você precisa ser honesto comigo.

A última quina do guardanapo fica encharcada, um marrom turvo.

Isaac assente.

— Ontem à noite, Laure estava irritada. À flor da pele. Achei que estivesse estressada por ter visto você de novo, mas agora acho que foi outra coisa. — Ele franze o cenho. — Ela estava distante, preocupada. Eu estava me arrumando para o jantar, e ela saiu do banho e disse que não viria. Disse que algo tinha acontecido. Fiquei com raiva, disse para ela adiar o que quer que fosse porque tínhamos combinado de encontrar vocês.

— Quer dizer que você planejava vir? — Mantendo a moderação na voz, ela repara na falta de desculpas dele.

— Sim, mas queria fazer com que Laure também viesse. — Ele esfrega os olhos. — Não sei, talvez eu devesse ter dito para ela esquecer, que eu viria sozinho, mas era a primeira noite de vocês aqui. Começamos a discutir, e a briga piorou. Laure é teimosa. Depois que ela bate o pé...

— Ela lhe disse o que pretendia fazer em vez de vir jantar?

— Não. Foi isso que me deixou puto. Ela só disse que tinha a ver com o hotel.

— Trabalho?

— Nos últimos meses ela tem trabalhado sem parar. — Terminando o café, ele se levanta. Seu corpo está tenso, retraído. — Vou telefonar para os amigos dela, para a família, os vizinhos em Sierre. Se é possível que Laure tenha ido embora sem levar as coisas dela, vale a pena tentar.

— Tem certeza de que não quer comer algo antes?

Nenhuma resposta. Ele já está indo embora.

Will espera até que Isaac não possa ouvi-los, depois olha para ela.

— Bem que você disse que esta viagem não seria fácil.

As palavras dele são leves, mas ela percebe a tensão nelas. Ele corta a fatia de salmão em seu prato.

Elin força um sorriso.

— É mais provável que ela esteja no hotel. Eles brigaram. Ela provavelmente está tomando café em algum canto escuro do lounge, escondida.

— É isso o que você faria comigo? — Will come uma garfada de uma fatia rosada e esfrangalhada de salmão, inexpressivo. — Se esconderia para me punir?

— Will, não brinque.

Ele sorri.

— Me desculpe. — diz ele, depois de uma longa pausa. — Só acho que é cedo demais, não é? Para ele estar anunciando que algo ruim aconteceu.

— Mas e quanto a ontem à noite? Laure. Ao telefone. Do lado de fora do nosso quarto. Se ela está desaparecida, então isso poderia ser relevante.

As palavras pairam no ar. Elin se repreende. Isso é uma suposição. Eles não sabem de nada. E, mais uma vez, é lembrada de por que não deveria estar trabalhando. Ela não está pronta, está? Fazer suposições, tirar conclusões precipitadas... Não deve fazer isso.

— Elin, ele já deixou você nervosa. — Will morde o lábio.

— E o que você sugere que eu faça? Ignorar o que ele está dizendo?

A mão de Elin aperta mais forte o copo de suco de laranja, a ponta dos dedos chega a ficar esbranquiçada.

— Não. Mas, na minha opinião, acho que isso é besteira. Eles tiveram um desentendimento e você está sofrendo o impacto.

Ela não responde. Erguendo o olhar, nota que Isaac está na porta. Ela o observa partir, vendo a silhueta dele. É tão familiar que dói. Ela pisca. Memórias vêm à tona, como bolhas subindo para a superfície.

Céu. Nuvens passando. A revoada escura de pássaros.

Depois sangue, sempre sangue.

Will olha para ela.

— Não sei se você percebe isso, mas sempre fica do mesmo jeito quando o vê.

— Do mesmo jeito? — repete Elin. Ela pode ouvir o próprio coração pulsar.

— Amedrontada — diz Will, e afasta o prato. — Toda vez que você o vê, parece amedrontada.

18

Limpando a boca com as costas da mão, Jérémie se vira, se força a fixar os olhos na neve outra vez, na descoberta sinistra. Sente um ardor ácido na garganta.

Sob a pulseira, há um osso. Um osso contorcido em um ângulo inumano.

Ele muda de posição, mal capaz de respirar. Gotículas de suor se formam em sua testa.

Houve algumas poucas descobertas como aquela ao longo dos últimos anos. Corpos desaparecidos por décadas acabaram sendo revelados quando geleiras derreteram devido ao aquecimento global. Havia apenas poucos anos, um casal fora encontrado em uma geleira perto de Chandolin mais de 75 anos depois do desaparecimento deles. Haviam caído em uma fenda profunda.

Fotos foram publicadas por vários dias nos jornais impressos e on-line, explícitas e intrusivas, apesar do passar dos anos. Uma bolsa de couro esfarrapada, uma garrafa de vinho. Botas com saltos pretos com as solas antiquadas pregadas grosseiramente.

Jérémie ficara fascinado, não somente porque as fotos revelavam um estilo de vida esquecido, mas pela magnitude do que elas representavam: o encerramento. Ele imaginou a família, os descendentes do casal, finalmente capazes de viver o luto.

Ele direciona o olhar mais para baixo. Abaixo da tira de cobre, um relógio. Ele pode ver que é caro: uma pulseira larga de ouro, um mostrador chamativo, bisel cravejado de diamantes minúsculos.

Há palavras na parte de dentro da pulseira, uma gravação. Ele examina mais atentamente.

Daniel Lemaitre.

Jérémie recua. *O arquiteto desaparecido.*

Abre o bolso, pega o telefone e liga para a polícia, com o suor voltando a brotar em sua testa.

19

— Isaac — chama Elin, batendo à porta. — Isaac, sou eu. Seu peito está pinicando de calor. O casaco de merino que ela está usando foi feito para o ar livre, e não para interiores.

A porta se abre. O rosto de Isaac está corado, manchado.

— Desculpe por não ter vindo antes — diz Elin, hesitante. — Will queria dar uma caminhada depois do café da manhã. — Ela força um sorriso. — Não fomos longe. A neve está muito alta.

Algo passa pelo rosto de Isaac, um lampejo de emoção que desapareceu tão rápido que Elin não conseguiu decifrar. A mesma coisa de quando eram crianças. Elin desconfiada, perguntando-se o que estava passando pela cabeça dele.

Ele se vira e caminha de volta para o quarto.

— Isaac, tudo bem se eu entrar? — É ridículo que ela precise perguntar, mas é impossível saber se ele a quer ali.

— Tudo bem — diz ele abruptamente.

Entrando, ela repara nas botas de caminhada dele no chão. Estão molhadas, e os cadarços pretos, esticados, encharcados, endurecidos por fragmentos de gelo.

— Você também esteve lá fora?

Isaac passa pela janela a passos largos.

— Acabei de voltar.

Elin não responde, espantada com a velocidade com que ele está falando. Vê que Isaac está acelerado. Aquela movimentação frenética, o rosto corado.

Ele está entrando em pânico.

— O que estava fazendo?

— Procurando por ela. Subindo na direção da floresta. Pode ser que ela tenha saído e caído. — Ele fica tenso. — Já tentei tudo. Procurei por todo o hotel e pelo restante da propriedade. Telefonei para amigos, para a família, para os vizinhos de Laure. Ninguém a viu ou teve notícias dela.

Elin olha para ele, e uma sensação esmagadora a envolve, como se estivesse sendo abraçada com força demais. Os movimentos de Isaac, o caminhar de um lado para o outro, de repente parecem extremamente exagerados.

— E?

— Nada. Não há sinal de Laure e ninguém teve notícias dela. Acabei de telefonar para a polícia.

— Já? — Ela tenta manter uma expressão neutra.

Ele assente.

— Não adiantou nada. Disseram que ela não estava desaparecida por tempo suficiente para que começassem a procurá-la. Disseram que, se não há indícios de que ela saiu para caminhar ou esquiar e de que esteja em perigo, então deveríamos deixar para lá por enquanto. Sei que ela não sumiu há muito tempo, mas não estou gostando disso. Se Laure está bem, por que ainda não telefonou?

— Não sei. — Elin avança mais para dentro do quarto. — Pode ser que...

Ela para.

O vidro.

Mais uma vez, ele a supera. O quarto de Isaac dá para a floresta. Para um terreno selvagem: uma densa massa de pinheiros cobertos de neve subindo na direção das montanhas.

Os olhos dela correm por entre as árvores. Ainda que os galhos estejam cobertos de neve, a impressão geral é de algo escuro, impenetrável.

Ela sente o coração batendo mais rápido. Engolindo em seco, percebe que não é capaz de controlar sua reação. Por que está reagindo desta maneira? Esta reação visceral, cada célula de seu corpo repelida pelo que está diante dela.

Isaac acompanha seu olhar com uma expressão impassível.

— Laure odeia a floresta. Ela sempre diz que é o local perfeito para alguém espiar aqui para dentro. Não podemos ver quem está lá fora, mas eles podem nos ver. Essas janelas, as luzes... eles têm a visão perfeita.

— Chega.

Quanto mais Elin olha, mais distorcida fica a imagem, como se as árvores estivessem se multiplicando diante dela.

— Você está bem? — pergunta Isaac, ainda a observando.

— Estou.

— Você continua tendo ataques de...

— Não — diz ela, interrompendo-o. — Não tenho.

Ela compensa além da conta com um bocejo alto e exagerado antes de forçar seu olhar para o quarto.

A mesma configuração que o dela, mas com uma obra de arte maior e mais intrincada pendurada na parede, e os móveis delicados são de um tom de cinza mais esbranquiçado. Roupas e sapatos estão espalhados pelo chão. Os sapatos de Laure: um par de tênis New Balance azul-marinho, botas de caminhada arranhadas, mocassins de camurça.

Na verdade, a maioria das coisas é de Laure. As joias, um cachecol verde-musgo pendurado sobre a porta do armário, um pote de creme facial destampado.

Elin olha para a cama. Ali estão os indícios de Isaac, a marca do corpo dele contra o lençol, o edredom emaranhado. Ele dormia daquele jeito quando criança — os dois dormiam. Como se a cama fosse incapaz de conter a energia deles. Ela não dorme mais daquela maneira. Aquela energia a abandonara meses atrás.

Seu olhar se move para uma pilha torta de livros em uma das mesas de cabeceira. Francês. Um está aberto com as páginas para baixo, esticado, a lombada vincada no meio. Isaac tem razão, ela pensa. Há uma agitação no ar, como se Laure simplesmente tivesse descido para o café da manhã. Partir não parece ter sido uma decisão deliberada.

— Onde está o celular dela?

— Celular? — Isaac a encara novamente.

Elin enrijece, algo no tom dele a incomoda.

— Só estou tentando ajudar.

Ele força um sorriso, mas, outra vez, a sombra de uma expressão desaparece antes que ela consiga entendê-la.

— Aqui. — Ele tira um telefone do bolso, digita um código e o entrega a Elin. — Já dei uma olhada. Não tem nada de estranho.

Elin olha para a tela. A bateria está praticamente toda carregada e o telefone está conectado à mesma rede que Elin encontrara ao aterrissar em Genebra, Swisscom. Ela examina o histórico de chamadas. A última foi ontem. Alguém chamado Joseph. Como? Ela ouviu Laure ao telefone depois do jantar. A chamada estaria registrada, não?

Isaac olha sobre o ombro de Elin; sua respiração quente contra o pescoço dela a incomoda.

— É o primo dela.

— E você conhece todas as outras pessoas aqui?

— Lógico. Amigos, como eu disse. Também não há nada no e-mail dela. — Dando um passo para trás, ele ruboriza. — Eu não queria olhar, mas...

— E o laptop?

— Nada. — Isaac pega o computador na mesa e o entrega a Elin. — Está sincronizado com o telefone dela. O e-mail é o mesmo. Todo o resto parece coisa de trabalho.

Elin se empoleira ao pé da cama, vasculha a área de trabalho, os documentos salvos, o histórico da internet. Ele tem razão, tudo parece relacionado ao trabalho. Nada obviamente preocupante.

Colocando o laptop de volta sobre a mesa, entra no banheiro, com Isaac logo atrás. Há maquiagens espalhadas pela pia, pó compacto, hidratante. Várias toalhas estão torcidas em estranhos formatos de S no chão. Há um nécessaire de lona branca aberto na prateleira sobre a pia. Revirando-o, ela encontra pinças rosa e grossas, tiras de cera, um pincel de blush e pó compacto, base hidratante e máscara. Absorventes estão guardados em um bolso lateral com zíper, junto com anti-histamínico e uma cartela de ibuprofeno.

Elin fecha o zíper da bolsa com uma sensação crescente de desconforto. *Ela não abandonaria isso.* Se Laure estivesse planejando ir para algum lugar, se fosse só um pouco parecida com Elin, aquele nécessaire seria essencial. Parte da sua armadura diária.

Elin observa, imóvel. Isaac se vira, sorri; ele não percebera que ela o viu.

Rápido, mas não o bastante: *ele pegou alguma coisa. Escondeu algo dela. Ele deveria estar preocupado com a namorada desaparecida, mas já a está enganando.*

Os dedos dela se fecham com força, nojo se espessando na garganta, uma massa sólida. Como ela poderia ser tão burra? Ela quase fora enganada por aquelas palavras, pela emoção fingida... Mas as pessoas não mudam, não é mesmo?

A capacidade de mentir, de enganar, está tão profundamente enraizada que é impossível de identificar e remover.

Quando eram crianças, Isaac mentia o tempo todo. Ele odiava ser o irmão do meio — dois anos mais novo que Elin, dois anos mais velho que Sam —, e mentir se tornou seu comportamento padrão. Era uma maneira de chamar atenção, de tirar vantagem, de colocá-los em seus lugares.

Ela se lembra de Sam, cheio de orgulho, trazendo para casa seu primeiro troféu de natação, da expressão mal disfarçada de agonia de Isaac vendo os pais cobrirem o irmão de elogios. Duas semanas depois, uma ranhura profunda surgiu na base de madeira: mais do que um arranhão, um corte. Algo que jamais poderia ter sido acidental.

Isaac negou, é claro, mas todos sabiam que tinha sido ele. Sabiam do que ele era capaz.

— Isto deve ser como voltar ao trabalho para você — diz Isaac, pegando uma das toalhas do chão e a pendurando na barra na parede. — Você sabe, eu jamais teria pensado nisso. Você, na polícia, todo esse tempo.

— Eu sei.

— Você nunca chegou a dizer — continua ele — por que decidiu fazer isso. Quando éramos crianças, você queria ser engenheira.

Elin olha para ele, sente as palavras chegando, acumulando-se dentro dela. Ela poderia simplesmente botar para fora, não poderia?

Escolhi fazer isso por causa de você, Isaac. Por causa do que você fez.

20

— No que você está trabalhando agora? — pergunta Isaac, interrompendo o pensamento de Elin.

Seria fácil mentir, mas ela não consegue. Não consegue agravar algo já tão complexo.

— Não estou trabalhando... estou de licença — responde, voltando para o quarto.

— De licença?

Isaac a segue e para ao lado da janela.

— Houve este caso... um caso importante... — Ela se perde nas palavras, sente o calor subir pelo pescoço. — Fiz besteira.

Imagens se desenrolam em sua mente: *dedos esticados sobre seu rosto. Partes de uma pedra, variados feixes de cinza e preto. A água. Sempre a água.*

— O que aconteceu?

— Não posso dizer, na verdade...

— Elin, relaxa, não vou contar para ninguém.

— O caso tinha ganhado projeção na mídia. Meu primeiro como detetive-sargento. Um assassinato, duas meninas de quinze anos. O cara tinha amarrado o corpo delas a um barco e deixado a hélice fazer o trabalho. — Ao lembrar, Elin fica tensa. — Não tínhamos nada para investigar. O barco era roubado. Nenhuma impressão digital. Nenhuma imagem filmada, porque as câmeras de segurança no porto estavam pifadas. Acabamos fazendo um apelo na internet, nos jornais. Houve uma coletiva de imprensa com os pais. — Ela pigarreia. — Depois de um mês, tivemos um avanço. Uma denúncia anônima nos deu um nome... Mark Hayler. Nós o encontramos no banco de dados. Havia sido preso por crimes hediondos, tinha uma condenação por lesão corporal grave.

— Uma pista de verdade.

Isaac coça o canto do olho, a pele com uma aparência dolorida e inflamada. Elin assente.

— Fomos para o endereço da casa dele, mas alguém o havia informado de que o estávamos procurando. Nós o encontramos na casa da ex. Ele nos surpreendeu, correu para a beira-mar. Nós nos dividimos. Eu o vi, tentei avisar aos outros, mas meu rádio estava quebrado. Não pensei, apenas segui. Atravessando a praia, entrando nas cavernas... Entrei, mas o perdi. Quando saí, a maré tinha subido, e a água já estava batendo no meu pescoço. Comecei a nadar, mas ele estava na água, esperando. Ele jogou uma pedra em mim. — Ela toca no lábio. — Foi como ganhei esta cicatriz.

— Eu reparei.

— Ele continuava me afundando. Eu... eu congelei. Foi como se meu corpo tivesse parado de funcionar. Finalmente, afundei e não voltei mais para a superfície. — Ela dá uma risada estranha, frágil. — Ele deve ter achado que eu tinha morrido e me deixou ali.

Elin não conta para ele como, quando estava debaixo da água, parte dela quase se entregara. Fora muito intenso. O desejo de se entregar. De parar de lutar. Mas sua vontade de viver foi mais forte. A vontade de saber a verdade sobre o que aconteceu com Sam.

Mais uma vez, o pensamento a faz parar. Ela se lembra do motivo de estar ali.

— Tirei uma licença médica que se tornou uma pausa na carreira, e aqui estou. Extraoficialmente desempregada.

— Você não quer voltar?

— Não é que eu não queira. Sinto que não consigo. Não tenho mais o que é necessário. Os erros que cometi... Não parar para pensar, não esperar pelo apoio... Me fizeram questionar meu julgamento, minha capacidade... O fato de que congelei daquela maneira na água fez com que me desse conta de que eu não tinha lidado com as coisas da maneira que pensava que tinha.

Isaac olha com firmeza para ela.

— Eu não sabia. Sinto muito.

Elin finalmente encontra o olhar dele. Ela se sente apreensiva no começo, mas de repente o sentimento é substituído por uma raiva que é mais confortável, mais conhecida. Mais fácil de controlar.

— Não temos nos falado, Isaac. É por isso que não sabe. Mal nos falamos desde que você partiu.

— Eu sei — diz ele, com a voz enfraquecida. — Mas eu não sabia na época o que aconteceria.

— Está falando do câncer da nossa mãe. — As palavras dela são frias.

Isaac abaixa a cabeça.

— Sim. Eu não sabia como voltar, nem sequer se deveria. Eu não queria atrapalhar, complicar as coisas — explica ele, num tom contrariado.

Elin o encara sem acreditar, trespassada por uma fúria impetuosa.

Ele não entende.

Mesmo agora, ele não entende. Não compreende o que sua ausência causara, como destruíra a mãe deles.

— Complicar as coisas? Mamãe queria ver você, Isaac. Não queria só suas ligações ou seus e-mails de merda. — Ela sente o corpo tremer. — Você sequer foi ao funeral dela. Sabe que impressão isso deixou? O que as pessoas acharam disso?

— É só isso o que importa para você, né? — Ele fica tenso. — Como isso *parece*.

Elin empaca. *Aí está mais uma vez, dando as caras: o verdadeiro Isaac.* Palavras afiadas feito dardos envenenados.

— Pare de tentar jogar isso para cima de mim. Isso é sobre você.

— Eu não podia sair do trabalho. Eu te disse.

— Mentira. Isso é só uma desculpa.

A mão de Isaac sobe de volta para o olho e cutuca a pálpebra. Silêncio. E então:

— Certo — diz ele, de um jeito mordaz. — Você quer a verdade? Me senti um merda, Elin. Culpado. Culpado por não ter voltado, por não ter telefonado tanto quanto deveria. Culpado pelo modo como deixei as coisas.

Os pensamentos dela se aceleram.

— Quer dizer que você pensou sobre isso?

— Eu ficava pensando se deveria voltar para visitar, mas parte de mim sabia que estar por perto teria o efeito oposto. Que traria dor para ela.

— Traria dor? Mamãe sentia dor havia anos. Desde o que aconteceu com Sam.

Isaac se encolhe ao ouvir o nome dele, e Elin é tomada por uma vontade repentino de perguntar: *Você pensa em Sam, Isaac? Pensa?*

Porque ela pensa. Pensa nele o tempo todo: Sam saltando do caiaque, seu corpo magrelo fazendo formas no ar. Sam na chapada argilosa, sua pipa cortando o céu em pedaços azuis. Sam segurando sua mão quando Isaac gritava. Sussurros quentes e doces no seu ouvido: *Não vou soltar.*

— Sam... o que aconteceu... destruiu nossa mãe. Você sabe disso. Aquele dia, o dia em que o encontramos... — As palavras dela estão vindo rápido demais. Ela sente medo de não conseguir controlá-las, de não ser capaz de se impedir de perguntar diretamente a ele.

Você fez aquilo, Isaac? Foi você?

Pânico flameja nos olhos dele.

— Não vamos entrar nisso agora. Você queria saber a razão pela qual não voltei.

Elin vacila. Ela ainda poderia fazer isso, perguntar a ele, mas e se o afugentar? Ela acabará sem nada.

Finalmente, ela assente.

— Mamãe... ela estava melhor — Isaac titubeia. — Com você, mais tarde, ela encontrou um... equilíbrio. Você sempre foi muito melhor com ela do que eu. Quando ela adoeceu, eu sabia que me ver só a faria piorar. Ela ficaria estressada comigo morando lá, demorando tanto tempo para arrumar um emprego...

Elin olha para ele, sentindo o calor em suas bochechas, incapaz de acreditar no que ele está fazendo. Isaac está tentando justificar o próprio egoísmo. Abrindo a boca, ela está prestes a retaliar quando sua atenção é atraída para a janela. Há um helicóptero pairando no céu. Ele é pintado de vermelho e branco, um jato de estrelas cadentes marcando a lateral.

— O que é isso?

Ela consegue ouvir agora: o *vuum-vuum* ritmado das lâminas da hélice.

— Um helicóptero Air Zermatt. — Os olhos deles acompanham o movimento do helicóptero na direção da floresta.

— Por que ele estaria aqui? — Elin franze os olhos ao olhar para cima. As hélices giram tão rapidamente que formam um borrão.

— Não sei. Geralmente, são usados para transportar coisas: materiais de construção, proteções contra avalanches. É a maneira mais barata de transportar coisas ao redor da montanha.

Ela percebe outro movimento: duas picapes com tração nas quatro rodas sobem a estrada sinuosa na direção do hotel, pneus levantam uma poeira fina de neve no ar.

O primeiro veículo tem luzes de emergência no teto. Tiras laranja fluorescente marcam o capô. Estrelas brancas e laranja formam uma bandeira na lateral. Ao lado delas, uma única palavra em preto, em caixa-baixa: *polícia*.

Os carros param perto da entrada do hotel. Elin observa dois grupos saltarem. Seis pessoas, sete. O par do primeiro carro está usando calças azul-marinho, casacos em dois tons de azul, com *polícia* escrito atrás. O segundo grupo está com roupas mais técnicas, jaquetas com finos casacos sem manga por cima.

Há uma urgência em seus movimentos quando vão até a mala do 4x4 e tiram vários equipamentos. Encostando-se no para-choque, tiram os sapatos e os substituem por botas de esqui. Vestem arreios pretos em perfeita sincronia. Vários mosquetões, roldanas e correias estão presas a cada um, balançando contra o peito deles enquanto trabalham.

Um arrepio desce pela espinha de Elin: um calafrio de medo.

— Quem são eles?

— O *groupe d'intervention* — responde Isaac, com a voz embargada. — Um tipo de força especial da polícia. São treinados para lidar com situações envolvendo reféns. Terrorismo. Alguns, como esses, trabalham nas montanhas altas.

— Por que estariam aqui?

Contorcendo a mandíbula, o olhar dele muda para o helicóptero, que paira baixo sobre a montanha.

— Não sei.

O grupo no chão coloca mochilas pesadas nas costas. Elin e Isaac os observam vestirem capacetes e tirarem esquis do carro. Eles caminham rapidamente em direção à trilha que leva para a floresta.

Pela primeira vez, Elin repara em um homem de casaco de lã cinza falando com o primeiro grupo de policiais e apontando para a floresta. Ele não lhe é estranho.

— Lucas Caron — murmura Isaac.

— Tem razão — responde Elin.

É aí que ela vê: no tapete sob seus pés.

Sangue.

Praticamente impossível de perceber a menos que você soubesse o que está vendo, se já tivesse visto antes.

Um padrão difuso de respingos, desabrochando em minúsculos círculos irregulares.

21

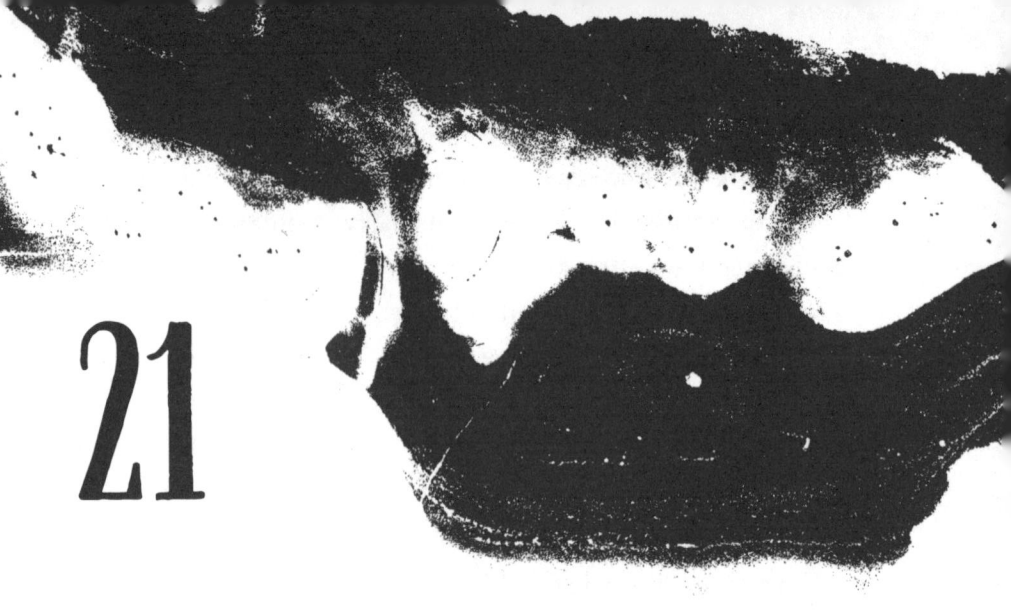

Adele está tremendo. Seus membros estão dormentes, formigando. Por quanto tempo ela dormiu? Horas? A noite toda? É impossível saber: o mundo real parece ter se dissolvido em torno dela. Onde quer que ela esteja, está escuro. *Não*, ela corrige, com o pulso acelerado. Não está escuro. Seus olhos estão vendados. Um tecido áspero e pinicante prende seus cílios quando ela tenta abri-los.

O pânico toma conta dela. Assolada por uma claustrofobia repentina e muito intensa, ela chuta, tenta esticar os braços e as pernas, mas eles não se movem.

Pare. Acalme-se. Descubra o que está acontecendo.

Desta vez, Adele desacelera, isolando os movimentos. Contorce as mãos, os dedos, e percebe que estão presos, amarrados atrás das costas. Os tornozelos também.

Ela ainda está sentada no chão, com as costas apoiadas em uma parede.

Continue, diz a si mesma. Se estiver sozinha, como pensa que está, precisa se reorientar. Se localizar.

Ficando perfeitamente imóvel, Adele escuta. Tudo o que consegue ouvir é um gotejar, um pingar constante. Será que está em alguma parte do hotel? Certamente, ele não poderia tê-la levado para muito longe, poderia? Não sem que alguém reparasse.

E se ela gritar? Tentar chamar a atenção de alguém?

É aí que sente um sabor na boca: acobreado, salgado. É preciso um momento para que se dê conta do que é.

Sangue.

Adele tenta correr a língua em torno dos dentes, descobrir de onde está vindo, mas não consegue. Há algo em sua boca... uma mordaça. Sua boca está tão dormente que ela não percebeu que estava ferida.

Seus pensamentos disparam a toda: *Você vai morrer aqui, não vai? Você nunca vai escapar. Não pode se mover, não pode gritar. Ninguém encontrará você.*

Ela respira fundo. *Pare.* Precisa sair dessa situação. Pelo Gabriel.

Pense.

Ela está em forma, forte, por causa das demandas do trabalho. Pode pensar em algo.

Uma ideia começa a tomar forma: ela pode tirar vantagem do fato de que, quem quer que seja essa pessoa, poderá não voltar por algum tempo. Pode ser que seja tempo suficiente para conseguir se localizar, para ter uma noção do espaço, ver o que pode usar para se libertar...

Não tem outro jeito, pensa, ainda tentando aplacar o pânico cada vez maior. Ninguém dará falta dela.

Gabriel só voltará da casa do pai em uma semana. Ele não achará estranho se ela não tiver telefonado por alguns dias. Stéphane gosta que sua semana seja dele e só dele. Para dizer a verdade, isso sempre a agradou. Adele não queria ouvir ao fundo a voz fina e animadíssima de Lise, a namorada de Stéphane.

O trabalho tampouco emitirá o alarme. Ela não deve trabalhar por vários dias.

Adele fica nervosa. Pode ouvir passos.

Os planos dela... vieram tarde demais.

Seu sequestrador está de volta, próximo. Adele pode sentir seu cheiro: algo químico, cáustico, o odor de água sanitária de um hospital.

Há outra coisa também, pairando pesadamente no ar. É o cheiro de algo primitivo: agitação, adrenalina, expectativa.

Ele quer machucar você.

Outro som: respiração, esforçada e pesada. *Ele está bem ao seu lado.*

Com um terror crescente, ela tenta se mover, mas seus pulsos estão latejando, a corda ardendo na pele.

De repente, há dedos sobre seu rosto, tocando, explorando. A venda é arrancada com tanta força que puxa a pele de suas bochechas, deixando-as latejando. Lágrimas brotam em seus olhos, mas ela as contém.

Um feixe de luz de uma lanterna, balançando agitadamente, ricocheteia do chão até o teto e de volta para o chão.

Ele para no rosto dela, e o brilho intenso cega seus olhos. Adele pisca, quer erguer a mão, proteger os olhos da ferocidade causticante da luz, mas não consegue.

O feixe de luz da lanterna abaixa por um momento e corre rapidamente pelo chão.

Ela não consegue ver muita coisa; seus olhos ainda estão se ajustando à luz. Toda vez que move a cabeça, a cena escura diante dela parece girar, mas ela pode ver uma coisa acima de todo o resto: a silhueta de uma máscara.

A figura, difusa e amorfa, se agacha. Com a roupa larga e a máscara, é impossível saber se é um homem ou uma mulher.

Seu sequestrador pousa a lanterna no chão, o feixe focado na parede de trás. Ele começa a revirar uma bolsa no chão.

O que ele está fazendo?

Ela espera: silêncio.

Há um estranho momento de suspensão, uma lacuna. Adele toma uma decisão: se ele se aproximar mais, ela usará a única arma que tem, a força de seu corpo. Ela vai avançar com tudo, atingindo-o em cheio com sua cabeça. Vai machucá-lo de todas as formas que conseguir. Ela não vai deixar que seja fácil.

Mas ele não se aproxima nem mais um pouco. Em vez disso, estende uma das mãos, em que segura um pedaço de papel entre os dedos. O papel está a somente poucos centímetros do rosto dela, tão perto que a imagem vira um borrão, as formas e as cores se sobrepõem. A figura, então, o afasta um pouco dela, e a fotografia fica nítida.

Adele reconhece a imagem instantaneamente: um corpo masculino. Sem vida. Mutilado. Ensanguentado.

Ela agora sabe que não foi pega por engano. Este não é um ataque aleatório. Isto foi planejado, meticulosamente planejado.

Vingança.

O estômago dela revira. Quer vomitar, mas sabe que não pode. Com a mordaça, ela sufocará. Em vez disso, tenta controlar a respiração. Inspirar o ar profundamente para dentro dos pulmões.

Não mexa nem um centímetro sequer. Não reaja. Não o deixe saber que está te afetando.

Ela se força a pensar em Gabriel, para suplantar o golpe daquela imagem com lembranças felizes: seus dedos de bebê se fechando quando ele comia. Mãos gordinhas como estrelas do mar agarrando pepinos. O verde-azulado de suas íris.

Mas a visão de Gabriel se dissolve: a imagem diante dela é substituída por outra.

Ampliada.

A fotografia cai. Ela pode sentir movimento atrás de si. A mão de alguém na parte de trás da sua cabeça, no seu cabelo. Há um afrouxamento em torno da sua boca.

O sequestrador removeu a mordaça. *Talvez seja isso*, ela pensa. Talvez as fotos tenham sido o motivo de tudo aquilo. Ele queria que ela visse as fotos, e agora a soltará. É aí que ela vê: outra máscara, bem na frente dela, exibindo finas rachaduras na borracha, como feridas.

Adele se pergunta se está vendo dobrado. Se há outra pessoa no cômodo.

Mas à medida que a máscara se move, se aproxima, ela se dá conta de que não é outra pessoa, de forma alguma.

A máscara é para ela.

22

Isaac segue o olhar de Elin, os olhos se arregalando.

— Merda, eu não tinha percebido...

— Você não tinha percebido — Elin diz em um tom estável — que há sangue no tapete?

— Não, mas isso não é nada, não é? — Agachando, Isaac se inclina para frente. — Além disso, como você ao menos sabe que é sangue? Pode ser qualquer coisa, uma mancha...

— É sangue — diz Elin, fechando as mãos em punho.

— Bem, se for, provavelmente está aí há muito tempo — comenta Isaac. Minúsculas gotas de suor surgem acima do lábio superior dele.

Elin abana a cabeça.

— Acho que não. Os protocolos de limpeza são muito rígidos em um hotel como este. Marcas como esta... O tapete seria lavado, ou substituído.

Ela fala em um tom rápido, casual, mas está furiosa por dentro: *Ele tem respostas para tudo, né? Nunca se abala.*

Isaac se apruma, afasta o cabelo do rosto.

— Você acha que é de Laure?

— Parece recente, então imagino que seja ou seu, ou dela. Algum de vocês se machucou desde que chegaram? Um corte ou...

Alívio inunda a expressão de Isaac.

— Sei o que é. Laure se cortou ao se depilar na outra noite. Foi profundo, não parava de sangrar. Precisei pegar um curativo para ela lá embaixo. Ela deve ter passado por cima do tapete.

Elin processa aquilo: *Laure se cortou ao se depilar.* É a explicação mais provável.

Mas há outro pensamento ali, martelando em sua cabeça: *Ele já fez isso antes. Ele é capaz disso.*

Os olhos de Elin se fixam no vaso no canto, cujo vidro reflete um minúsculo prisma dentro do quarto, oscilando diante dela. Sua cabeça parece que vai explodir. Ela não sabe o que sentir.

Já estou sendo tragada, ela pensa, *virada de um lado para o outro, sem ideia de onde é em cima e onde é embaixo.* Ela tinha se esquecido daquilo — do quanto é instável estar com Isaac. Tentar avaliá-lo era como olhar através da água. Em um minuto, você tem uma visão perfeita, pode ver até o fundo. Em segundos, no entanto, a superfície se altera e tudo que você consegue ver é algo difuso e indiscernível.

Isaac toca no braço dela.

— Elin, você está bem?

Ela hesita um pouco demais.

— Estou — responde.

Ela dá um sorrisinho, mas seus olhos encontram mais sangue.

Mais pontos cor de ferrugem salpicando as fibras macias do tapete.

De volta ao seu quarto, Elin se recosta na porta fechada e espera a náusea que se sente passar.

Há um bilhete de Will ao lado.

Fui nadar. Quer vir também?

Tirando os sapatos com os pés, ela caminha até a janela. O clima cedeu, instalou-se, e o céu azul-claro de apenas poucas horas atrás está consumido por espessas nuvens cinzentas. Neva furiosamente. Tudo é de um branco perfeito, imaculado: os carros estacionados neste lado do prédio, o letreiro do hotel, as luzes externas.

Contudo, toda vez que Elin pisca, ela não vê branco, mas vermelho. Vermelho sangue.

Sangue no tapete. Gotículas minúsculas.

Os pensamentos dela saltam para o que Isaac fez enquanto ela estava no banheiro: escondera algo dela. Enfiara algo no bolso.

Perguntas invadem sua mente.

O que poderia ser? Como isto está conectado com Laure?

Elin abre as portas francesas. À medida que o ar frio inunda o quarto, ela tenta colocar os pensamentos em ordem: a lógica diz que a explicação de Isaac para o sangue faz sentido, que seja lá o que ele tenha enfiado no bolso, era coisa dele, sem conexão com o suposto desaparecimento de Laure. Mas, ainda assim, aquilo a consome: *Se ele podia enganá-la daquela maneira, então do que mais seria capaz?*

A verdade é que ela não tem a menor ideia. Elin não sabe nada a respeito dele, de seu relacionamento com Laure. Nos últimos anos, seu contato com a vida dele havia sido bem superficial — pedacinhos selecionados de informação que ele lhe lançara.

A vida de Isaac antes de deixar a Inglaterra é mais clara: seu primeiro lugar em ciência da computação em Exeter, o ano sabático em que se preparou para ser instrutor de esqui. Ele voltou para a Inglaterra, fez uma pós-graduação no ano seguinte. Depois de completar sua pesquisa, trabalhou na universidade. Lecionou por alguns anos, depois se mudou para a Suíça, em 2016.

Desde quando?

Um vazio. Partes inteiras faltando.

Elin tira seu MacBook da mala, o coloca sobre a mesa e o abre.

Sentando-se, ela digita algumas palavras no Google. *Isaac Warner. Suíça.*

Os resultados aparecem. Descendo algumas linhas, algo interessante: uma escola de esqui, em Crans-Montana. O nome de Isaac listado como parte da equipe.

Elin clica na página. Nos segundos seguintes, uma imagem em miniatura dele aparece. É uma foto do rosto, todo bronzeado e com óculos escuros. Algumas linhas de informação: instrutor nível 2 em meio expediente. Especializado em dar aulas para crianças, iniciantes.

Ótimo, um trabalho em meio-período. Mas e quanto às aulas?

Voltando para a página de busca principal, ela digita palavras-chave mais específicas: *Isaac Warner, ciência da computação, Universidade de Lausanne.*

Passando o cabelo para atrás das orelhas, Elin dá uma olhada nos primeiros resultados. Ainda nada em relação à universidade. Será que ela errou o nome? Ela acha que não. Ele o mencionou várias vezes. *Então por que não há nada ali?*

Sinais de alarme ressoam em sua cabeça, mas ela os silencia. Ela não deve julgar. Não deve tirar conclusões precipitadas.

Tenta novamente. Desta vez, entra no site da universidade. Clicando em um link após o outro, finalmente encontra a página do departamento de ciência da computação.

Equipe: uma lista de nomes. Mais fotos em miniatura.

Nenhuma delas é de Isaac.

Ela força seus olhos a se focarem, olha de novo. *Nada.*

Desviando os olhos da tela, Elin pega o telefone com uma sensação de temor, ciente de estar entrando em uma espiral, em que uma coisa leva à outra, cada vez mais rápido.

O que ela está fazendo... essa investigação? Isso é errado, uma invasão à privacidade dele por causa de uma ideia sem fundamento. Mas ela precisa saber. Saber se o que ele fez no quarto agora há pouco foi uma exceção ou se Isaac ainda se comportava daquela maneira.

Se Isaac ainda mentia.

Enquanto a telefonista da universidade transfere a ligação para o departamento de ciência da computação, ela sente alfinetadas no estômago.

Eles a deixam em espera. Uma música metálica toca, uma melodia estranha, nada familiar. Na metade do compasso, a música para.

— *Bonjour*. Marianne Pavet.

Elin está despreparada, tentando encontrar as palavras certas.

— Olá, aqui é... Rachel Marshall. Estou com o currículo de um senhor, Isaac Warner. Estava me perguntando se alguém do departamento poderia me dar uma referência?

Marianne a interrompe em um inglês com sotaque acentuado.

— Não, nenhuma referência. Não posso dar uma referência.

Há uma pausa constrangedora.

— Por favor. Ele listou seu departamento.

Um suspiro.

— Escute, não sei por que o senhor Warner daria nosso nome como uma referência. Ele foi demitido ano passado.

Elin inspira com força.

— Demitido? Tem certeza de que estamos falando da mesma pessoa? Isaac Warner?

— Sim, ele foi demitido — repete ela, agora com a voz brusca, impaciente.

— Posso perguntar por qual motivo? — indaga Elin, com o coração batendo forte.

Outra mentira: o trabalho dele fora a desculpa para não ir ao funeral da mãe, não fora? Há um silêncio pesado.

— Por intimidar outros membros da equipe. Sinto muito. É tudo o que estou autorizada a dizer.

Um clique. A linha fica muda.

Elin pousa o telefone na mesa. *O que ela deveria fazer agora?*

Ela precisa descobrir se há algo mais naquilo, e se Isaac não quiser lhe contar a verdade, ela precisará perguntar a outra pessoa.

Mas quem? Quem aqui conhecia tanto Isaac quanto Laure?

Os pensamentos de Elin mudam para a conversa e as risadas aos murmúrios que Laure compartilhou com Margot, a recepcionista do spa. Elas pareciam bem amigas...

Mas a ideia de falar com ela pelas costas de Isaac dispara uma fria pontada de medo.

Ela fecha os olhos e ouve ameaças ecoadas.

Só bebês contam, e você é um bebê.

O gato vai comer sua língua.

A cabeça dela está latejando.

Faça isso de novo e mato você.

23

— Quer fazer um tour? Seu parceiro já fez — diz Margot, sorrindo. Parte de seu rosto está escondida atrás do grande monitor de computador diante dela. — Ele está com a piscina só para ele.

— Na verdade, não — responde Elin, a porta do spa se fechando atrás dela com um baque suave. — Eu queria conversar rapidinho.

Os olhos de Margot tremulam, sua boca se abre em um pequeno "o" de surpresa.

Ela lembra Laure: irritada, daquela maneira contida europeia que sempre faz com que Elin se sinta levemente inadequada. Cabelo curto, unhas pintadas de cinza, maquiagem minimalista: um único traço habilidoso de delineador, uma faixa escura de batom fosco. Presilhas de cabelo prateadas, decoradas com estrelas minúsculas.

No entanto, quanto mais Elin se aproxima, mais a ilusão desmorona. As unhas de Margot estão lascadas, roídas; o batom borrado em linhas finas gravadas em torno da boca.

Nivelando-se com o balcão, Elin repara em um croissant pela metade na prateleira abaixo.

— É sobre Laure? — Há pequenos flocos de massa presos aos seus lábios. — Ela ainda não voltou?

Margot puxa seu casaco escuro, afrouxando-o sobre a barriga. Ela não está confortável. A remoção apressada da massa, o mascaramento de seu corpo... ela é menos durona do que gostaria, e tem consciência disso. Também é alta, pensa Elin, olhando para as pernas compridas dela, dobradas sob o balcão.

— Não, eu...

Hesitando, Elin sente uma pontada de pânico. Será isto um erro? Estaria ela deixando que seus pensamentos a dominassem? Laure só sumira havia poucas horas...

Tarde demais. Ela está aqui agora.

— Ela não esteve aqui hoje de manhã?

— Não. — Os olhos de Margot se voltam para a direção da porta, como se estivessem esperando que Laure aparecesse. — Estou aqui desde que o spa abriu. Provavelmente ela está trabalhando.

— Não está. Isaac conferiu. Ninguém a viu.

— Você realmente acha que ela está desaparecida? Que é algo sério?

O rosto de Margot se entristece. Elin capta um brilho prateado nas orelhas dela, minúsculas setas estriadas apontando para o chão.

— Não sabemos, mas esta deveria ser a celebração do noivado deles, e ela ir embora assim... Isaac acha que ela não faria uma coisa dessa.

— Ele está certo — diz Margot. — Laure não ia querer deixar ninguém preocupado. Não de propósito.

Elin pensa sobre aquilo, silenciosa. Ela precisa agir com cautela agora.

— Laure não comentou nada com você? Alguma preocupação que possa explicar por que ela iria embora assim, do nada? — Ela força um sorriso. — Tentei perguntar ao Isaac, mas...

Uma pausa constrangedora. Mais uma vez, a mão de Margot sobe até a cintura, afrouxando as dobras de tecido sobre a barriga.

— Escute, isso é constrangedor. — As bochechas dela estão coradas. — Ele é seu irmão.

— Tudo bem — Elin suaviza seu tom. — Só quero saber se está tudo bem.

— Acho que eles andam tendo... problemas. Laure... — Margot morde o lábio. — Recentemente, ela tem se sentido... como posso dizer? Claustrofóbica... no relacionamento.

Elin repara no ritmo curioso da fala de Margot. Não é apenas o sotaque alemão do seu inglês; ela faz uma pausa longa demais entre cada palavra.

— Desde que ficaram noivos?

— Não. Antes, também. — Margot se debruça sobre o balcão, cutucando as unhas. Minúsculos fragmentos de esmalte cinza flutuam até o balcão.

— Por que ficar noiva se ela está tendo dúvidas?

— Laure achava que assumir um compromisso ajudaria, que se estivessem noivos Isaac se sentiria mais seguro.

Margot espana os pedacinhos de esmalte descascado e acaba derrubando a bolsa no chão. Seu conteúdo se espalha por todos os lados: presilhas de cabelo soltas, esmalte, um livro, um envelope. Margot se agacha, tateando para pegar tudo.

— E deu certo?

Margot encolhe os ombros, ruborizando.

— Não sei muito bem como falar isso. Não faz muito tempo, ela disse que o Isaac tem andado... agressivo. Fora de si.

— Agressivo? — Elin tenta manter uma expressão neutra.

— Ela não se aprofundou nisso. Escute, falar sobre isso desta maneira faz parecer que eles não são felizes. Eles estão bem. Laure se preocupa... Com certeza isso é normal, não é? Quando você está prestes a assumir um compromisso. — Ela hesita. — Não tenho certeza de que ela falou sério.

Elin tenta aplacar a sensação de desconforto que a corrói.

— Ela comentou que estava preocupada com alguma coisa? Amigos? Família?

— Não.

— E quanto ao trabalho? Isaac disse que ela tem trabalhado muito.

Algo tremula no rosto de Margot, tão fugaz que Elin duvida se foi sua imaginação.

— Sim, mas não tem trabalhado sob pressão. Laure ama o que faz.

Elin assente.

— Escute, provavelmente falei demais. — Margot pigarreia. — Eles têm seus problemas, como eu disse, mas não creio que isso signifique alguma coisa.

Então, por que mencionar isso? Margot pode não querer conscientemente associar as preocupações no relacionamento deles com o desaparecimento de Laure, mas foi o que fez.

— Entendo. — Elin respira fundo. — Mais uma coisa… Você sabia que a polícia está aqui?

— Não tem nada a ver com Laure — Margot se apressa em dizer —, se é o que você está se perguntando.

— Então do que se trata?

Margot fica ainda mais ruborizada.

— Acho que esse assunto não tem a ver comigo.

— Por favor.

Uma pausa. Elin prende a respiração. *Conte para mim. Conte para mim.*

— Eles encontraram restos mortais. Um corpo — Margot baixa a voz. — Atrás da floresta. Eles acham que é o arquiteto que projetou o hotel, o que está desaparecido.

Daniel Lemaitre. Um alívio toma conta do corpo de Elin. *Não é Laure.*

— Isaac nos contou sobre ele ontem — diz Elin. — As pessoas achavam que ele estava com problemas nos negócios, não é?

— É uma teoria.

— Havia outras?

— Escute, vou ser sincera. A reforma, ela despertou... como se diz? Sentimentos ruins nas pessoas. — A voz dela fica mais aguda. — Acho que as pessoas acreditam que o desaparecimento dele estava ligado a isso.

— Sentimentos ruins? Em que sentido?

A boca de Margot se contrai.

— Alguns dos moradores locais não queriam um hotel aqui. Houve manifestações, petições. Foram anos até o planejamento andar, por causa dos vários protestos.

— Por quê?

— Os motivos de sempre. — Margot dá de ombros. — Design moderno demais, preocupações ambientais, muitos hotéis na região... — Ela vacila. — Sinceramente, acho que alguns eram desculpas para esconder algo que as pessoas não queriam dizer.

— E o que seria isso?

— O fato de que elas não queriam que nada fosse construído aqui. — A voz dela mal chega a ser um sussurro. — Acho que não importa qual fosse o projeto: um hotel, um parque, uma fábrica... As pessoas não teriam gostado.

— Por quê?

Elin faz a pergunta, mas sabe o que está por vir, porque sente o mesmo. Desde que descera do ônibus para o hotel, isso a tem rodeado... aquela sensação crescente de algo sombrio, ameaçador. Hesita. O que Margot está insinuando é que a morte de Daniel não foi um acidente.

— Você acha que alguém o matou por causa do envolvimento com o hotel? — pergunta Elin.

— Isso não me surpreenderia. Por mais que eu goste do meu emprego, às vezes este lugar... simplesmente parece errado.

— Errado? — Elin sente o estômago embrulhar.

— Não sei descrever de nenhuma outra maneira. Simplesmente errado.

Elin força um sorriso, mas um calafrio atravessa seu corpo enquanto ela processa as palavras de Margot. A parte lógica do seu cérebro lhe diz que aquilo tudo não passa de algo que aconteceu muito tempo atrás, um crime antigo, sem conexão com o desaparecimento de Laure. No entanto, algo a está incomodando.

Indo encontrar Will na área da piscina, ela sente outro tremor de desconforto — o desaparecimento de Laure ocorrendo ao mesmo tempo que a descoberta do corpo de Daniel. Os dois eventos colidindo... parece um presságio.

24

Will está dando voltas na piscina, cortando a água cintilante em braçadas rápidas, bem-feitas. Não é uma atuação. Na água, ele se sente em casa, confortável.

Elin o observa, acompanhando o movimento ritmado. Quando chega ao final da piscina, ele gira, muda de direção. Ela vira a cabeça, pisca.

Claro demais.

Os pontos de luz no teto são refletidos pela água, finos feixes de luz ricocheteando na superfície como lâminas.

Ela respira fundo, tonta. *Controle isso. Não deixe que controle você. Continue respirando. Inspire, expire. Repita.*

— Will — ela chama, caminhando até a beira da piscina.

Ele não a ouve.

— Will — repete mais alto.

Desta vez ele repara nela e desacelera. O movimento tranquilo torna-se proeminente. Nadando para o lado, ele se ergue com os braços para fora da piscina.

— Estava me observando, hein? — Will sorri. — Não achava que você fosse *voyeur*... — Ele exagera a palavra "*voyeur*", erguendo uma sobrancelha.

— Uma olhadinha ou outra nunca fez mal a ninguém.

Elin sorri, mas brevemente. Logo sua mente é atraída para Isaac, para o que ela descobriu.

— O que houve? — pergunta Will, enquanto gotas fartas de água caem de seus ombros, atingindo os azulejos. — Por mais que eu fosse gostar que você tivesse vindo para admirar minhas notáveis habilidades de natação, dá para ver que tem algum problema.

— É Isaac — responde Elin. Levando a mão até a boca, morde a unha do polegar. — Fui vê-lo.

Will se levanta, ainda pingando, ofegante.

— Deixa eu adivinhar. Laure voltou?

Elin observa os músculos firmes nos braços dele, o peito largo, os ombros fortes salpicados de sardas minúsculas. Aos 34 anos, não é mais magro como um garoto, mas ainda está em plena forma, com músculos rijos, nenhuma barriga.

Aquele físico foi uma das coisas que a atraiu quando eles se conheceram. Isso a tranquilizou; era a prova visível de que ele era motivado, disciplinado, forte tanto mental quanto fisicamente. Ele não precisa do incentivo dela.

— Não... — Elin sente dificuldade em formar as palavras. — Encontrei sangue. Sangue no tapete no quarto deles. Parecia fresco.

Will sorri, o branco dos olhos avermelhados por causa do cloro.

— Ah, Elin, você não pode achar...

— Não, claro que não. — Ela mantém a voz suave. — Ele disse que ela se cortou se depilando.

— Então ela provavelmente fez isso.

— Mas não é só isso. Quando eu estava examinando o banheiro, Isaac colocou uma coisa no bolso rapidamente.

— Colocou uma coisa no bolso? — repete Will, olhos fixos nela. Sem os óculos, suas íris parecem mais vívidas.

— Sim. Antes que eu pudesse ver o que era.

— Pode ter sido qualquer coisa. Algo pessoal dele. Camisinhas, comprimidos...

— Talvez.

Entrelaçando os dedos, ele alonga os braços. O gesto é relaxado, tranquilo, mas ela sabe que ele está mascarando outra coisa: está irritado. Frustrado.

Ele não sabe por que ela está se torturando com aquilo.

Will não pensa demais. É uma coisa de família. Elin até ouvira a irmã dele dizer isso, o lema não oficial da família: *Supere. Siga em frente.*

Ela nunca conhecera uma família como a de Will. Ele é o filho do meio — tem um irmão mais velho e uma irmã mais nova —, e todos eles, incluindo os pais, são do tipo saudável e vigoroso, que nunca criam caso por causa de nada.

Mas eles não se fazem de durões, varrendo as coisas para debaixo do tapete. Simplesmente são mais abertos ao diálogo. Se surge um problema, têm intermináveis e exaustivas conversas sobre ele, então tratam de superá-lo. Traçam um plano e depois o põem em prática. Então missão cumprida. Sem olhar para trás. Sem arrependimentos.

Isso só é possível porque todos eles são muito abertos, muito conectados com as próprias emoções e entre si — almoço todo domingo, conversas agradáveis e piadas internas. Férias juntos todo ano. Às vezes, Elin se pergunta se Will não valoriza aquilo, todo aquele amor e afeto.

Ela não consegue evitar sentir um pouco de inveja, não apenas do quanto eles são próximos, mas do quanto aquilo parece fácil, sem silêncios constrangedores ou segredos, sem joguinhos. Uma vida familiar que é o oposto de tudo o que ela sempre teve.

— Sabe — começa Will —, você está pensando demais sobre isso tudo. É estranho... Ela só está desaparecida desde de manhã. Como eu disse, acho que Isaac teve uma reação extremamente exagerada. Não seja tragada por isso. Todo este drama é desnecessário. Ela vai aparecer, e você terá desperdiçado o primeiro dia do que deveriam ser umas férias...

Ele para de falar. Elin sabe o que Will queria dizer, mas ele se conteve. Mesmo agora, ele está pisando em ovos com ela. Fazendo um grande esforço para lhe dizer como as coisas são.

— ... pensando em todas essas coisas — conclui Will. — Vamos simplesmente aproveitar isso. Você e eu. — Ele sorri. — Conseguimos ontem à noite, não foi?

— Mas tem também outra coisa. Acabo de falar com a recepcionista, Margot. Ela disse que Laure e Isaac andavam discutindo, que ela estava preocupada com o noivado.

Will dá de ombros.

— Mas isso é normal, não é? Assumir um compromisso é um grande passo.

— Mas acho que Isaac tem mentido. Descobri que foi demitido do emprego na universidade. Por assédio. Ele me disse que ainda estava trabalhando lá.

— E como sabe tudo isso?

— Eu... — ela titubeia, contraindo-se, sabendo como suas palavras soarão — ... telefonei para a universidade.

Ele dá um passo para trás, desespero passando pelo seu rosto.

— Você tem investigado ele? — pergunta Will, com um espasmo em uma das bochechas. — Elin, isto deveria ser uma oportunidade para você se afastar de toda a merda que te assombra em casa, mas isso... Você está voltando para a primeira casa do tabuleiro.

— Mas e se algo aconteceu com Laure? — Os olhos dela ardem.

— Pelo amor de Deus! — A voz de Will sobe uma oitava. — Não aconteceu nada com ela.

— Não é só isso. Quando eu estava com Isaac, a polícia chegou.

— Ela sabe que está falando demais e se desviando do assunto, mas por que ele não consegue ver o que ela vê? Como tudo se encaixa? — Encontraram um corpo atrás da floresta. Margot disse que acham que pode ser o arquiteto desaparecido.

— Daniel Lemaitre?

— Sim.

— E você acha que isso tem a ver com Laure? — Ele passa uma das mãos pelo cabelo. Gotas caem em seu rosto.

— Não sei, mas não parece certo. Laure não volta, e agora isso...

— Elin, escute, mesmo que haja um problema, se algo aconteceu com Laure, não é sua responsabilidade. — Ele está falando lentamente demais, com cuidado demais. — Sei que uma situação como essa é complicada, mas você não é mais uma dete... — Will para, ruborizando.

Ela pisca. Ela sabe o que ele estava prestes a dizer.

Você não é mais uma detetive. As palavras machucam, mas ele tem razão. Ela não é mais uma detetive, e este não é um caso dela. Não é sequer um caso. Mas, ainda assim, dói. É a primeira vez que alguém diz aquilo em voz alta.

Ela não é mais uma detetive.

Em que ponto ela deixou de ser? Será que outras pessoas tinham deixado de acreditar naquilo? Quando a licença de três meses se transformou em seis? Nove? É uma sensação horrível, não parece natural. O trabalho sempre a definira. Depois que Sam morreu, ela sabia que era tudo o que queria fazer. Descobrir a verdade. Conseguir respostas. Se ela não pode mais fazer isso, o que ela é? *Quem* ela é?

Elin não consegue conter o tremor na voz.

— Ele é meu irmão. Estou tentando ajudar.

— Você está indo muito além de ajudar e, sinceramente, não sei por quê. Onde ele estava quando você precisou dele? Quando sua mãe estava doente? — Will olha para ela com firmeza. — Me parece que você está mais disposta a se dedicar a ele do que a nós.

— Will, para com isso. Não é uma competição, você contra o Isaac...

— Não tem nada a ver com isso. Estou falando sério, Elin — diz ele, com uma voz suave. — Vi você mais sensibilizada com isso, com o Isaac, do que em relação ao nosso futuro.

— Ao nosso futuro? — repete Elin.

Tática de adiamento. Ela sabe do que ele está falando. Mês passado, Will colocara uma pilha de revistas na mesa de centro. Revistas de casas projetadas. Ele falara sobre cores de tinta, onde guardar tudo. Pedira a opinião dela sobre o que seria melhor: um apartamento ou um lugar com quintal.

— Você sabe do que estou falando. De morarmos juntos. Quase três anos e ainda moramos em apartamentos separados. — Ele olha para o chão. — Quero que estejamos juntos, Elin, o tempo todo. Que compartilhemos as coisas do dia a dia. Que sejamos um casal de verdade.

— Eu sei, mas é difícil dar este passo enquanto ainda estou lidando com tudo.

— Não acho que seja isso. Sei que provavelmente vou soar como um babaca sem empatia, mas acho que você opta por isso. Você pode ser corajosa, Elin, escolher não deixar que o passado tome conta da sua vida.

— Escolher? — retruca ela, titubeando. — Eu nunca escolheria isso...

— Mas você tem uma escolha — diz ele, simplesmente. — Veja o meu pai. A degeneração macular. Ele precisou mudar todo o estilo de vida para se adaptar, mas jamais reclamou. Ele fez uma escolha, Elin: não permitir que aquilo o derrubasse, arruinasse a vida dele. Você pode fazer o mesmo.

— Nem todo mundo consegue ser como você e sua família — diz ela com firmeza. — Tão incrivelmente fortes. Você tem sorte,

Will, pela sua família ser tão unida. Ajuda ter esta rede de apoio, pessoas com quem conversar sem julgamentos. Quando você tem essa base, é mais fácil assumir riscos, tomar decisões.

— Eu sei — concorda dele, soando cansado. — Mas nós temos a oportunidade de construir o mesmo tipo de família... A nossa família. E só vamos chegar lá se você derrubar essas muralhas que construiu entre nós. Só não entendo por que com Isaac você está dando tudo de si, mas conosco...

A vontade de Elin é de retrucar, se defender, mas ele tem razão. Ela ergueu muralhas entre eles. Ela não queria, mas fez isso.

— É só que o Isaac, ele...

Ela para. Parte dela quer simplesmente contar a ele, dizer a ele a única coisa que poderia fazê-lo compreender o que ela está realmente fazendo aqui. Explicar que, embora esteja desesperada para seguir em frente, não pode até que saiba a verdade sobre o que aconteceu com Sam naquele dia. As palavras, no entanto, ficam presas.

É sempre assim, quando está prestes a contar a ele, para. Parece ser um passo além da conta, que ela não está apenas expondo uma parte de si, mas também uma parte da sua família: uma intimidade que a assusta.

Will olha para ela.

— Sabe, se você continuar com tudo isso, quando Laure voltar depois... e não tenho dúvida de que voltará... acho que devemos conversar se ficar aqui... se é uma boa ideia.

— Você quer ir embora? — indaga Elin, pega de surpresa, tomada por uma onda de pânico, sentindo pequenos dardos atingirem seus nervos.

Eles não podem ir embora. Ainda não. Se forem agora, toda esta viagem terá sido em vão. Ela não está nem perto de obter as respostas.

Will assente.

— Não quero continuar vendo você assim. Não gosto da sua reação. Você está estressada, Elin. Não acho que seja bom para você estar aqui, perto dele. Você... não está sendo você mesma.

Elin quer protestar, mas ele tem razão. Ela não está sendo ela mesma. Os pensamentos dela não estão tranquilos; são pensamentos caóticos que ela não consegue compreender.

Will parece que vai dizer algo, mas pensa melhor. Devagar, com cuidado, mergulha de volta na piscina.

25

Enquanto Elin entra pela porta do vestiário, as palavras de Will martelam em sua cabeça: *Você não está sendo você mesma.*

Ela calça os sapatos, se curva e pega a bolsa, os olhos marejados. Quando se endireita, para por um segundo.

O som de uma porta, abrindo e fechando.

Elin se vira, esperando ver alguém emergir de um dos cubículos, de cabelo molhado, com uma bolsa de natação na mão.

Silêncio.

Ninguém é tão silencioso assim. Fazemos algum ruído quando trocamos de roupa: o roçar do tecido na pele úmida, os pequenos grunhidos de frustração quando botões ficam emaranhados no cabelo molhado, tiras são viradas pelo avesso.

Contudo, ela ouve outra vez o clique e o balançar de uma porta.

Elin aguarda, ainda esperando que alguém apareça, mas o lugar está vazio.

O silêncio se prolonga, amplificando o martelar da pulsação em seus ouvidos. Todos os seus sentidos estão alertas quando ela se vira e observa o espaço.

Tudo está imóvel. Silencioso.

Avançando, ela começa a caminhar na direção da porta que leva à recepção. *Não seja burra,* diz a si mesma. *Não é nada.*

Mas não é verdade.

Ela ouviu algo. Não está imaginando coisas.

Elin caminha lentamente ao longo dos cubículos do vestiário.

A experiência é estranha: não havia reparado em como o design do vestiário é peculiar, como cada porta se une à próxima com precisão, formando algo parecido com um corredor interno que divide o espaço em dois. Um túnel estéril e inóspito.

Não é só isso. Também não há puxadores nas portas de nenhum dos cubículos.

Como eles abrem?

Hesitante, Elin empurra a porta mais próxima, e a pressão de sua mão acaba fazendo-a se abrir para dentro com um clique.

Ela examina o espaço dentro do cubículo. Há um banco estreito encostado na parede esquerda, com uma aba, que está levantada para permitir que a porta abra. Se ela ficasse abaixada, o banco teria a largura normal e não permitiria que a porta abrisse.

Caminhando ao longo dos cubículos, Elin empurra cada porta.

Clique.

Clique.

Clique.

Mas não há ninguém ali.

Quando a última porta começa a abrir para dentro, ela entra.

Será que a pessoa poderia ter saído por outro lugar?, Elin se pergunta.

Ela pousa a mão na porta oposta e a pressiona delicadamente.

Sim. O cubículo abre para o outro lado do vestiário, para que as pessoas possam entrar e sair dos dois lados.

Sente um desconforto cada vez maior surgir dentro dela. É possível que alguém tenha estado ali e escapulido pelo outro lado.

Definitivamente, a pessoa não saíra para a recepção. Elin estava virada para aquela direção o tempo todo. Mas quem estivera por ali poderia ter ido para a piscina...

E então, onde essa pessoa está agora? Só há uma maneira de descobrir. Tirando os sapatos, Elin sai silenciosamente para a área da piscina, dá uma boa olhada ao redor.

Um movimento abrupto, no fundo de suas entranhas.

Só há Will ali, dando braçadas na água. Elin para, congelada por um minuto, e depois volta pelo vestiário para a recepção do spa.

Alguém estava lá. Com toda a certeza, alguém estava lá. Observando.

Levantando o olhar, Margot sorri.

— Ele ainda está nadando?

— Sim. Tentando quebrar um recorde, pelo que parece —, responde Elin, forçando um entusiasmo na voz. — Alguém mais entrou depois de mim?

— Não, está tranquilo aqui. Acho que as pessoas saíram mais cedo por causa da mudança de tempo. Logo vou voltar a ficar ocupada, agora que começou a nevar de novo.

Elin assente, seus dedos apertando com força a alça da bolsa.

Parte dela quer acreditar que o que ouviu foi fruto da sua imaginação, um som totalmente diferente do que pensa. A outra parte, porém, tem certeza: a pessoa no vestiário, seja lá quem for, a estava observando.

Aguardando.

26

Precisando espairecer, Elin sai do hotel pela entrada dos fundos, caminha pela trilha curta na direção da floresta, a rota oposta à que tomara mais cedo com Will.

Em sua mente, continua remoendo o que aconteceu no vestiário. Está deixando que sua imaginação a domine?

Ela não tem certeza.

Mas, apesar da confusão, ela se sente mais forte a cada passo, mais no controle.

É sempre assim, sua capacidade de solucionar problemas melhora quando se exercita — revirando questões não solucionadas sobre casos, pensamentos sobre Sam, Isaac, sua mãe.

Mas a neve exige muito esforço. Por baixo da camada de neve fresca e macia que acaba de cair, há outra camada mais antiga, mais compacta.

Elin para no topo da trilha, logo antes da entrada da floresta, resfolegando. A neve pousa em seu casaco, presa nas dobras do tecido.

Quando solta o ar, a respiração congelada forma uma nuvem. Parou de nevar, mas o céu ainda está carregado, cor de chumbo. Ela pode ver que há mais por vir.

Embora não esteja mais se movendo, seu coração bate forte, e o suor começa a encharcar a roupa térmica. É a altitude — seu corpo ainda não se aclimatou.

Cerrando a mão em torno do inalador dentro do bolso do casaco, os dedos de Elin roçam na quina quadrangular do bocal. O ar frio não ajuda. Em casa, quando ela se exercita, o ar é quente, úmido. Desde que leve seu inalador e mantenha um ritmo constante, ela ficará bem. Mas aqui no alto o ar é mais frio, mais rarefeito, e ela precisa tomar cuidado. Ficar atenta.

Ela fecha os olhos, respira fundo uma, duas vezes e, naquele momento, desprevenida, sua cabeça vai longe.

Uma série de flashes a invade:

Uma brisa cortando a superfície da piscina de pedra, tornando as pedras abaixo um borrão.

A mão de alguém agarrando seu braço.

Sangue se espalhando como fumaça pela água.

O medo se enreda como um nó em seu peito. Ela nunca sentira aquilo. A intrusão das memórias na consciência, esta fusão com a vida real. Elas geralmente vinham quando estava caindo no sono ou despertando. Nunca tinham cruzado esse limite.

Desconcertada, Elin respira fundo, caminha mais para cima. A neve está sufocando tudo: o solo, as árvores, os galhos que se curvam sob seu peso.

Suas botas estão raspando contra a parte de trás dos calcanhares. Apesar das meias grossas, os pés dela deslizam a cada passo. O vendedor na loja havia avisado de que eram grandes demais, mas ela o ignorara.

Elin nunca gostou de nada apertado demais. Legado da asma.

É estranho como a claustrofobia, Elin considera, não se manifesta somente nos espaços fora, mas também dentro dela.

Aquela sensação horrível de estar presa dentro do próprio corpo.

Uma das primeiras coisas que Elin fez quando comprou o apartamento foi derrubar a parede divisória que separava os dois cômodos principais.

Quando a última parte caiu em uma nuvem de poeira e gesso e a luz inundou o espaço, sua sensação de alívio foi imensa.

Elin se vira, observa a paisagem no outro lado do vale. O peso cinzento do céu se estende ao infinito, somente quebrado pelo horizonte serrilhado do pico das montanhas. Aglomerados de chalés salpicam as encostas, pequeníssimos.

Neste lado do vale, mal se vê a faixa sinuosa da estrada que vai para a cidade à sua direita em meio aos montes de neve que se formaram às suas margens.

A cidade propriamente dita está escondida por um pequeno cume. Elin mal consegue ver a espinha metálica da estrutura do teleférico, torres subindo e desaparecendo na neblina.

Abaixo, à esquerda dela, está o hotel. Os fracos raios de sol que penetram por um vão na nuvem são refletidos pela vasta extensão de vidro, a neve em montes altos ao redor dele.

Esta é a vista que ela desejava, de que precisava. No entanto, quanto mais ela olha, mais confusa fica.

Uma pergunta segue martelando em sua mente: *Se Laure de fato partiu porque quis, para onde ela iria?*

O hotel é isolado, uma entidade própria. Não há nenhum lugar próximo plausível onde Laure poderia estar. Nenhum lugar onde ela possa estar segura, aquecida.

Ela não pode ter subido, com certeza, pensa Elin, olhando para a floresta. Isaac lhe dissera que não havia cabanas lá no alto, nenhum lugar onde se abrigar. Além das árvores, só há a montanha alta, a geleira. Olhando para o alto, ela nota que ambos estão encobertos por uma neblina espessa, espiralando como tentáculos que se arrastam sobre a rocha.

A visão faz Elin se arrepiar. Ela dá meia-volta.

Laure pode ter descido ou para a cidade, ou de volta para o vale, para Sierre. Mas são vinte quilômetros de distância.

Então, como?

Caminhar era quase impossível naquelas condições, e ela não pode ter pegado um táxi; estava sem telefone, sem bolsa, sem mala.

Elin sabe que a única maneira de conseguir respostas é descobrir *por que* Laure sentira que precisava ir embora. Qual motivo tinha para isso.

Pessoal ou profissional, deve haver alguma pista, Elin tem certeza disso.

Ela precisa saber mais, descobrir qual foi a motivação para a partida. Pega o telefone e começa a olhar suas redes sociais. Embora tenha chegado a se cadastrar na maioria delas, Elin nunca postou nada. Sempre se sentiu inibida demais para jogar seus pensamentos para o mundo.

A maioria das contas de Laure é privada, menos a do Instagram. Elin clica no perfil. Não tem certeza do que encontrará, mas é improvável que seja a verdadeira Laure. Uma das primeiras coisas que aprendeu na polícia foi o tanto que as pessoas faziam curadoria da própria vida — em currículos, diários. Conversas com amigos. E-mails.

O mais fácil de manipular? As redes sociais. A colega extrovertida comendo com a "galera", pode, na verdade, estar sozinha, lendo um livro. A foto artística do livro premiado pode, na verdade, esconder o fato de que a pessoa desistiu da leitura logo depois da primeira página.

Contudo, o fato de o perfil de uma rede social não lhe dizer tudo é, por si só, revelador. A curadoria feita nesses perfis, quem as pessoas fingem ser, pode dizer muito — sobre os desejos de alguém, sobre suas inseguranças.

Elin começa a rolar a tela. O *feed* de Laure lembra o de Will: ponderado, planejado para parecer sutilmente superexposto. Paisagens. Arquitetura. Fotos dela com Isaac, com amigos. Uma coquetelaria. Clube do livro em um apartamento moderno. Poses debochadas para a câmera.

Ela olha para os comentários autodepreciativos de Laure. *Tentando não tentar demais.*

Isso é revelador. A completa falta de defeitos, não conseguir mostrar que leva uma vida nada menos que perfeita, indica insegurança. Laure não estava convencida de que as pessoas gostariam da Laure real, por isso posa.

De modo geral, alguém tentando demais.

Ainda assim, nenhum sinal de instabilidade, de que houvesse algum problema sério. Para descobrir isso, Elin precisará ver algo real. Algum lugar onde Laure não agisse com tanta consciência, algum lugar longe da vista e do julgamento dos seus amigos.

O escritório dela.

Ao começar a caminhar de volta pela trilha na direção do hotel, o olhar de Elin é novamente atraído para a imensa amplidão branca se estendendo abaixo.

Um pensamento lhe ocorre: *E se Laure* quisesse *se perder aqui? E se tudo isso for planejado?*

Ela quase consegue entender aquilo, querer adentrar naquele nada.

Um esquecimento perfeito, infinito.

Então, uma imagem do respingo de sangue no tapete surge em sua mente.

Minúsculos pontos cor de ferrugem. Uma constelação.

27

O sequestrador a tirou do chão.
 Adele está agora deitada, estirada em um tipo de cama. É uma superfície mais macia, mais flexível.

Ela pisca e abre os olhos, mas as formas e cores ao redor estão fora de foco. Leva alguns minutos para que a imagem diante de si tome forma.

Uma parede: encaroçada, estriada, úmida e escorregadia.

Adele tenta analisar aquilo, decifrar onde pode estar, mas está distraída: seu rosto está ardendo. Com uma guinada, ela lembra: *a máscara*. Sente uma onda de pânico, o suor se acumula entre sua pele e a espessa camada de borracha.

Frenética, ela tenta agarrá-la e arrancá-la, mas suas mãos não se movem.

O que aconteceu?

Adele inclina a cabeça para a frente para tentar ver melhor, mas o movimento a deixa tonta, como se seu cérebro estivesse tentando alcançá-lo, três passos atrás do crânio.

Ela tenta outra vez, torcendo o tronco para a direita, mas, conforme sua cabeça acompanha o movimento, o tubo em forma de um "c" preso à máscara bloqueia sua visão, uma grotesca curva preta:

Adele tenta voltar o pescoço para cima, inclinando a cabeça o bastante para a direita de modo que consiga ver além do tubo.

Funciona: ela obtém um vislumbre da sua mão direita. Está amarrada pelo pulso à cama. Há uma mesa a pouco mais de um metro. É feita de metal, dobrável e portátil como aquelas usadas em acampamentos. No centro, há uma pequena travessa de metal. Instrumentos cirúrgicos estão alinhados na superfície em uma fileira: bisturis, uma faca, um par de tesouras finas.

É quando ela ouve o som que a trespassa: a estranha tragada úmida de ar sendo inspirado, o assobio agudo da expiração.

O som da máscara dele. Diferente do som da dela. Mais alto.

Sem se controlar, ela inclina a cabeça de novo, ainda mais, e captura um vislumbre dele.

Ele está segurando algo, um telefone. *Meu telefone*, ela pensa, reconhecendo a capa azul desgastada.

Os dedos dele se movem rapidamente pela tela.

Um bom tempo se passa até Adele ouvir um conhecido som sibilante. Leva um momento para processar o que aquilo significa: *Ele enviou uma mensagem. Uma mensagem do meu telefone.*

Alguns segundos depois, outro som. Um bipe baixo. Alguém respondeu.

É quando ela entende: *Ele enviou uma mensagem fingindo ser você.*

Sente o estômago embrulhar. Ninguém saberá agora que ela está desaparecida. Vão receber aquela mensagem e achar que ela está bem.

Ninguém vai te procurar. Ninguém vai saber que há um problema.

Adele tenta gritar, mas o som dentro daquela máscara é abafado, ridículo.

A figura se vira, olhando para ela por alguns minutos, como que considerando algo. Então, a voz:

— Está pronta?

Um atraso: seus ouvidos absorvem o som antes que o cérebro o registre. Adele se encolhe, chocada.

A voz. Ela conhece aquela voz.

A boca de Adele se abre, mas não emite nenhum som. Sente um tremor dentro de si; o último restinho de esperança... morto.

Não haveria como escapar daquilo.

De certa maneira, ela sempre soubera que aquele momento chegaria. O que aconteceu nunca é totalmente deixado para trás. Embora ela tenha banido para os confins de sua mente, a consciência de tudo aquilo sempre esteve ali — como um coágulo, imóvel dentro da veia, só esperando o momento de se soltar e provocar o caos.

Adele fica deitada absolutamente imóvel, esperando. Tudo o que consegue ouvir é a respiração dele.

A qualquer momento. A qualquer momento.

O feixe da lanterna move-se outra vez. Dobrando o corpo na altura da cintura, ele tateia na pequena bolsa preta no chão. Ele revira a bolsa e tira uma seringa.

Ela sente uma picada aguda no braço antes de tudo escurecer, mas não rápido o bastante para que não perceba o som da pequena mesa de metal sendo arrastada pelo chão em sua direção, o ruído dos instrumentos de metal balançando conforme a mesa se move.

28

— Ela ainda não voltou?

A gerente do hotel fica tensa, os documentos se dobrando sob a pressão dos dedos.

Elin olha o crachá preso à camisa escura da gerente: *Cécile Caron. Gerente Geral.* A mulher que ela viu ontem na piscina, a irmã do desenvolvedor do hotel.

Definitivamente há uma semelhança: o corpo esguio, a estrutura musculosa, o cabelo louro-claro, embora o de Cécile seja mais curto, ainda mais curto do que o de Elin. O corte de cabelo emoldura a face angulosa, com maçãs do rosto pontudas.

Seus traços são fortes, definidos. Ela não está usando nenhuma maquiagem, mas não precisa. Qualquer enfeite pareceria bobo. Supérfluo.

Elin abana a cabeça.

— Não. Isaac ainda não teve notícias dela. Ninguém teve.

Uma sombra passa pelo rosto de Cécile.

— Tem certeza de que ele falou com todo mundo?

— Todo mundo. Amigos, família, vizinhos. Eles achavam que ela estava aqui, com Isaac. — Elin pausa. — Não sei se Laure mencionou, mas esse passeio deveria ser a comemoração do noivado deles.

— Ela me disse. — Cécile emerge por detrás da mesa da recepção, ainda segurando os papéis com firmeza. — Ela também disse que você é policial na Inglaterra.

Sua expressão é indecifrável e faz Elin se sentir desconfortável imediatamente.

— Sou — responde Elin, ruborizando.

Ela deveria tê-la corrigido. *Por que não dizer a verdade? Por que dar a si mesma uma autoridade que ela não merece?*

— Sim, Isaac... é meu irmão. Ele telefonou para a polícia. Eles fizeram um registro para dar prosseguimento, mas acham que ainda é cedo para começarem uma investigação. Eu disse que faria algumas perguntas enquanto isso.

Assentindo bruscamente, Cécile murmura algo para a recepcionista. Ela se vira de volta para Elin.

— Vamos para o meu escritório. É melhor conversarmos lá, teremos mais privacidade.

Seguindo-a para a saída do saguão, passando pelo corredor principal, Elin luta para acompanhar o passo eficiente de Cécile.

Suas calças sobem um pouco a cada passo, como se estivessem ficando presas nas pernas, nos músculos definidos de suas coxas. Ela é a primeira funcionária que Elin viu que não parece se encaixar no uniforme, que parece um peixe fora d'água.

O estilo escandinavo contido — camisa preta, justa, calças afuniladas, saltos cinza — não é adequado para o corpo dela. Seus ombros largos, membros sólidos, estão repuxando o tecido, alterando sutilmente o corte do uniforme. Como Elin, ela provavelmente fica mais confortável em roupas esportivas.

Cécile entra na primeira porta à direita, e elas descem outro corredor curto. Os escritórios ficam no final, à esquerda.

— Entre, por favor. Sente-se — convida Cécile, mantendo aberta a porta que acabou de abrir.

Pela primeira vez, Elin percebe um sotaque norte-americano no inglês de Cécile. Talvez ela tenha estudado nos Estados Unidos, ou morado lá tempo suficiente para assimilar o sotaque.

No escritório de Cécile, Elin se depara mais uma vez com uma parede de vidro, mas a vista da montanha está obscurecida por uma massa de nuvens negras e espessas. Começou a nevar de novo, com uma intensidade atordoante, flocos grandes e pesados despencando no chão.

A mesa de Cécile fica no centro, bem diante do vidro. Como um alvo, observa Elin, sentindo os ombros enrijecerem. Em plena vista.

Ao se sentar, seu olhar percorre todo o escritório. Há dois monitores de computador lado a lado na mesa, uma pilha de papéis, uma xícara reutilizável de café. Na sua frente, várias fotografias juntas na mesa.

Elin imediatamente reconhece Cécile em uma delas: segurando um troféu, uma medalha em torno do pescoço. Na outra, está em uma piscina, segurando em uma das mãos a touca de natação, enquanto a outra está cerrada em um punho.

Cécile segue o olhar de Elin.

— Eu costumava nadar em competições — comenta, e solta uma risada curta e dura. — Antigamente.

Elin ruboriza, constrangida por ter sido pega espiando.

— Uma mudança considerável de carreira.

— Eu não era boa o bastante — diz Cécile, e sorri. — Sabe como é. Quanto maior o nível, maior é a competição.

Um sonho não realizado, pensa Elin, observando os olhos de Cécile seguirem na direção da fotografia, e depois desviarem. Um sonho importante o bastante para ela manter uma fotografia em sua mesa, por mais doloroso que seja.

Mas quem não tem sonhos assim? Quem não se pergunta "e se vida tivesse seguido um caminho diferente"?

Ela muda de assunto.

— Quer dizer que você não viu Laure?

— Desde ontem, não. Ela estava almoçando no lounge. — Cécile franze o cenho. — Tem certeza de que ela não ligou para mais ninguém?

— Não.

— Ninguém a pegou aqui? Alguém que Isaac não conhece?

— É possível, mas isso ainda não explica por que não deu notícias, por que não levou as coisas dela. O telefone, a mala, a bolsa... ainda estão aqui.

— Não tem chance de ela ter ido para casa?

— Não. O vizinho tem uma chave e entrou lá. Estava vazia.

— Mas é possível que ela tenha partido por vontade própria e não quisesse que ninguém soubesse. Talvez estivesse em dúvida sobre o noivado? — Cécile dá de ombros. — Eu mesma já estive.

Elin baixa o olhar para a mão de Cécile. *Sem aliança.* Cécile percebe.

— Divorciada — diz ela.

Percebendo o tom desafiador na voz de Cécile, Elin se solidariza com aquela atitude defensiva lida nas entrelinhas. Não deve ser fácil ter que ouvir as perguntas das pessoas, seguidas pelas frases prontas de sempre: *Você vai encontrar a pessoa certa. Não se preocupe, não é tarde demais.*

Elin só tem 32 anos, mas, antes de conhecer Will, ela ouvira todas. Chegue ao final dos seus vinte anos, e as pessoas vão sentir a necessidade de enquadrá-la, de categorizá-la.

E, se não conseguiam, a encaravam como uma ameaça. *Um ser indefinível.*

— Sim — diz Elin, então conduz a conversa de volta para Laure. — As pessoas vão embora assim com mais frequência do que você imagina. A família começa a entrar em pânico, só para descobrir que aquilo foi planejado. Às vezes, as pessoas não gostam de se explicar, então vão embora sem avisar. — Ela se inclina para a frente. — Quer dizer que você não está sabendo de nenhum problema? De nenhum motivo para ela partir?

— Não. Laure sempre foi uma funcionária excepcional. Pontual. Inteligente — responde Cécile, mexendo em uma caneta sobre a mesa. — Escute, provavelmente não sou a melhor pessoa com quem falar. Nós tínhamos uma boa relação, mas era profissional. Laure... ela é uma pessoa reservada. Não compartilharia coisas pessoais, a menos que fosse necessário.

— Você se importaria se eu desse uma olhada na mesa dela? Ver se ela deixou algo lá. O planejamento de alguma viagem, qualquer coisa do tipo. — Elin mantém o tom de voz suave deliberadamente.

— A mesa dela? — Algo vacila na expressão de Cécile, algo que Elin não consegue decifrar.

— Você pode ficar — acrescenta Elin. — Não estou interessada em nada relacionado ao trabalho.

Relaxando, Cécile empurra o vidro fumê da parede do lado direito.

— É claro. É por aqui.

A porta se abre para fora com um leve clique.

Dentro, a decoração é a mesma que a da sala de Cécile, mas com a metade do tamanho. Empacada perto da porta, Cécile já está com o olhar voltado para baixo, fixo em seu telefone.

Elin passa os olhos pela superfície da mesa. Está arrumada: laptop, porta-lápis, telefone, uma pequena suculenta em um vaso verde-limão. A ponta de um carregador de celular pendurada de qualquer jeito na beira da superfície. O lugar é inócuo. Impessoal. Não revela nada.

Esticando a mão sob a mesa, Elin puxa a gaveta da direita. Está destrancada e é aberta com facilidade. Não há muita coisa dentro:

uma apresentação, anotações de uma reunião, uma pasta. Ela as folheia, depois as deixa de lado, pegando a pasta de manilha azul. Várias folhas de papel dobradas estão dentro da pasta. Um artigo impresso de um site. A manchete está em francês: *Dépression*. Pregado com um clipe no topo direito da página, há um cartão de visita.

AMÉLIE FRANCES. PSYCHOTHÉRAPIE | PSYCHOLOGIE.
24, RUE DE LAUSANNE

Elin olha rapidamente de soslaio para Cécile. Ela está ao telefone.

Guardando o cartão no bolso, volta-se para a gaveta à esquerda. Só há uma pasta roxa dentro dela. Contas de celular de vários meses, somando mais de um ano. Todas no nome de Laure, mas endereçadas para o hotel.

— Encontrou algo? — pergunta Cécile, erguendo o olhar.

— Não sei. — Elin hesita. — Vocês usam celulares corporativos aqui?

— Não. Qualquer chamada relacionada ao trabalho eles cobram pelo uso nos próprios celulares, mas usamos principalmente os telefones fixos daqui. — Ela aponta para o telefone sobre a mesa.

Este deve ser o celular de Laure, não é? Mas por que manter as contas do celular pessoal aqui? Então Elin percebe uma coisa. A rede: Orange.ch. O celular que Isaac lhe mostrara não era da Swisscom?

Isso significa que Laure tem outro celular.

Pegando a conta mais recente, seus olhos descem pelo papel. Um número aparece várias vezes no registro de chamadas. Há mensagens de texto enviadas por esse número também. Devem ser de Isaac, ela pensa, pegando o próprio telefone para conferir.

Não são. Não era Isaac quem andava telefonando tantas vezes. Na verdade, Elin pensa, acompanhando o registro, que o número de Isaac não aparece em lugar nenhum. O corpo dela se retesa. Algo naquilo não lhe parece bom.

Por que guardar as contas aqui?

Mas Elin sabe a resposta: *ela não quer que Isaac as veja*. E sua mente dá o próximo salto: *Laure está saindo com outra pessoa? Isaac descobriu?*

Seus pensamentos se voltam para o telefonema que testemunhou na noite anterior. Laure poderia estar usando este telefone. Este poderia ser o número da pessoa com quem ela estava falando, o número que ela não pôde encontrar no outro telefone.

O celular de Elin vibra. Ela olha para a tela.

Uma mensagem de Will:

Todos os noticiários estão falando do clima.
Estão evacuando hotéis no outro lado do vale.

— Conseguiu tudo de que precisa?

Forçando os olhos a desviar da tela, Elin percebe a impaciência no rosto de Cécile. *Ela já foi muito paciente. Quer voltar ao trabalho.*

— Sim. — Ela aponta para a pasta roxa com as contas. — Tudo bem se eu levar?

— Claro — diz Cécile. — E se houver qualquer coisa que eu possa fazer por você, por favor, me diga.

A voz dela é franca, mas sua expressão é curiosamente dissimulada. Elin tem dificuldade para perceber se Cécile está falando a verdade ou simplesmente agindo com um profissionalismo frio.

— É sério — acrescenta Cécile, como que captando os pensamentos de Elin. — Qualquer coisa mesmo. Laure é uma funcionária valiosa... — Ela para de falar, os olhos fixos na janela.

Elin acompanha o olhar da mulher para o estacionamento lá fora. Um dos 4x4 da polícia que ela viu mais cedo está partindo. Ele se move rápido, as rodas revolvendo a neve.

Elin olha de volta para Cécile e congela ao notar a expressão da outra, preocupada e tensa.

Então, ela se lembra do comentário de Laure sobre os Caron terem crescido com Daniel Lemaitre.

Está prestes a oferecer suas condolências, mas se contém: olhando para Cécile, Elin não tem certeza de que a reação que conseguirá será particularmente sincera.

29

— Uma reportagem? — diz Isaac.

Sua voz está alta demais, cansada, mas isso não importa. O saguão está lotado, suas palavras perdidas em meio ao burburinho das conversas, do tilintar dos talheres. A música toca em volume baixo: uma faixa de jazz contemporâneo, adequada para o horário diurno.

Ninguém vai se aventurar a sair nessas condições, pensa Elin, olhando para fora. O céu está preto, enormes flocos de neve sendo soprados pelo vento em todas as direções.

Ela assente.

— Estava na mesa de Laure.

— Então foi por isso que você mandou Will embora. Para que você pudesse jogar isso na minha cara.

Elin fica indignada.

— Eu não o *mandei embora*. Ele tinha terminado de almoçar e queria ver os e-mails dele.

Largando o garfo ruidosamente, Isaac empurra o prato para o lado. A salada de frango mal foi tocada, folhas amontoadas no lado do prato.

Ele está desorientado, pensa Elin, olhando para a barba por fazer em seu rosto, para as roupas amassadas.

— E sobre o que é? — diz ele subitamente.

— Depressão. Havia um cartão de visita preso a ela, de uma psicóloga.

Passando um dedo pela borda do copo, os olhos de Elin se fixam na lareira ao fundo. As chamas estão altas, fazendo redemoinhos contra o vidro.

— Uma psicóloga? — Os olhos de Isaac se arregalam antes que ele se recomponha. — Isso... faria sentido. — Ele olha para ela, avaliando, como que tentando antecipar uma reação. — Laure vem enfrentando uma depressão. Tem sido pior nos últimos meses. A medicação dela... foi o que peguei da prateleira. Eu não tinha certeza se você tinha visto.

— Eu vi. — Ela encontra o olhar dele. — Por que você a escondeu?

— Eu não queria falar de uma questão pessoal dela sem permissão. Pensei que ela voltaria e eu não precisaria... — Ele balança a cabeça e baixa o olhar para o chão. — Mas tudo isso foi para o cacete, né? — Ele pigarreia. — Cancelei com todo mundo, sabe? Com os amigos de Laure, com os meus. Mesmo que o clima não fique como estão prevendo, não faz sentido eles virem agora.

— Tem certeza?

— Não vai ser uma festa de noivado muito legal sem a noiva, não é mesmo?

Ouvindo a raiva ardendo no tom de Isaac, ela muda de assunto.

— E então, há quanto tempo ela está deprimida?

— Há anos isso vai e volta, desde que Coralie morreu. Não ajudou o fato de o pai dela não estar presente. Quando Laure completou dezoito anos, ele voltou para o Japão.

— Coralie *morreu*? — Elin titubeia, imaginando-a: o rosto fino, os olhos felinos oblíquos. Coralie era agitada, única, ia direto ao ponto. Era tão cheia de energia que é difícil imaginá-la morta.

— Um atropelamento em Genebra. Perto do lago.

— Laure não disse.

Por que não teria comentado nada?, pergunta-se Elin, magoada. Mas, no fundo, ela sabe. Por que Laure lhe confidenciaria aquilo depois que Elin ficara fugindo dela?

— Ela sempre parece ser muito confiante. Ela é boa em manter a pose, mas, na verdade, está fazendo de tudo para não desmoronar. Especialmente aqui. Laure não pode se dar ao luxo de perder mais um emprego.

— Mais um?

— No último, meio que pediram que ela fosse embora. Deram uma boa referência porque ela saiu de lá sem fazer estardalhaço, mas ainda assim...

— O que aconteceu?

— O horário, a quantidade enorme de trabalho... foram demais para ela. Laure não estava dormindo bem, faltava dizendo que estava doente, começou a explodir com os funcionários, com os hóspedes.

Elin tenta encaixar aquela informação com o que sabe sobre Laure. É impossível. É como se ele estivesse falando de outra pessoa. Ela vacila quanto ao que está prestes a dizer.

— Eu... eu também encontrei uma conta de celular, Isaac. Não é do telefone que está com você. Acho que ela tem outro.

— Outro? Acho que eu saberia se...

O calor sobe pelo pescoço de Isaac.

— Tinha, sim. Está no nome dela. As contas eram enviadas para o hotel.

Elin pega um pedaço de pão para logo soltá-lo. Aquela sopa, as gotas tremulantes de óleo suspensas no líquido fumegante... não é nada apetitoso. Exageradas.

— Bem, se ela tem, não pode tê-lo usado muito.

— Há muitas chamadas, Isaac. Mensagens de texto também. Há um número para o qual ela ligou muitas vezes nos últimos meses. Um celular suíço.

Isaac passa a língua pelos dentes, agitado.

— Você tem a conta?

Pegando na bolsa, Elin entrega a ele a conta mais recente. Os olhos dele percorrem a página com uma lentidão torturante. *Ele não reconhece o número.*

— Vou ligar agora. — Isaac tira seu telefone do bolso. O cabelo dele cai sobre a testa, lançando uma sombra sobre o rosto.

— Ligar para quem?

— Para o outro telefone de Laure. O número está no topo da página.

Enquanto ele digita, Elin rói a unha, e uma terrível sensação de trepidação toma conta dela. Seus olhos pousam no enorme candelabro acima deles. É um design abstrato, feito de centenas de fragmentos afiados de vidro suspensos em diversas alturas. À primeira vista, é lindo, mas a complexidade e a falta de simetria são exageradas. É uma peça central muito irritante. Isaac afasta o telefone do ouvido.

— Está caindo direto na caixa postal. Uma voz automática — ele pega a conta outra vez, segurando-a tão forte que o papel se dobra. — Vou tentar o número para o qual ela ficava telefonando.

Leva alguns segundos até alguém atender.

— Alô? — Ele hesita. — Alô? — repete Isaac. — Você está aí?

Ele afasta lentamente o telefone do ouvido e o pousa na mesa. Tudo o que Elin consegue ver é a confusão nos olhos dele. Uma devastação silenciosa.

Laure mentia para ele, e Isaac não tinha a menor ideia.

Tocada, Elin baixa os olhos para as próprias mãos. Ele não vai querer que ela sinta pena dele. Nunca quis.

— Atenderam e desligaram depois que falei.

— Tente de novo.

Mas desta vez, quase no instante em que leva o telefone ao ouvido, Isaac o larga de novo.

— Agora nem está tocando.

— Devem ter desligado. Isaac, isso não importa. Se algo aconteceu, podemos chamar a polícia para investigar mais. E também no outro telefone dela. A empresa de telefonia pode dar uma lista dos números para os quais ela tenha ligado ou dos quais tenha recebido chamadas nos últimos seis meses...

Isaac tamborila os dedos na mesa, silencioso. Ela não tem certeza se ele chegou a ouvi-la.

Uma garçonete morena passa um pano na mesa ao lado deles. Elin sente o cheiro ácido de água sanitária. Quando termina o trabalho, ela se vira e sorri.

— Gostariam de mais alguma coisa?

Elin vai responder, mas Isaac se adianta.

— Não — diz ele com firmeza. — A comida é uma porcaria de qualquer jeito.

— Isaac... — Elin sorri para a garçonete, tentando melhorar a situação.

— O que foi? Estou dizendo a verdade.

A garçonete se apruma, ruborizada.

— Senhor, posso trazer algo diferente, se preferir. E, lógico, também posso levar sua opinião para a equipe.

— Não, está tudo bem — diz Elin, disparando um olhar de advertência para Isaac. — De verdade, estamos bem.

Enquanto a garçonete se afasta, Elin franze o cenho.

— Por que você sempre precisa fazer isso? Ser agressivo? Não é culpa dela que Laure esteja desaparecida.

Esse sempre foi o comportamento padrão dele: descontar em outras pessoas. Ela se lembra de quando Isaac perdeu um brinquedo que tinha ganhado dos pais pelas notas dez na escola, um robô de metal com pernas compridas que falava quando as antenas eram pressionadas: *Estou sob seu comando, mas me trate com cuidado!* Sam sofreu as consequências da raiva de Isaac. Seu quarto foi destruído, seu Playmobil pirata foi sequestrado em retaliação.

Sam ficou perto de Elin por semanas depois daquilo. Eles se tornaram o escudo humano um do outro: sempre que Isaac perdia a cabeça, um buscava proteção no outro.

O silêncio constrangedor continua. Isaac esfrega a nuca.

— Você tem razão — admite ele, finalmente —, mas não gosto disso. É estranho. Se ela não estiver de volta hoje à noite, vou telefonar de novo para a polícia.

— Até lá, ela pode ter voltado — replica Elin, sem convicção. — Tudo isso pode não ser nada.

— Talvez você mude de ideia depois de ver isto. — Procurando em sua bolsa, ele saca uma pilha de fotografias e as larga sobre a mesa. — Olhe para elas e depois me diga que não é nada.

Elin puxa a pilha para si. A respiração dela acelera: as fotografias são todas diferentes, mas são da mesma pessoa.

Lucas Caron.

— É o construtor do hotel… Onde você conseguiu isso?

Uma pontada fria de medo a atravessa. *Isso não parece certo.*

Isaac olha com firmeza para ela, o rosto pálido, exaurido. Seu pé está batendo no chão.

— Encontrei escondidas na bolsa de esqui de Laure. Olhe para elas.

Lucas caminhando na direção do hotel, com o gorro cobrindo a cabeça, o olhar voltado para baixo, para o telefone. Lucas falando com um funcionário na entrada do saguão. Lucas sentado na varanda com um grupo, bebericando vinho.

Parece coisa de vigilância. Como se Laure estivesse perseguindo o homem. Seguindo-o obsessivamente.

— É estranho, não é? — pergunta Isaac. Seu pé está se mexendo mais rápido agora, o joelho batendo no tampo da mesa. — Me fala que não acha estranho. Não são fotos de férias, são? Ele não parece saber que elas estão sendo tiradas.

Elin inspira demoradamente.

— A menos que tenhamos um contexto, é difícil dizer. Pode haver uma explicação.

Mas ao mudar desconfortavelmente de posição na cadeira, ela sabe que suas palavras soam fracas.

Que explicação poderia haver? Por que Laure teria essas fotos?

— Tipo o quê?

Os olhos de Isaac estão duros, brilhantes. Ele coça furiosamente a pálpebra.

Elin afasta a mão dele, a palma dela sobre a dele. O gesto é automático, instintivo. A mão dele se estira, relaxando sob a dela.

O tempo retrocede. Ela é novamente uma criança, e Isaac a ajuda a voltar a dormir depois de um pesadelo. Eles compartilharam um quarto durante anos por causa disso. Ele costumava esticar o braço e segurar a mão dela. Ele fazia o mesmo com Sam quando ele era bebê.

Por algum tempo, Sam teve pesadelos ainda piores do que os de Elin, e era culpa dela. Eles tiveram uma fase de brincar de se fantasiar. Sam era um soldado, um cavaleiro e, às vezes, se Elin o convencesse, uma ovelha, todo enrolado em uma fantasia feita em casa, branca, de lã, sua interpretação "criativa" do presépio de Natal.

Mas Sam começou a ter sonhos ruins com as fantasias: imaginava-as tomando vida no pé da sua cama, dançando, sem cabeça, pelo quarto. Elin se lembra da "retirada" delicada das fantasias, das palavras murmuradas sobre "não brincar disso por um tempo".

Sam.

O pensamento a desperta na mesma hora. Elin recolhe a mão com uma sensação horrível de inquietude. Ela está se apressando outra vez, não está? Interpretando aquilo ao pé da letra.

Tudo o que ele lhe mostrou, tudo o que disse, são apenas palavras, nada mais. Pegando seu copo de água, Elin pisca, furiosa consigo mesma. Apesar de tudo, ela baixara a guarda. Deveria ser mais esperta.

Ela se esquecera de como é fácil perder a noção de alguém. Da soma de suas partes.

30

O cansaço não bate até ela estar de volta ao quarto. Elin esfrega os olhos. Sente o princípio de uma dor de cabeça, um latejar abafado e persistente no topo do pescoço.

Pega a garrafa de água e a abre. Ela espuma, um sibilo rápido, bolhas subindo pelo gargalo. Servindo-se um copo, dá um longo gole. Ela precisa descansar, mas não consegue desviar o pensamento do que Isaac lhe mostrou.

O que aquilo significa?

Sentando-se na cadeira de couro ao lado da janela, Elin pega o telefone, digita o nome de Lucas Caron no Google. Mas antes que possa conferir os resultados, vê um e-mail de Anna, sua chefe, a inspetora-detetive:

> **Elin, só para dar um oi, já que você não respondeu ao meu último e-mail. Não quero incomodar, mas realmente precisamos de uma decisão até o final do mês. Ligue para mim se precisar conversar.**

Seus olhos seguem as palavras pela tela várias vezes antes de minimizá-la, e depois volta ao navegador, para Lucas Caron.

Uma série de artigos aparece nos resultados da busca: uma biografia na Wikipédia, vários artigos na imprensa de negócios e de hotelaria. Elin vai para a página seguinte. Mais artigos. Entre eles, há resultados esportivos, listando os tempos dele em maratonas, em corridas de esqui *cross-country*.

Obviamente, tão entusiasmado com o esporte quanto com a carreira, a qual, olhando para as manchetes, está definitivamente em franca ascensão, pensa Elin.

Por trás da marca: ao longo da última década, Lucas Caron surgiu como o homem a ser observado quando se trata da hotelaria suíça.

O início de um império: como a reinvenção de Lucas Caron do minimalismo está transformando a paisagem dos hotéis de luxo.

O hoteleiro hippie*: como a ioga diária ajuda Lucas Caron a permanecer à frente de seus negócios.*

Mais recentemente:

Le Sommet: dando adeus ao estilo chalé. Um estudo do novo minimalismo.

Por que Lucas Caron gosta de olhar para o passado em busca de inspiração.

Elin clica no segundo artigo. Uma fotografia domina a tela: Lucas sentado de pernas cruzadas em um dos sofás do saguão do Le Sommet. Não há qualquer indício de desconforto, o sorriso dele é amplo, natural.

Mas mesmo ali, em uma fotografia mais formal, ele parece mais com alguém que você veria na capa de uma revista de alpinismo ou de trilhas do que um desenvolvedor imobiliário. Ele veste uma calça jeans desbotada, um casaco esportivo com zíper que valoriza seus músculos. Seu cabelo louro-escuro cai em um emaranhado sobre seu rosto, a barba está mal aparada.

O pé de Elin está inquieto. Isso não faz sentido, faz? Aquela aparência relaxada não combina com o hotel, com o design. Passando os olhos pelo texto abaixo, os olhos dela saltam para várias citações: "Sempre escolhi trabalhar com prédios que têm uma história e que me pedem para continuar contando-as. A história do Le Sommet começou com a proposta do meu bisavô para um sanatório, e isso torna este projeto especial para mim. Sempre foi meu sonho reinventar o prédio. Quando criança, eu costumava olhar para a estrutura, imaginá-la renascida, algo novo."

O artigo continua: "Lucas começou a construir prédios aos nove anos, com qualquer coisa que conseguisse encontrar. 'Lego, varetas, a comida que me serviam no hospital. Na verdade, acho que aquele hospital foi onde meu amor por prédios — por arquitetura — começou. Jurei que, quando melhorasse, eu aproveitaria cada dia ao máximo.'"

Hospital? Ela passa os olhos pelo resto do artigo, então encontra um parágrafo explicativo: "Lucas nasceu com uma condição cardíaca congênita chamada DSA (Defeito do Septo Atrial), um buraco no coração, tratado em uma cirurgia bem-sucedida que o fechou, mas passou por uma série de internações hospitalares quando criança, por causa da operação e das complicações."

Agora, ele está começando a fazer sentido para Elin: Lucas Caron é alguém com algo a provar; mentalmente, fisicamente. Ele também é alguém que quer quebrar convenções. Uma frase específica reflete isso: *aproveitar cada dia ao máximo.*

Consegue perceber o que poderia ter intrigado Laure, aquela mistura de executivo e boêmio, mas isso ainda não explica as fotografias, por que as tirou.

Voltando para a busca, ela olha para o restante dos resultados. Repara em um blog no fim da página, com um título provocativo: "Como os desenvolvedores imobiliários da Suíça estão arruinando as próprias cidades."

Elin clica no blog. A postagem condiz com o título, há comentários sobre vários desenvolvedores imobiliários, incluindo Lucas. A seção de comentários na parte de baixo, chama sua atenção: há postagens cheias de rancor sobre Lucas Caron e o Le Sommet, insultando o design proposto, a personalidade dele. "Ele é do tipo que passa por cima das pessoas. É do tipo: 'Vou fazer o que quiser. Dane-se quem entrar no meu caminho.'"

Há comentários sobre o desaparecimento de Daniel, seu relacionamento pessoal e profissional com Lucas. Principalmente boatos, em forma de acusações de nepotismo, especulações sobre Lucas estar prestes a afastá-lo do projeto.

Ainda intrigada, ela digita o nome de Lucas no Twitter. Fica paralisada: o nome dele aparece em centenas de tweets, a maioria de conotação negativa.

Ela ouve o clique da porta. *Will.*

— O que você está vendo?

Ele caminha até ela, põe o telefone de lado.

— Um artigo sobre o desenvolvedor, Lucas Caron. Isaac acabou de me mostrar umas fotos que Laure tinha dele.

— E?

— Aparentemente ele não sabia que as fotos estavam sendo tiradas.

— Elin, isso não tem nada a ver com a gente. Acho que, se ela não estiver de volta até hoje à noite, você deveria deixar Isaac ligar de novo para a polícia. Deixe isso nas mãos deles.

Há um tom estranho na voz dele: um tipo frio de resignação. Não apenas isso, os olhos dele... estão vazios, ela pensa, entrando em pânico. Ocos. Ele está se afastando e é culpa dela. E o pior é que ela sabe que pode consertar aquilo, dizer o que ele quer ouvir, que está pronta para dar os passos que deve dar, mas isso seria mentira.

Ela não está pronta.

A vida de Elin está suspensa até que consiga respostas sobre o que aconteceu com Sam. Algo dentro dela, alguma parte importante, está empacada. Presa no dia em que ele morreu, como a alça de um macacão presa em um galho, sempre a puxando para trás.

Will pega um casaco no armário e o veste.

— Sabe, enquanto trocava de roupa, eu estava pensando no que disse antes... Por favor, Elin, quero ir embora.

— Mas...

— Assim que pudermos. E tem isso — Will mostra seu telefone. — Não quero ficar preso aqui nem um dia a mais. Uma tempestade gigantesca está se aproximando.

Elin passa os olhos pela tela.

Tempestade sem precedentes se aproxima dos Alpes. O resort italiano de Cervinia fechou todos os teleféricos depois de ventos altos forçarem os bondes a balançar descontrolados. Mais de duzentos centímetros de neve estão previstos para as próximas 48 horas.

— Não posso partir, Will. Não agora.

— Não pode? Ou não quer?

Will se senta na cama. Olha para ela, a testa franzida, incrédulo.

— Elin, não acho que esteja ouvindo o que estou dizendo.

O pânico gira dentro dela. Ela precisa dizer a ele, não precisa? Dizer a ele o verdadeiro motivo de ter ido para lá, ou corre o risco de perdê-lo.

— Não posso. — Ela larga o copo. — Não estou aqui só para me reaproximar de Isaac. Mas para saber a verdade.

— A verdade? Do que você está falando? O que não está me dizendo?

— É sobre Isaac — titubeia. — Acho que ele matou Sam. É por isso que estou preocupada com Laure. Sei do que ele é capaz.

31

— Matou? — repete Will, os olhos fixos nos dela. — Você disse que foi um acidente.

Elin se senta ao lado dele na cama, com a boca seca.

— Esse foi o veredito oficial. Concluíram que ele caiu na piscina, bateu a cabeça em uma pedra e se afogou. Isso encaixava com o que eu lembrava, mas então, algumas semanas depois, comecei a ter esses… *flashbacks*.

— Do que aconteceu?

— Não, aí é que está. O que me lembrava, o que disse aos meus pais, à polícia… é diferente do que vejo neles.

De fato, as memórias que ela tem do dia são claras, reduzidas às imagens mais importantes. Imagens que ela garimpa em busca de precisão, voltando-se para um lado ou para o outro para investigá-las em busca da verdade, mas a essência delas sempre está presente. A verdade, ou o que ela achava que deveria ser.

— E o que você disse à polícia?

Elin fecha os olhos.

— Estávamos brincando em uma piscina de pedras, nós três. — Ela consegue ver nitidamente: o sol forte de junho, despontando alto, queimando a pele deles. Sam está vermelho, o pescoço descascando, a camiseta cinza de Isaac salpicada de água salgada.

— A gente estava competindo para ver quem conseguiria pegar mais caranguejos. Tinha uma tabela pregada na parede do chalé da praia. — Ela esfrega um pé no outro. — Os garotos levavam a sério. Tudo era uma competição entre eles.

— Eu também era assim com meu irmão.

— Mas aquilo... era estranho. A intensidade. Sentir prazer com o fracasso do outro. Nunca fez sentido... Eles nem eram parecidos. Sam era o oposto de Isaac. Um livro aberto. Mamãe sempre dizia que ele era como ela, "a criança fácil". Ela achava que até que eles se pareciam fisicamente. A pele pálida, o cabelo louro tão fino que, se ficasse molhado, dava para ver o branco do couro cabeludo por baixo.

— Então quer dizer que você não era tranquila? — Will ergue uma sobrancelha.

— Não, não como Sam. Todos dizem que o mais novo é o mais feliz, e é verdade. Era sempre ele quem nos fazia rir, aliviava as coisas quando discutíamos. Agora, pensando bem, acho que ele tinha o melhor de mim e de Isaac. Muita energia, como eu, mas com o foco aguçadíssimo de Isaac. Ela podia se sentar, se concentrar, de uma maneira que eu nunca conseguia... Lego, dever de casa, ler. Nada parecia desconcertá-lo... a não ser Isaac. Ele sabia como provocar Sam.

— Ele fazia muito isso?

— Sim. Ele era diferente de mim e de Sam. Há uma espécie de traço selvagem nele. Mamãe era geralmente inabalável, mas Isaac a deixava nervosa às vezes. — Elin belisca a colcha da cama.

— Eu também sentia isso. Ele era imprevisível. Acho que parte disso era porque ele era muito esperto. Gostava de brincar com as pessoas, com situações, para compreender por que elas reagiam como reagiam.

— Isso soa bastante frio.

— Sim, ele podia ser frio. Às vezes, ele não parecia ter a mesma reação que outras pessoas às coisas. Como se parte dele tivesse descoberto que emoções não levam você a lugar nenhum no longo prazo, e por isso ele se colocava acima delas.

Will olha para Elin.

— Ou talvez ele tenha sentido que Sam era o favorito da sua mãe — especula. — Talvez ele tenha se fechado. Autopreservação.

— Mas eu nunca disse isso — retruca ela, surpreendendo-se com sua voz aguda. — Eu nunca disse que Sam era o favorito dela.

— Mas pela maneira que você falou, pareceu que... — Will se interrompe e dá de ombros. — Esqueça. O que aconteceu depois?

— Isaac estava furioso porque Sam estava ganhando. Eu tinha me cansado e fui para outra piscina de pedras. Poucos minutos depois, ouvi gritos. Eu me virei e vi o balde de Sam derrubado. — Elin pisca. — Os caranguejos dele estavam escapulindo para a água. Sam estava gritando, socando Isaac. Estava saindo de controle, então fui até lá e pedi que parassem.

— A pacificadora.

— Eles fizeram as pazes. Isaac pediu desculpas. Tudo parecia bem, então me afastei mais, na direção do penhasco. Eu sabia que eles tinham se entendido. — Ela hesita, ainda agora a memória afiada como uma navalha em sua mente. — Não sei exatamente quanto tempo passou, talvez quinze minutos, vinte. Eu podia ouvir Isaac. Ele estava gritando. Corri de volta.

Elin pode sentir agora o pânico disparando dentro dela, como uma sirene.

— Encontrei Isaac na piscina de pedras. Mergulhado até os ombros. Ao lado... — As palavras ficam presas na garganta dela. — Ao lado de Sam. Ele o segurava sobre os braços, tentando arrastá-lo para fora, mas não conseguia encontrar um apoio. Ele ficava gritando: "A gente pode ajudar, a gente pode ajudar", mas eu sabia que ele estava morto. A cor dele... — Sua voz some por um instante. — Nós tentamos, continuamos até a chegada dos paramédicos, mas ele tinha morrido.

Will toma a mão dela e a aperta.

— E onde estava Isaac quando isso aconteceu?

— Ele disse que tinha ido ao banheiro. Quando voltou, encontrou Sam na água. Ele achou que Sam tivesse escorregado, batido a cabeça em uma pedra.

— Sem que ninguém percebesse?

— As piscinas de pedra ficavam isoladas no fim da praia. A menos que alguém estivesse lá por acaso, não teriam visto.

Will está concentrado, o cenho franzido.

— E por que você acha que Isaac é o responsável por isso? — pergunta.

Ele passa o polegar pelas costas da mão dela.

— Alguns meses depois, comecei a ter esses *flashbacks* — responde Elin.

— Memórias?

— Não exatamente. A única maneira que consigo descrever é como quando você está sonhando. Naquele momento, tudo é nítido, mas depois, quando você está de fato desperto, não consegue guardar a lembrança. Um instante, o contorno de algo que ainda não preenchi. A maior parte se vai até a próxima vez.

A psicoterapeuta a que ela foi no ano passado disse que aquilo não é incomum, que é a maneira da parte consciente de sua mente se proteger. De protegê-la.

— Você consegue se lembrar claramente de qualquer coisa dos *flashbacks*?

— Só uma coisa. Uma imagem que não consigo tirar da cabeça. Isaac está na beira do penhasco. As mãos dele... — As palavras grudam em sua garganta. — Estão cobertas de sangue.

Will muda de posição na cama.

— Mas, com certeza, isso é impossível. Você o encontrou na piscina, tentando tirar Sam de lá. Havia sangue nele?

— Não. Isso é o que não consigo entender.

— Você falou com alguém sobre isso? — Girando o corpo, Will estica o braço por trás dele e pega a garrafa de água da mesa. — Sobre o que você lembra?

— Fora a psicoterapeuta, não. Mamãe, papai... eles tinham perdido Sam. Isso... seria como perder Isaac também. Eu não poderia fazer isso com eles.

— E você não disse nada a Isaac?

— Não. Sei o que aconteceria. Ele ficaria na defensiva, acharia que eu estou o acusando de machucar Sam.

— Bem, você estaria, não?

Will abre a garrafa, bebe um pouco. O olhar dele está fixo nela. Atento, sem piscar.

Ela empaca.

— Mas...

— Elin, é isso que você está insinuando.

Ela está em silêncio. *É verdade, então por que é tão difícil admitir para outra pessoa?*

— A única coisa que não entendo é por que você não me contou nada. — Ele força um sorriso, mas a mágoa nos seus olhos é óbvia. — Esconder isso de mim não é pouca coisa.

Elin morde o lábio.

— Seja sincero, você ia querer se envolver se soubesse? Se eu tivesse dito no primeiro encontro: "Will, acho que um dos meus irmãos pode ter matado o outro, e posso ter visto, mas, de alguma maneira, meu cérebro reprimiu a memória"? Isso é muito pesado.

— Você deveria ter me contado. Eu não teria julgado você.

— Eu não podia correr o risco. Gostei de você, Will. No instante em que nos conhecemos, vi um futuro com você.

A voz dela embarga. Ele *precisa* entender, saber que ela não o enganou deliberadamente.

— Não tem nada parecido com isso acontecendo na sua vida. Você é normal, tem uma família normal — continua ela. Então sorri, tenta melhorar o clima. — Sua irmã pode ser um pouco babaca, mas fora isso...

Will retribui o sorriso dela.

— Mas por que você está tão convencida de que vai conseguir a verdade se o confrontar agora?

— Agora que mamãe se foi, é a hora certa. Isso não pode durar para sempre.

— Você vai dizer a ele do que se lembra?

— Não sei. Na verdade, não tenho um plano. Imaginei que, se estivéssemos falando sobre Sam, sobre mamãe, ele poderia deixar algo escapar.

Will esfrega os nós dos dedos.

— Sabe, se você estiver certa, se esses *flashbacks* vêm de uma memória real, então o desaparecimento de Laure...

Elin assente. Nenhum dos dois precisa dizer em voz alta.

— É por isso que não posso ir embora agora.

Ela imagina Laure ontem, as palavras empáticas sobre sua mãe. Com isso, vem outra pontada de culpa: *ela deve isso a Laure*.

Dando as costas para a tela do computador, ela pressiona a testa.

— Como está se sentindo? — Will olha atentamente para ela, com uma expressão de preocupação.

— Apenas cansada. Acho que estou ficando com dor de cabeça.

Revirando a bolsa, ele joga uma pequena embalagem para ela. Ibuprofeno.

— Tome isso, e depois vamos para o spa. Ainda falta uma hora para o jantar.

Elin concorda, obediente. Qualquer coisa para afrouxar os nós em sua mente.

Pousando o telefone na mesa, ela pode senti-los: os pensamentos e as perguntas sem resposta pesando como pedras dentro de sua cabeça.

32

— Els, vamos.

— Só mais um minuto...

Elin oscila de um pé para o outro. O deque está congelante, as ripas de madeira cobertas por uma fina camada de neve. O vento sopra forte, esticando o tecido fino do maiô contra o corpo. Ela estremece.

A neve cai com força do céu, montes se formando em torno das duas piscinas ao ar livre, na coleção de cadeiras e espreguiçadeiras. Nuvens de vapor saem da piscina maior, a mais próxima dela, fundindo-se com a neve para criar uma névoa quente e molhada. Somente pequenos quadrados da água propriamente dita são visíveis, ilhas de um cerúleo obscuro, tremulante.

Will pega a mão dela e a puxa passando pela piscina principal.

— Você já fez isso. É apenas uma banheira quente, não é funda.

A pele dela está enrugada de tão arrepiada.

Ele entra atrás de um compartimento de placas ripadas de madeira. Elin o segue, ansiosa ao observar o círculo de madeira alourada.

Will sobe e depois submerge o corpo na água. Ele olha para ela com uma expressão desafiadora.

— Você vem?

Sem os óculos, os olhos dele são mais escuros.

Elin fica olhando. Ainda mais vapor está sendo arremessado da superfície da água, fazendo a escuridão se mover e balançar. Imagens indesejadas vêm a ela: *um rosto obscuro. Água batendo contra as laterais das cavernas. A pontada aguda de pânico em seu peito.*

Piscando, ela bloqueia as imagens e sobe os degraus da banheira. Deslizando o corpo para dentro da água ao lado de Will, ela percebe o ângulo agudo de seu quadril batendo nele, mas ele não parece perceber. Ele coloca um braço em torno da cintura dela, como uma serpente, e aperta de leve.

— Tudo bem?

Ela assente. A água é tão quente que quase chega a doer, mas ela já consegue sentir o calor puxando a tensão em seus membros, soltando-a.

Will tem razão. Ela deveria relaxar. Desacelerar.

— Era disso que eu precisava — diz Elin, recostando-se nele.

— Eu te disse. — Ele aperta um botão atrás dela. Ouve-se um ruído, e depois a água começa a tremular. Em segundos, ela está agitada, em redemoinhos, batendo em suas costas e coxas. — Você precisa aprender a relaxar. Todo mundo precisa de um tempo para desanuviar.

Elin estuda o rosto dele. Os olhos escuros de Will encarando-a são calorosos, sua pele bronzeada, salpicada com minúsculas gotículas. *Você tem sorte*, pensa. *Ele se importa e não tem medo de demonstrar. Você deveria valorizar isso.*

— Quer chegar mais perto?

Will faz seu típico olhar lascivo cômico, subindo a mão pela coxa dela. Abaixando o rosto de encontro ao dela, ele a beija. A boca dele é quente, macia, mas ela se afasta, um som chamando sua atenção.

É difícil identificar o que é, por causa do vento, da água. Um baque? Passos?

Com uma sensação repentina de inquietude, ela se vira, olha em volta. Novamente, a escuridão parece se mover, mudar; uma escuridão silenciosa, observadora.

Uma sensação desconfortável toma conta dela. Igual a mais cedo no vestiário, ela tem a horrível sensação de que está sendo observada.

Ela olha para o outro lado. Os painéis de madeira olham de volta para ela: vazios, inexpressivos, sujos de neve.

Não há ninguém ali.

— Você ouviu isso? — Elin se volta para Will. — Um barulho como se alguém estivesse atrás de nós.

— Não.

Notando uma ponta de apreensão no tom dele, ela não diz mais nada. Eles se sentam em um silêncio desconfortável, bolhas batendo contra o corpo.

A tensão emana agora de Will, seu corpo rígido contra o dela.

Elin repreende a si mesma. Ela estragou tudo, não foi? *De novo*. Aquilo deveria ser divertido, relaxante, e ela já o transformou em algo constrangedor. Ela sempre teve essa habilidade. De estourar a bolha. Botar tudo a perder.

A mãe dela dizia que era medo de se soltar, de perder o controle sobre emoções que ela não se sentia confortável em expressar. "Você fazia isso no aniversário das pessoas. Não acho que você quisesse estragar a festa, mas algo sempre dava errado. Você caía ou derramava uma bebida. Certa vez, no aniversário de Isaac, você comeu bolo demais. Vomitou no seu vestido todo."

Depois de alguns minutos, Will se levanta. Há bolhas minúsculas grudadas em sua pele.

— Escute, você tinha razão — diz ele num tom seco. — Provavelmente não foi uma boa ideia. — Ele não a encara. — Vou experimentar a outra piscina. Quer que eu te leve de volta primeiro?

— Não, tudo bem. Encontro você no quarto.

A voz dela está fraca. Ela não gosta daquilo: a frieza incomum na fala dele, o tom dele.

Will sai da banheira. Elin o segue, rumando para a piscina coberta. Em segundos, ela está tremendo de novo, o vento cortante arrancando qualquer resquício do calor da água.

Depois de alguns metros, ela hesita. Ela chegou a uma bifurcação. O deque segue em duas direções: diretamente de volta ao spa, pelo caminho que ela e Will vieram, e para a esquerda, na direção de um pequeno quadrado de água.

É a única seção de água que não está fumegando, pensa Elin, curiosa. Em vez disso, a superfície reflete as luzes acima — um cintilar escuro, congelado.

Gelo.

Caminhando naquela direção, Elin para a apenas alguns passos da borda. Ela tem apenas cerca de um metro de largura, uma escada estreita subindo pela lateral,

Uma piscina de mergulho.

Ela não vê uma dessas há anos. A última vez foi em uma viagem de final de semana para a Cornuália com Laure e a mãe dela, em um hotel vagabundo de beira-mar perto de Newquay. Aquela era ainda menor, como um poço. Elas tinham desafiado uma à outra, ela e Laure: "Eu vou se você for."

Elin olha para dentro da água, um nó de medo se abrindo dentro dela, exatamente o mesmo medo da outra vez — as dimensões estreitas: você arrancaria pele ao mergulhar, a menos que seus braços estivessem bem rentes.

Contudo, há uma grande diferença: naquela outra vez, ela mergulhara. Ela o fizera porque Laure a desafiara. Porque queria provar a si mesma que era capaz.

Mas aquilo foi antes de Sam. Antes de tudo mudar.

Elin está prestes a ir embora quando sente uma presença atrás dela. *Will.*

— Eu olhei, mas estou amarelando. Pode fazer por mim.

Não há resposta. Nenhuma risada. Nenhuma mão no braço dela. Em vez disso, ela pode ouvir a respiração, o baque suave de pés no deque. Elin congela.

Não é Will, ela se dá conta com uma guinada nauseante. Ela se vira, mas, de repente, há uma pressão nas suas costas, uma força repentina e contundente bem acima da lombar.

O coração de Elin perde o compasso.

Ela se joga para a frente, os dedos dos pés agarrando, contraindo, tentando manter a firmeza, mas o deque está escorregadio com neve e gelo compactados.

Ao jogar seu peso para trás, ela tenta agarrar alguma coisa — qualquer coisa —, mas não há nada ali. Em vez disso, os braços dela giram inutilmente no ar.

Em segundos, está terminado. Elin cai para a frente, quebrando com um estalo a fina camada de gelo na superfície.

33

Não há tempo de gritar; ela é engolida pela água congelante, os pulmões se encolhem como dois punhos cerrados. Os ouvidos dela ardem, boca e olhos enchem de água.

Ela está afundando.

Mais e mais.

Elin se força a abrir os olhos, mas debaixo da água é um breu, uma escuridão impenetrável. Seus pulmões estão paralisando, ardendo com o choque.

Comece a se mexer. Faça algo.

Elin gira os pés, pedalando na água. Quase instantaneamente, o movimento para baixo se reverte e ela começa a subir.

Saindo apressada pela escada, Elin agarra o metal congelante, hasteando o corpo para o degrau mais próximo. Seus pés estão dormentes, escorregando a cada degrau.

Não há tempo para olhar para cima, para ver se quem quer que a tenha empurrado ainda estava lá, o que poderia fazer em seguida. Seus instintos são claros: *ela precisa escapar.*

O pensamento é familiar. As palavras que Elin disse repetidamente um ano atrás enquanto lutava para sair da caverna depois que Hayler a agarrou, bateu nela, enquanto ela tomava a decisão de escapar da maré que subia.

Ela precisa escapar. Ela precisa escapar.

No topo, ela corre, em piloto automático, na direção da piscina principal.

— Will! — grita, parando na passagem à esquerda da piscina.

Não consegue ver nada. A água mal é visível; vapor quente voa em lufadas de nuvens pela superfície.

— Will, você está aí?

Em uma lufada, o vento remove o vapor. Um jovem casal está de pé no final da piscina, olhando para ela, mas ela mal os percebe.

Ela pode vê-lo: na beira da piscina, vindo na direção dela.

— O que foi?

— Alguém me empurrou na piscina de mergulho. — A voz dela soa distante. Estranha. — Pensei que fosse você, então... — As palavras ficam sufocadas. — Alguém me empurrou.

Will empaca, balança para trás sobre os calcanhares.

— Tem certeza? O deque está escorregadio por causa da neve. Você pode ter tropeçado.

Elin pisca, as palavras dele ricocheteando nela, cada uma delas uma traição. *Ele está realmente fazendo isso? Questionando o que ela disse? Questionando o que aconteceu?*

— Não — responde ela com dureza, sentindo lágrimas quentes emergirem. — Alguém me empurrou na piscina de propósito, tentou me assustar.

E tinha funcionado. Naquela água, todo o medo do que nunca fora capaz de rotular tomou conta dela: um medo de ser afogada, afundando sob a superfície para algum lugar inalcançável. Sozinha.

Sozinha como Sam está agora.

Tudo sempre volta para isso, não é? Sempre para Sam.

Will a observa. Parece que vai dizer algo, mas, em vez disso, pega a mão de Elin. Um bom tempo depois, as palavras finalmente vêm, mas estão diferentes, ela percebe. São palavras neutras, como se as arestas afiadas tivessem sido lixadas dentro da cabeça dele.

— Não vamos tirar conclusões precipitadas. Precisamos levar você para dentro. Está tremendo.

Eles não ficam no vestiário por muito tempo. Elin veste roupas secas às pressas e encontra Will na recepção logo depois.

De volta ao quarto, Will a cobre na cama, empilhando cobertas em cima do edredom. Elin está recostada no travesseiro, mas a inatividade repentina, a imobilidade absoluta, apenas enfatiza o martelar errático em seu peito.

Ele lhe entrega uma xícara de café fumegante, senta-se na cama ao seu lado.

— Descafeinado. Acho que você não precisa de um estímulo a mais antes do jantar. Como está se sentindo agora?

— Melhor.

Elin beberica o café. Está quente demais, mas ela gosta da distração.

— Foi o choque... Sei que parece idiota, mas realmente pensei que eu não subiria de volta. — Sua voz enfraquece. — Parte de mim pensou, a mesma coisa que aconteceu ano passado...

Will coloca as mãos sobre as dela, apertando-as.

— Não é só isso — diz Elin, apertando a coberta entre seus dedos. — Mais cedo, quando você estava nadando, alguém estava me observando no vestiário. Ouvi uma porta sendo aberta e fechada, mas ninguém apareceu.

Will fica tenso.

— Observando você? Você acha que é a mesma pessoa?

— Talvez.

Will adquire uma expressão taciturna. Ele também está pensando no que aconteceu, não está? Depois do que ela lhe contou.

Isaac.

Will pigarreia.

— Elin, acho de verdade que deveríamos ir embora. — A voz dele vacila. — Entendo em relação a Sam, por que você está aqui, mas depois do que acaba de acontecer no spa, é um risco grande demais. Você não pode continuar.

Ele tem razão. Estar ali, perto de Isaac, sendo tragada para o que quer que esteja acontecendo... Ela não está pronta. O motivo pelo qual ela veio para cá terá de esperar.

— Acho que você está... — Ela para, captando um movimento repentino perto da porta. — Will, estão colocando alguma coisa por baixo da porta.

Will caminha até a porta, se agacha e pega algo. Uma folha de papel.

Desdobrando-a, ele começa a ler.

— O que é isso?

— Estão evacuando o hotel. Precisamos ir embora amanhã.

34

Terceiro dia

Onze da manhã. O terceiro e penúltimo ônibus está pronto para partir.

Sentada no saguão, Elin observa os funcionários do hotel se espalhando pelo lugar, arrastando malas, bolsas, gritando instruções.

A maioria dos hóspedes já desceu a montanha, mas ainda restam alguns, de pé em silêncio, em pequenos grupos, perplexos diante do barulho e do caos.

— Precisamos ir, Elin — diz Will, preocupado. — Não podemos esperar mais.

— Eu sei, mas queria falar antes com Isaac.

Servindo um café, ela coloca um pouco de leite, observando o líquido escuro espiralar.

Eles são os últimos a tomar o café da manhã. O salão parece vazio. Na mesa de bufê, tudo o que resta são alguns croissants em uma cesta, algumas fatias de presunto, chás, cafés e jarras de suco pela metade.

— Olhe como está lá fora. — Os olhos de Will estão fixos nas janelas. — Precisamos pegar o próximo ônibus, Elin.

Ela segue o olhar de Will. Mal dá para saber que é dia: o céu está carregado, enegrecido, a recepção tomada por uma luz prateada. As janelas estão laminadas de gelo, mas ainda dá para ver a neve: projéteis congelados despencando com força do céu. O estacionamento, as árvores mais além, estão sufocados, macias camadas de neve fresca ficando mais fundas a cada minuto.

É como se o hotel estivesse sendo engolido, atacado pela montanha.

Enquanto ela beberica o café, um silêncio toma conta do salão. Elin olha para o saguão. A maior parte dos funcionários já se foi. O ônibus deve ter partido.

— Veja. — diz Will, entregando seu telefone a Elin. — Viramos notícia.

Ela passa os olhos pelo artigo.

AVALANCHE OBRIGA A EVACUAÇÃO DE HOTEL SUÍÇO

Ônibus estão levando hoje mais de duzentos turistas e funcionários de um hotel na encosta de uma montanha na Suíça, enquanto a neve pesada provoca transtornos por todos os Alpes.

O Le Sommet, localizado a 2.200 metros de altitude, fica em uma área de risco de avalanches extremamente alto, disse Katherine Leon, da Polícia de Valais, em Sion.

"O risco de avalanche está agora no máximo, 5 de 5, e o pior da tempestade ainda está por vir. Embora alguns hóspedes não quisessem partir, o presidente, junto com as Comunas, acaba de ordenar a evacuação obrigatória", disse Leon. "O risco de avalanche é imenso."

A evacuação ocorrerá na manhã de domingo, com cada ônibus transportando até cinquenta pessoas de cada vez para hotéis próximos em Crans-Montana.

Cécile Caron, gerente do hotel, disse que os hóspedes permaneceram calmos durante a evacuação.

— Achei que encontraria você aqui.

Elin ergue o olhar.

Isaac.

Ele parece desgrenhado. O cabelo está ensebado, os cachos desfeitos, grudados no couro cabeludo. A pele acima do olho esquerdo está em carne viva; um vermelho intenso, inflamado.

Ele baixa o olhar para as malas deles.

— Prontos para ir? — pergunta com voz monótona, fria.

— Precisamos ir, Isaac. Não temos escolha. — Elin troca um breve olhar com Will. — Mesmo que não fosse por causa da evacuação, não há nada que eu possa fazer agora.

— Eu não vou — diz ele, de repente. — Telefonei para a polícia assim que acordei. Eles disseram que subiriam para cá hoje. Estou esperando.

— Tem certeza de que eles ainda vêm? Depois da ordem de evacuação?

— Não sei, mas não posso ir embora. — Isaac olha para ela, sem piscar. — E se ela estiver lá fora no meio dessa nevasca? Ferida? Se eu for embora, pode ser que demorem dias até alguém subir para cá de novo.

— Eles não deixarão você ficar aqui. Você precisa deixar a cargo da polícia.

— Polícia? — Isaac dá uma risada fingida. — O que você acha que eles vão fazer? Se a tempestade piorar, não vão arriscar a própria vida para encontrá-la. É o que acontece em situações como esta, Elin... Você sabe disso. Eles fazem uma visita e avaliam os riscos.

— Escute, é provável que as coisas já tenham se acalmado em poucos dias. Você poderá subir de volta...

Ambos sabiam o quanto aquilo era improvável. Se a tempestade progredisse como previsto, poderia levar dias até que as estradas fossem liberadas. Então seria tarde demais.

— Isaac, não vamos para longe. Assim que o clima melhorar, voltamos para cá — assegura Elin.

— Vocês realmente estão indo. — Ele faz uma careta. — Você é mesmo igual ao papai, não é? Quando a situação se complica, você foge.

Elin pisca, encolhendo-se com a força das palavras dele. Sem dizer mais nada, ele dá meia-volta e vai embora, sem olhar para trás.

A raiva desperta dentro dela — raiva dele, de si mesma. Ela empurra bruscamente sua cadeira para trás.

Will pousa uma das mãos no braço dela.

— Deixe-o se acalmar. Ele só precisa...

Mas ele não consegue terminar a frase.

Berros. Berros, depois um grito.

O som é abafado, apagado, como se viesse de dentro de um túnel.

Então um rosto aparece na janela, retorcido em uma expressão de absoluto terror.

35

Elin deixa cair sua xícara, que bate na bandeja com um baque. O café se derrama sobre a mesa, formando uma faixa fina e escura.

Um homem — *Um funcionário*, pensa Elin, reparando no uniforme, no casaco acolchoado com a marca *le sommet* — dá socos na janela, com tanta força que faz o vidro tremer. A neve começou a cair em diagonal, borrando o rosto dele. Tudo o que ela consegue vislumbrar são os cabelos escuros bem curtos e sua compleição robusta.

Tum. Tum.

O coração dela dispara, batendo num ritmo duas vezes mais acelerado.

Levantando-se, Will tropeça na direção da janela, com Elin seguindo-o de perto.

O rosto do homem fica mais nítido. Sua expressão está contorcida; seus olhos estão arregalados, encarando, com as pupilas dilatadas.

— *La piscine...* — O resto das suas palavras se perdem ao vento, na espessa parede de vidro. — *La piscine...* — repete, mais alto desta vez, para que ela possa ouvi-lo através do vidro. A piscina.

— Vou chamar alguém — diz Will, com a voz vacilante.

Ela assente sem dizer nada. Com a adrenalina percorrendo o corpo, tateia para encontrar a maçaneta da porta que dá para a varanda. Ao agarrá-la, a empurra com força para baixo.

A porta não abre.

Elin empurra de novo. Com mais força.

Finalmente, a maçaneta cede. Um ar congelante atinge seu rosto, junto com flocos de neve fresca.

O homem se move na direção dela, com o corpo tremendo.

— *La piscine...*

A voz dele está aguda, enrolada, beirando a histeria. Ele fica repetindo a palavra, a última sílaba se fundindo com a primeira. Aponta na direção do spa.

Saindo para a varanda, ela olha para onde o homem está apontando, mas não consegue ver nada. O spa fica à esquerda, mas há uma estrutura complexa de grades e plantas tapando a visão dele.

— Por favor, deixem-me...

Elin reconhece imediatamente a voz de Cécile Caron. Will está atrás dela.

— Deixem-me passar. — Cécile já está vestindo um casaco. Sua voz é calma, de autoridade, mas Elin pode perceber nas entrelinhas os tons aflitos que revelam medo, pânico.

— Axel, me mostre. — Seguindo-o, Cécile se vira para Elin e pede: — Por favor, volte para dentro.

Elin não se move e observa Axel começar a caminhar de volta pela varanda. Os movimentos dele são descontrolados, espasmódicos. Seus pés cedem no gelo, na neve compactada.

— Preciso ir com eles.

— Não. — Will coloca uma das mãos no braço dela. — Você não sabe do que se trata.

Ela ouve as palavras dele, mas não as registra. *E se for Laure?*

Voltando para dentro, Elin pega sua bolsa e o casaco da cadeira. Ela o veste e segue para fora. Cécile e o homem desaparecem em alguns degraus no final da varanda.

Elin está logo atrás. Apesar de seu espesso casaco de lã, o vento penetra o tecido, atingindo seu peito, sua garganta.

Quando Elin chega aos degraus, ela descobre que são íngremes e estão cobertos de gelo. Agarrando-se ao corrimão, ela se move com cuidado e precisão.

No fundo, há uma cerca de madeira separando o terreno do spa.

Quando Axel empurra e abre o portão, o spa fica visível. O vapor ondula ao emanar das piscinas, retorcendo o ar e formando espirais ao subir de encontro à neve que cai.

Ela acelera o passo até estar bem atrás deles, sentindo as ripas de madeira vibrarem sob seus pés.

Axel acelera, contornado a piscina maior até alcançarem a menor, localizada um nível abaixo. Ele para.

— *Ici.*

Os braços dele tremem quando ele aponta na direção da piscina. *Aqui.*

Com a silhueta de Axel obstruindo a visão de Elin da água, ela precisa dar um passo para o lado. Uma luz pisca acima, mergulhando intermitentemente a cena na escuridão.

Uma rajada de vento repentina varre o vapor, dissipando-o, soprando-o até desaparecer. A piscina fica visível, a cobertura cobrindo cerca de um terço dela, neve acumulando-se desigualmente na superfície.

É quando ela vê: a forma prostrada e sem vida de um corpo no fundo da piscina. As luzes abaixo emitem um brilho fraco, destacando o cabelo dela flutuando na água.

O cabelo desce até os ombros. Escuro.

Uma mulher, pensa Elin, sentindo a bile já subir pela garganta. Um refrão se repete em sua cabeça: *É ela? É ela?*

Elin se aproxima um passo. Olha de novo. É ela. Ela a reconhece imediatamente. Casaco acolchoado preto. Jeans escuros.

Laure.

36

Os músculos de Elin travam, e a cena ao redor dela se torna estranhamente distante, entrando e saindo de foco.

— Precisamos tirá-la da água. Tentar reanimá-la.

Leva um momento para que Elin perceba que é sua própria voz. Em piloto automático. Calma. No controle. Nada parecido com como ela se sente por dentro.

Mas antes que ela seja capaz de se mover, a mão de alguém puxa seu braço. Uma pessoa está abrindo caminho bruscamente entre ela e Cécile. Os passos chutam a neve, que sobe em um arco desajeitado.

— É ela, não é? — pergunta, e sua voz sai fina, estridente. Tomada pelo pânico.

Isaac.

— Se afastem… Se afastem. — A mão dele continua no braço dela, empurrando. — Quero ver se é ela.

Ele ultrapassa Elin, com uma expressão descontrolada, as bochechas são como borrões avermelhados

Elin se inclina para a frente, tentando alcançá-lo.

— Isaac, não…

Mas é tarde demais. A mão dela mal raspa no casaco dele, agarrando inutilmente o ar. Avançando a passos largos à frente dela, ele já está contornando a piscina, derrapando na neve a cada poucos passos. Ele está a poucos metros da água.

— Isaac, por favor...

Ignorando a irmã, Isaac tira o casaco e os sapatos chutando-os desajeitadamente para longe. Mergulhando na piscina, ele quebra a superfície com um baque, fazendo a água esguichar.

Acima, a luz continua piscando.

Da claridade para a escuridão.

Da escuridão para a claridade.

Elin só capta vislumbres. Isaac parece um grande borrão ao nadar para o fundo da piscina, efeito da distorção da água.

Elin mal consegue respirar, o pânico agarra sua garganta, ameaçando assumir o controle.

No que parecem segundos, Isaac sobe de volta à superfície, de costas, envolvendo com os braços a forma sombreada do corpo de Laure.

Que ela esteja bem. Por favor, que ela esteja bem.

O cabelo de Isaac está colado na testa em faixas escuras e irregulares. Ele está arfando, o peito subindo e descendo.

— Vou ajudar. — A voz é de Will, atrás dela. Ela sequer havia percebido que ele estava ali.

Ele se ajoelha na beira da água. Inclinando-se, ele pega Laure dos braços de Isaac, erguendo-a para o deque ao lado de Elin.

É a primeira vez que ela vê o corpo com o rosto voltado para cima.

Elin se retrai: uma intensa reação visceral.

Há uma máscara de gás preta presa no rosto de Laure.

Não: não uma máscara de gás. Não há filtro. No lugar dele, há um espesso tubo estriado indo do nariz para a boca.

Agachando-se ao lado do corpo e virando-o de lado, Will remove a máscara com movimentos precisos e uma urgência desesperada.

A máscara foi removida.

Elin olha para o rosto exposto, para a água escorrendo em pequenas gotículas sobre a pele pálida. Sua respiração fica presa na garganta com uma travada intensa.

Não é ela.

A mulher, quem quer que seja, tem o cabelo e o corpo parecidos com o de Laure, e usava roupas semelhantes, mas não é ela.

Will começa a inclinar a testa dela para trás, posicionando o corpo para tentar reanimá-la, mas Elin não tem dúvida de que é tarde demais. Os olhos verdes da mulher estão abertos em um nebuloso olhar morto, a boca levemente aberta. Ainda assim, Elin se curva, tenta encontrar alguma pulsação no pescoço dela, mas não há nenhuma.

— Will — diz ela com delicadeza —, ela está morta.

Mas Elin tem certeza de que não foi há muito tempo, uma vez que o corpo não estava rígido como geralmente acontece de duas a seis horas depois da morte. Elin não é uma especialista, mas sabe que a temperatura quente da água poderia reduzir ainda mais este período — ela acha que a mulher está morta há uma ou duas horas, no máximo.

Isaac não se moveu. Ainda encharcado, ele está agachado ao lado do corpo sem vida.

Elin observa a reação do irmão. Ele realmente pensou que era Laure. Não era possível fingir aquela reação. Está nítido que ele realmente não sabe onde Laure está. Não poderia estar envolvido no desaparecimento dela.

Elin olha para os pulsos da mulher, atados com força com uma fina corda trançada.

Ela foi amarrada.

Então, seus olhos percebem outra coisa: alguns dos dedos da mulher estão faltando. Um na mão esquerda. Dois na direita. Elin sente um calafrio percorrer todo o seu corpo.

Will segue seu olhar com os olhos vidrados.

— Vou levar Isaac para dentro. Vou secá-lo — diz ele.

Elin está prestes a responder quando ouve uma voz.

— É Adele — diz Cécile, atrás dela. Sua voz é monótona. Inexpressiva. — Uma das camareiras.

Olhando sobre o ombro, Elin nota que o grupo atrás dela aumentou para quatro ou cinco funcionários. Um deles está soluçando, os outros conversam em voz baixa, os olhos disparando para o corpo.

Ela precisa fazer algo. Precisa assumir o controle.

Aquilo… é provavelmente uma cena de crime, e já está uma bagunça. A neve em torno da piscina está repleta de pegadas, algumas borradas, outras já cobertas por uma camada fresca de neve.

Elin se volta para o corpo. Neve se acumula no rosto e nas roupas da mulher, na máscara ao lado dela. A visão, mais uma vez, a deixa sem ar. É como se ela estivesse em pausa, cada fibra de seu corpo paralisada.

Parte dela quer correr, bloquear tudo aquilo, mas ela sabe: aquele momento é um ponto de virada. *É agora ou nunca.* Se ela não conseguir ajudar agora, em uma situação tão desesperadora, em que não há ninguém qualificado para isso, então, provavelmente, nunca vai ser capaz.

Virando-se, ela encara o pequeno grupo atrás dela.

— Posso ajudar. Sou da polícia — diz com hesitação.

O grupo não chega olhar para ela.

Elin se permite esperar um momento, colocar os pensamentos em ordem.

Limpando a garganta, ela levanta a voz.

— Sou policial. Por favor, para trás. Esta pode ser uma cena de crime. Não queremos destruir nenhuma evidência.

37

— Chamei a polícia, eles estão a caminho. Eu... — Cécile para, seus olhos são atraídos para o corpo. Faz uma careta. — Não consigo deixar de pensar que talvez devêssemos ter tentado ressuscitá-la. Parece errado, nem mesmo...

— Não havia nada que pudéssemos fazer — diz Elin delicadamente.

É ainda mais óbvio agora, ela pensa, olhando para o corpo de Adele, para o pescoço enrijecido, o tom azulado do rosto.

Agachando-se, ela examina mais de perto. A mulher tem aproximadamente a mesma idade de Laure, talvez um pouco mais nova. Seu casaco acolchoado preto está com o zíper aberto, a camiseta enrolou para cima, revelando um tronco magro, musculoso.

Sua teoria está correta: definitivamente, o corpo ainda não atingiu o *rigor mortis*, portanto ela não ficou muito tempo na água.

O cabelo da mulher está emaranhado, com cacos translúcidos de água congelada, o topo salpicado de neve. Uma espuma esbranquiçada escorre da boca dela, solidificando-se nas comissuras.

Elin sabe o que isso significa: a espuma é uma mistura de muco, ar e água que se combinam durante a respiração. A presença dela é suficiente para indicar que a mulher ainda respirava quando submergiu na água, mas não para provar de forma conclusiva que ela havia se afogado.

Ela nota que os olhos da mulher morta parecem vivos, brilhantes, sem indícios de exposição ao ar após a morte. Então, ela desvia o olhar para o lado, para a máscara no chão. Sente um arrepio. A borracha preta já está salpicada de neve, mas isso não a torna nem um pouco menos grotesca.

O que é isso?

Elin sempre odiou todo tipo de máscara, seja de Halloween, seja cirúrgica. Rostos ocultos a aterrorizam. Não saber o que a espreita sob elas.

— Essa máscara... — Cécile segue o olhar de Elin. — Eu a reconheço do arquivo. Era usada aqui, no sanatório, para ajudar na respiração. — Cécile leva uma das mãos à boca e começa a roer as unhas.

Elin assente. *O que aquilo significa? Algum tipo de brincadeira que terminou mal? Algo sexual?*

Ela olha de novo para as mãos de Adele. Ela foi amarrada com uma corda nos pulsos e possivelmente foi mantida em algum lugar por algum tempo. Tempo suficiente para que seus dedos fossem amputados, ela pensa sombriamente, seu olhar se movendo para os pequenos tocos nas mãos, cerca de meio centímetro acima da articulação.

Mas ainda não há nenhum sinal de como ela foi parar na água e do que aconteceu enquanto estava lá dentro.

Todos os indícios sugerem que ela se afogou. Mas, então, por que fora tão tranquilo? Se ela estava viva quando entrou na água, por que ninguém ouviu nada? Mesmo com as mãos amarradas atrás das costas, ela poderia ter flutuado, patinhado na água, gritado por socorro. Se debatido na água... E, mesmo que alguém a tivesse mantido submersa, o que parecia improvável pela ausência de escoriações, ainda assim teriam feito algum barulho. Então, por que ninguém ouviu nada?

É aí que Elin vê uma pequena sombra escura no fundo da piscina a alguns metros de onde estava o corpo de Adele. Com uma sensação crescente de inquietação, ela se levanta, voltando o feixe da lanterna para dentro da água.

Um saco de areia.

Elin inspira rapidamente. *Adele foi submersa com um peso.*

É por isso que ninguém ouviu nada. Alguém queria que ela morresse rapidamente e de uma forma eficiente.

Qualquer dúvida que ainda restava foi sanada, e Elin sente uma pontada aguda ao chegar à conclusão.

Isso... isso não foi um acidente. Ela foi assassinada.

Isso é um assassinato.

O horror a domina.

Ela sente uma dor física diante daquilo: uma vida eliminada tão violentamente. Mil outras maneiras teriam sido mais rápidas, menos dolorosas. Aquilo foi planejado para fazê-la sofrer.

Ao observar mais uma vez o rosto de Adele, a expressão e o olhar daquele corpo sem vida assumem um novo significado. É uma expressão de medo, pensa Elin. De terror abjeto.

Tinha medo porque sabia o que estava prestes a acontecer.

Provavelmente ela sentiu o peso do saco de areia a afundando, a água infiltrando-se pela máscara para alcançar seus olhos e sua boca. Ela se debateu freneticamente no fundo da piscina, usando o precioso ar que lhe restava para tentar se libertar. Havia prendido a respiração até não conseguir mais, e então inalado a água até que, gota a gota, tomasse o lugar do ar em seus pulmões.

Desequilibrando-se um pouco, Elin dá as costas para o corpo e tenta ordenar seus pensamentos. Quem faria algo assim, e por quê? Deveria existir um motivo muito forte.

Sua mente começa a remoer esse pensamento, planejando os próximos passos. Com quem falar. As perguntas que ela fará. Mas, então, ela se dá conta da realidade. Ela precisa lembrar a si mesma: *este caso não é seu*. A polícia estará aqui em breve. Precisa deixar a cargo deles.

Elin ouve alguém pigarrear atrás dela.

— Por favor — diz ela, de um jeito automático —, mantenha distância. Precisamos manter a cena intocada.

Mas os passos continuam se aproximando.

Virando-se, ela se posiciona, pronta para ser mais incisiva.

Lucas Caron.

As palavras raivosas de advertência desaparecem sob o escrutínio do olhar dele.

Ele é mais alto do que aparenta nas fotografias. Seu casaco esportivo preto está justo sobre ombros largos, que não são volumosos. Aquele físico é resultado de horas ao ar livre praticando um esporte em vez de levantando pesos na academia. Mais uma vez, ela o imagina na metade da escalada de uma montanha. Pendurado em um penhasco.

Ele olha na direção do corpo através de uma cortina de cabelo emaranhado, sua expressão cada vez mais dura. Com uma das mãos, coça a barba salpicada de neve. Assim, tão de perto, não há dúvida da ligação dele com Cécile. A semelhança física é impressionante.

— Lucas Caron — se apresenta ele.

Então estende a mão, e Elin a aperta, sentindo a palma calejada dele. Áspera.

— Elin Warner. — Ela aponta para o chão. — Lamento, mas você realmente não deveria estar andando aqui. Estou tentando preservar a cena para a polícia.

Os olhos cinzentos de Lucas se fixam nos dela.

— É isso que preciso lhe dizer. A polícia... ela não vem — diz ele em voz baixa, com urgência. — Houve uma avalanche. A estrada está bloqueada. Eles não conseguem passar.

38

— A avalanche foi a cerca de um quilômetro daqui. Um dos motoristas foi dar uma olhada e disse que a coisa alcançou cerca de cinco metros de altura. Eles vão conseguir liberar tudo, mas pode levar alguns dias.

Lucas levanta o capuz do casaco. O movimento obscurece seu rosto por um instante, mas Elin já viu a chama do pânico nos olhos dele.

— Eles não conseguem removê-la mais rápido? — pergunta ela.

— Não com facilidade — responde ele, com uma expressão sombria. — É uma avalanche seca. Não é só neve. Ela literalmente raspou a montanha, saiu arrastando árvores, pedras, vegetação... É um monstro.

— Por que é tão difícil removê-la?

— Estas avalanches... são incrivelmente violentas. A força da queda age como um triturador, dividindo a neve em partículas cada vez menores. Quando ela finalmente para, a neve está tão compactada em torno dos detritos que é impossível simplesmente usar um limpa-neve para removê-la. A máquina fica entupida. — Ele pigarreia. — Também é o movimento. A avalanche aquece uma camada mínima da neve, criando um líquido que depois congela. Portanto, a avalanche não está apenas compactada, mas dura como concreto.

— E não há outra maneira de chegar à cidade?

— Não. A única outra maneira é de helicóptero, mas o vento está forte demais. Eles não vão deixar um helicóptero decolar nessas condições. Não é seguro.

Elin digere as palavras dele, o impacto ao finalmente processar toda aquela informação. *Eles estão isolados.*

Baixando o olhar de volta para o corpo, um ritmo constante de temor soa em suas entranhas.

— Você pode ajudar? Até eles chegarem? — pergunta Lucas. Ele oscila de um pé para o outro. — Só restam alguns hóspedes, mas também temos muitos funcionários. Não posso correr nenhum risco.

Elin sente Lucas avaliando a situação, avaliando-a. Pela primeira vez, ela pode ver a autoconfiança inata de um homem de negócios, uma perspicácia que contrasta com a aparência relaxada. *Ele está acostumado a estar no controle*, ela pensa, observando-o. *A dar ordens.*

— Não posso. Não tenho nenhuma jurisdição aqui.

Nem onde eu moro, pensa Elin, mordendo o lábio inferior, já se arrependendo da mentira que contara.

— Mas você pode ajudar, não é? Enquanto esperamos por eles?

Lucas olha ao redor, com uma expressão fixa; tão fixa que é como se ele estivesse mascarando seu pânico.

— Isso... não é algo que alguém aqui poderia... — diz ele, mas perde as palavras, como se a magnitude do que está encarando estivesse o engolindo.

Elin sente uma forte compaixão. Ele está lidando com algo além da sua capacidade. Um possível assassinato na propriedade dele, a qual foi aberta há não muito tempo. A reputação do hotel está em jogo. Ele quer fazer as coisas do jeito certo. Conter os danos.

— Sinceramente, não sei o que posso fazer. A Suíça tem procedimentos e protocolos diferentes.

— Mas não podem ser tão diferentes assim, não é mesmo? — sugere ele, com um ar de esperteza. — O básico.

Elin não sabe bem o que responder.

— Deixe-me telefonar para a polícia — diz ela finalmente. — Se para eles estiver tudo bem eu me envolver neste caso, então vou ver o que tenho permissão para fazer nessa situação.

Ele assente.

— Você precisa telefonar para 117, o número principal do telefonista da polícia. Todas as chamadas passam por lá antes.

Tirando o telefone da bolsa, ela faz o que ele disse. A chamada é atendida quase instantaneamente.

— *Bonjour. Police. Comment vous appelez-vous? Grüezi, Polizei, Wie isch Ihre name bitte?* — diz uma voz masculina, formal.

Elin sente um calor subir pelas bochechas, sinal do seu medo bobo de falar outra língua.

— Olá, eu...

— Sim, eu falo inglês — interrompe o homem. — Como posso ajudar?

— Meu nome é Elin Warner. Estou no hotel Le Sommet, perto de Crans-Montana. Acho que o senhor já falou com o dono do hotel sobre a situação. Eu queria ver se posso ajudar.

— Ajudar? — repete ele em um tom ríspido, desconfiado.

— Sim. Sou detetive da polícia da Inglaterra. O senhor Caron me pediu para ajudar, já que a polícia não consegue chegar até aqui. Estou preocupada porque a cena está se desfazendo rapidamente. Não sei quantas evidências serei capaz de salvar, mas eu gostaria de tentar.

— Certo, um momento — diz o homem depois de uma pausa.

Franzindo o cenho, Lucas olha para ela.

— O que estão dizendo?

Elin afasta o telefone.

— Nada ainda. Estou em espera.

— Madame Warner, a senhora está aí? — pergunta o policial, retornando à linha.

Ela leva o telefone de volta ao ouvido.

— Sim.

— Perguntei ao meu sargento sobre sua assistência. Precisamos discutir isso por aqui, e depois telefonaremos para a senhora.

Despedindo-se, Elin larga o telefone de volta na bolsa.

— Eles vão me informar. De todo modo, algo me diz que precisamos começar a agir agora. Isso não deve interferir no trabalho da polícia.

O tempo está correndo, mesmo quando a vítima está morta... A neve remove evidências, fibras, fios de cabelo. Memórias começam a se dissipar.

— A prioridade é preservar o máximo possível da cena. É essencial que protejamos qualquer evidência — diz ela.

Suas palavras soam mais confiantes do que ela se sente. Elin olha para a agitação no fundo da piscina com uma sensação de desespero. Este vai ser um trabalho inglório, talvez a pior cena de crime que se poderia ter: em fluxo constante, contando com o vento e a neve que se acumulam sobre mais neve, eclipsando potenciais evidências. Sem falar que pessoas já haviam transitado pela cena do crime em torno da piscina.

— De que você precisa? — pergunta Lucas.

Elin olha de soslaio para ele, observando o olhar de Lucas se voltar, novamente, para o corpo da mulher. Desta vez, ela percebe uma nova emoção tremular em sua expressão, uma emoção que ela não consegue identificar.

Constrangimento?

É possível. A sombria realidade de uma morte afetava as pessoas de diversas maneiras.

— Precisamos de corda para improvisar um cordão de isolamento em torno da piscina. Sei que a maioria dos hóspedes partiu, mas é um lembrete para os funcionários — responde Elin, começando a revirar os protocolos em sua mente. — Posso usar meu telefone para tirar fotos, depois preciso examinar a área da piscina, recolher qualquer evidência. — Ela hesita. — Se você tiver algumas luvas de plástico, sacos selantes, equipamento estéril, como pinças, seria útil.

— Tenho certeza de que temos a maioria das coisas que você precisa. Talvez não sejam as mais adequadas, mas... — cortando a frase, Lucas chama vários funcionários.

— Também vou precisar de uma lista completa de todos que ainda estão no hotel. Hóspedes e funcionários.

— Sem problema — garante Lucas. — Está tudo anotado.

Elin pega o telefone no bolso. Por onde ela deveria começar a fotografar?

O corpo de Adele.

O vento feroz já está alterando a cena, depositando neve no rosto do corpo, soprando sua roupa. Mas antes que Elin possa começar, uma voz, praticamente inaudível contra o som do vento, anuncia:

— Encontrei uma coisa.

39

Voltando-se na direção da voz, Elin vê uma funcionária do hotel alguns metros adiante, a mão tremendo no ar.

Elin pega a bolsa e contorna a borda da piscina com cuidado, caminhando na direção da mulher. Ao se aproximar, nota que a funcionária é jovem, no máximo vinte e poucos anos. Tem o cabelo bem preso para trás e olhos castanhos assustados.

Quando Elin para ao seu lado, a mulher aponta para o chão.

O olhar de Elin é atraído para baixo, se fixando na mesma hora numa caixa de vidro escondida pelas pernas de uma cadeira.

Uma sensação repentina e líquida de horror a acomete. Pela expressão da mulher, ela sabe que, seja lá o que for, aquilo não é boa notícia.

— Vi quando comecei a voltar — diz a mulher com voz fremente, levando uma das mãos à boca.

Colocando a bolsa no chão a vários metros de distância, Elin se agacha para examinar a caixa. Ela não é diferente das caixas de exibição espalhadas por todo o hotel: toda de vidro, com não mais de cinquenta centímetros de comprimento.

Uma fina camada de neve cobre a superfície, mas uma parte do vidro já foi limpa, presumivelmente pela mulher; há marcas de pontas de dedos na neve fresca fina.

Elin se sobressalta diante do conteúdo, sente o estômago se contrair.

Dedos. Três dedos.

A carne é de um branco acinzentado horrível, marcada com manchas escuras de sangue.

A mão dela começa a tremer.

Respirações profundas, ela diz a si mesma, sentido os olhos do grupo a alguns metros sobre ela. Preparando-se, ela se agacha mais, soprando o resto da neve com cuidado.

Elin pode ver tudo agora, todos os detalhes. Exatamente como foi projetado, pensa ela com repulsa. Este vidro foi feito para olhos curiosos.

Cada dedo está preso ao fundo da caixa com um prego fino. Em torno de cada um, há uma fina pulseira de cobre.

Três dedos. Três pulseiras.

Elin inclina a cabeça. Ela mal consegue decifrar algo gravado no interior de uma das pulseiras. *Números?* Aproximando-se do vidro, confirma que está certa: uma fileira de números minúsculos. 87499... Ela olha para a pulseira seguinte: a mesma coisa. 87534.

Enquanto fotografa, seu cérebro tenta processar o que ela está vendo: *Alguém amputou os dedos de Adele, depois os prendeu nesta caixa com as pulseiras em torno deles.*

Isso significa que não foi algo impulsivo. Foi planejado. Premeditado. Cada elemento — amarrar os pulsos de Adele, a amputação, o saco de areia, *isto...*

Tudo cuidadosamente pensado, parte de uma narrativa. Porque é disso que se trata, ela pensa, tomada pela náusea: *uma história*. Ele está tentando comunicar algo. O que, por sua vez, implica um crime premeditado. Um assassino organizado.

Trata-se de alguém inteligente, com conhecimento de como a polícia trabalha. O que, provavelmente, significa que haverá poucas evidências a investigar. É alguém mais difícil de encontrar.

Elin sente o suor sob os braços. *Ela está envolvida em algo além das suas capacidades.* Este não é o país dela, e metade do que ela está fazendo agora não é da sua área de atuação.

Quando ela olha de volta para a caixa, sua própria inadequação a provoca, vislumbres de erros passados pairam sobre ela.

Sente um aperto no peito, a visão borrar e, quando pisca, se dá conta de que o conteúdo da caixa mudou. Os dedos estão inchando, ficando maiores, mais ensanguentados. O sangue não está mais seco, ele escorre da ponta dos dedos, vazando pelas bordas da caixa para a neve.

Sangue.

Tanto sangue que está formando canais na neve, já alcançando a ponta da sua bota…

Elin olha horrorizada, tropeçando para trás. Faz um imenso esforço para continuar respirando.

Forçando-se a desviar os olhos da caixa, ela tira o inalador do bolso e dá duas, três inaladas.

— Está tudo bem?

Elin levanta os olhos. Lucas Caron está de pé acima dela, inexpressivo. O vento sopra seu casaco, amassando o tecido em finas dobras.

— Tudo.

Ela guarda o inalador de volta no bolso, respira fundo várias vezes até sentir sua respiração normalizar.

— Estou com algumas das coisas que você pediu — diz ele, e lhe entrega uma pequena caixa. — As luvas, sacos. O resto do equipamento está chegando. Um dos funcionários está assegurando que tudo esteja esterilizado.

— Obrigada. — Elin pega um par de luvas e um saco. Alcançando a bolsa, ela guarda o resto para usar mais tarde.

Olhando de soslaio para a caixa, ela vê que o sangue e os dedos maiores do que o normal desapareceram. É como se fosse a primeira vez que ela olhava para a caixa.

Mas o terror permanece, um terror único para uma situação como aquela.

O que aconteceu aqui não é lógico, racional, algo que possa ser explicado. Elin sabe que aquilo tem suas raízes em algo sombrio, algo tão sombrio que é quase palpável, como se fosse uma presença por si só.

40

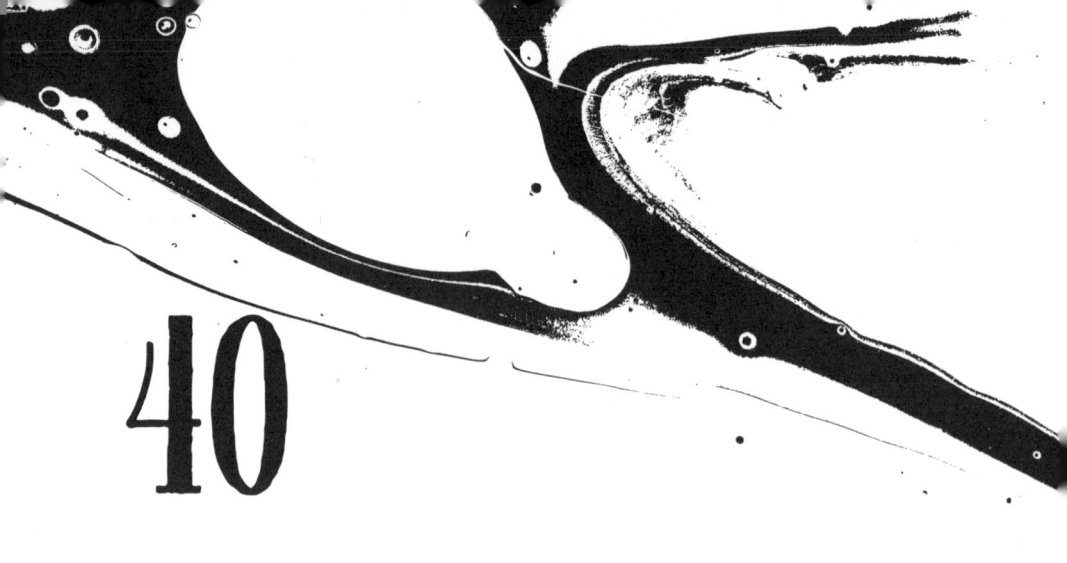

Entrando no vestiário do spa, Elin retira as luvas de plástico e esfrega as mãos vigorosamente. Elas estão frias, a ponta dos dedos vermelhas, mas não congelando.

Este é um dos benefícios adquiridos com todas aquelas horas correndo pela estrada da costa, pelas colinas de Dartmoor, em condições adversas: seu corpo é forte, acostumado a estar fora da zona de conforto.

Olha para o relógio. Quatro e meia da tarde. Passaram mais de cinco horas desde que encontraram o corpo de Adele. Agora está um breu lá fora, e o tempo está cada vez pior: há neve espiralando loucamente, como se girando em um centrifugador, grandes flocos brancos iluminados pelas luzes contra o céu escuro acima.

De vez em quando, o vento levanta a neve do chão, lançando-a em uma dança terrível antes de largá-la em outro lugar. Se fosse na Inglaterra, os investigadores de cenas de crimes estariam loucos. Elin imagina o rosto esquelético e a testa enrugada do seu colega Leon, imagina suas exclamações murmuradas.

Ela não pode fazer muito mais do que já fez. Tirou centenas de fotos, reuniu metodicamente as potenciais evidências, que eram muito poucas. Ela estava certa, a pessoa que cometeu aquele crime era organizada.

Não há praticamente nada nos sacos de evidências improvisados: alguns fios de cabelo, vários sachês de açúcar vazios, algumas guimbas de cigarro. Uma calcinha de um biquíni azul, enrolada em um nó, parcialmente enterrada na neve. Ela reuniu tudo, mas não está esperançosa.

Quando começa a pegar suas coisas, seu telefone vibra no bolso. Elin o pega e olha para a tela, mas não reconhece o número. Parece ser de outro país.

— Alô...

— Boa tarde, posso falar com Elin Warner? — Uma voz de homem, o inglês falado com um sotaque muito carregado. Não uma cadência francesa, mas alemã. Entrecortada, gutural.

— Sou eu.

— Sou o inspetor Ueli Berndt, da Police Judiciaire, Valais. — Ele pigarreia. — Creio que queira falar com alguém sobre a situação em andamento no Le Sommet.

Elin hesita, pega de surpresa pela objetividade dele, com a formalidade em seu tom de voz.

— Isso mesmo. Você gostaria que eu lhe passasse os detalhes da cena?

— Monsieur Caron disse ao meu oficial o que aconteceu, mas, por favor, eu gostaria de ouvir novamente, da sua perspectiva.

Ele escuta em silêncio enquanto Elin transmite hesitantemente os fatos para ele, suas observações. Ela ouve caneta sobre papel ao fundo, a respiração baixa e ritmada dele, e não consegue evitar estar perfeitamente ciente do modo enferrujado como transmite as informações — sua linguagem imprecisa, a falta de convicção em seu tom de voz.

Ela termina, mas ele não responde de imediato. Ela ainda pode ouvir o arranhão áspero da caneta sobre o papel, vozes murmuradas ao fundo.

Quando ele finalmente fala, seu tom é controlado.

— Certo. Então esta situação é incomum. Normalmente, nós precisaríamos estar presentes, ir até a cena, ver provas do incidente antes de abrirmos formalmente uma investigação formal com o promotor.

— Compreendo.

Com o telefone pressionado contra o ouvido, Elin começa a se mover, cobrindo a extensão do vestiário.

— E não é possível enviar alguém para cá? — pergunta ela.

— Não. — O tom de Berndt é casual. — Eu conversei com a *gendarmerie*, a polícia local em Crans-Montana, mas eles também não conseguem enviar alguém até você.

— Então como ficamos?

Elin caminha na direção oposta. Ela pode sentir o corpo esquentando, não por causa do movimento, mas sim pelo ritmo constante do medo que pulsa dentro dela conforme a realidade das palavras dele vai sendo registrada.

Estamos mesmo por conta própria. Totalmente isolados.

— É o que temos discutido. Esta situação... é delicada, algo inédito para nós. Criamos uma força-tarefa para decidir nossos próximos passos. Eu, como oficial investigativo, a *gendarmerie* representando Crans-Montana, um promotor, e o *groupe d'intervention*.

— Vocês chegaram a alguma conclusão?

Elin escuta o vento uivando lá fora, uma trovoada ensurdecedora.

— Sim. Segundo a Constituição suíça, você não tem nenhuma autoridade aqui como policial inglesa. Contudo, depois de discutirmos, o promotor afirmou que está de acordo se você seguir instruções específicas. — A voz de Berndt fica um pouco mais suave. — Acho que seria uma imbecilidade de nossa parte não usarmos seu conhecimento nessa situação. — Ele hesita. — No entanto, há uma coisa que precisamos conferir primeiro. O senhor Caron concorda com isso?

— Sim. Foi ele quem me pediu para ajudar. Você pode entrar em contato com ele, pedir que confirme...

— Certo — diz Berndt. — Por favor, você poderia informar quantas pessoas ainda estão no hotel?

— Quarenta e cinco no total. O senhor Caron já compartilhou um registro.

— E a divisão entre funcionários e hóspedes?

— Há oito hóspedes e 37 funcionários. A maioria já tinha saído quando ocorreu a avalanche. O último ônibus, que não chegou a partir, deveria levar todos os que ainda estão no hotel.

— Isso é melhor do que eu pensava. O número é administrável. Portanto, como estou certo de que você está ciente, a prioridade é segurança. Por favor, siga os procedimentos padrões para tentar conter a situação. Preciso que você mantenha todos reunidos, o máximo possível. Se isto não for viável, você precisa saber onde eles estão.

— Certo.

Até agora, tudo como ela esperava.

— Depois, precisaremos de alguma fotografia que você tenha tirado da cena, quaisquer evidências. Pode enviá-las diretamente para mim. — Ele pigarreia. — A prioridade seguinte é obter uma lista completa de nomes, datas de nascimento e endereços de todos os presentes e saber onde estavam hoje de manhã.

— Você gostaria que eu conversasse com a pessoa que a encontrou, ou com qualquer outra testemunha?

Elin se senta em um banco atrás dela, sentindo-se repentinamente exausta. O cansaço acumulado pelas últimas horas estava começando a bater.

Berndt pausa.

— Sim. Obviamente as conversas não serão classificadas como entrevistas formais, admissíveis na investigação, mas ainda assim serão úteis.

— Faz sentido — responde Elin, mas ela sabe que, em termos de conteúdo, elas precisarão ser. Eles não podem se dar ao luxo de não serem meticulosos, não neste estágio. Ela hesita, atingida por outro pensamento: *Laure*. Ela precisava informá-lo de que ela está desaparecida.

— Há mais uma coisa — ela começa. — Uma pessoa desapareceu do hotel. Ela é uma funcionária, mas estava hospedada aqui para sua festa de noivado. Meu irmão Isaac informou a polícia ontem.

— Fui informado — diz Berndt com voz entrecortada. — O nome dela é Laure Strehl, estou certo?

— Sim.

— Você poderia me relatar novamente as circunstâncias?

Elin enumera o que sabe, dando-se conta de que é muito pouco. Ninguém a viu partir, e ela só tem as palavras de Isaac sobre as últimas movimentações de Laure.

— É possível que ela tenha partido por vontade própria? — Berndt pergunta quando ela termina.

— Sim, mas acho improvável, dadas as condições, e ela não levou a bolsa. Ela não esteve em casa. Eu conferi.

— Podemos verificar as câmeras de segurança na estação em Crans, Sierre — Berndt murmura algo para alguém ao fundo —, para vermos se ela chegou lá de alguma maneira — ele pausa.

— E, definitivamente, não há nenhum sinal de qualquer violência, de um sequestro?

— Não, mas depois de encontrar Adele, fiquei preocupada...

— É compreensível. — Ele suspira. — E há qualquer coisa que você tenha descoberto até agora que possa nos ajudar a verificar o que aconteceu com ela?

— Nada definitivo, mas há algumas coisas que podem valer a pena vocês investigarem. Encontrei um cartão de uma psicóloga no escritório dela. Meu irmão disse que ela teve depressão. Ela pode dar alguma informação sobre o estado mental de Laure.

— Algo mais?

— Descobri que ela tem um segundo telefone. Não é um celular empresarial, e meu irmão não sabia da existência dele. Na noite antes de ela desaparecer, eu a vi fora do hotel em uma ligação. Não consegui entender porque ela estava falando em francês, mas era óbvio que estava agitada. Com raiva.

— Você acha que ela poderia estar usando o segundo telefone para fazer a chamada?

— É possível, ou o celular que temos aqui.

— Vou solicitar os registros de ambas as empresas de telefonia, e também entraremos em contato com a psicóloga. Se você me enviar os detalhes…

Elin muda a chamada para o viva-voz enquanto ele soletra seu endereço de e-mail. Ela o digita no telefone.

— Obrigado — diz Berndt. — E, por favor, nos mantenha informados se a situação mudar. Manteremos você atualizada em relação ao clima, se poderemos enviar alguém até você, e se conseguirmos qualquer coisa com as informações que você nos forneceu.

Eles conversam por mais alguns minutos e depois Elin se despede. Apesar de estar absolutamente exausta, sente uma centelha de orgulho: *ela conseguiu.*

Várias vezes ela sentira, como uma sombra atrás dela, a claustrofobia de um ataque chegando, mas ela a superara, deixara o medo para trás.

Mas a centelha de euforia dura pouco.

O que aconteceu com Adele aumentou ainda mais a pressão para encontrar Laure. Se isto está conectado, e se o assassino estiver mantendo Laure como fez com Adele, então é apenas uma questão de tempo até que algo aconteça com ela.

Como o de Adele, o sequestro de Laure seria premeditado e, olhando para aquele corpo sem vida, Elin tem uma boa ideia do que virá a seguir.

41

Elin encontra Axel no lounge. Ele está sentado isolado do grupo de funcionários na mesa ao lado, olhando para o céu escuro, os flocos de neve caindo iluminados pelas luzes externas. O café diante dele parece intocado, com um fio de nata flutuando na superfície.

Seu rosto está pálido, inexpressivo, aparentemente alheio à sensação de pânico que paira no salão, atravessado pelo murmúrio de conversas. Elin, no entanto, já viu aquele olhar vezes suficientes para saber o que é. *Choque.*

Ela toca delicadamente no braço dele.

— Axel?

— *Oui?* — responde o homem, mal levantando os olhos. Quando seu olhar por fim se move lentamente para encontrar o dela, ela percebe que os olhos dele estão injetados, a pele em torno, inchada.

— Meu nome é Elin Warner — começa ela, suas palavras afogadas por uma trovoada, um raio serrilhado rompendo a escuridão.

Ela tenta outra vez.

— Axel, sou uma hóspede aqui no hotel, mas também sou policial na Inglaterra. O senhor Caron me pediu para fazer algumas perguntas sobre a morte de Adele enquanto esperamos a chegada da polícia. Você se sentiria confortável se conversássemos em inglês?

— Tudo bem. — As mãos dele estão recolhidas no colo, os dedos entrelaçados.

— Você poderia me contar o que aconteceu antes de encontrar Adele? É importante que registremos os detalhes enquanto suas memórias ainda estão frescas, para que possamos compartilhá-las com a polícia quando eles chegarem.

— Vou tentar — diz ele com hesitação, puxando a cadeira ao seu lado.

Aceitando o assento que lhe foi oferecido, Elin retira seu bloco de notas da bolsa.

— Se você puder começar com os momentos imediatamente antes, o que você estava fazendo lá fora...

— Eu estava indo conferir as piscinas — responde ele, os olhos ainda fixos na cena lá fora — para ver se estavam cobertas. As pessoas já tinham quase todas saído, a evacuação estava praticamente encerrada... a gerência queria a área das piscinas protegida.

Elin assente, incentivando-o a continuar.

— Eu tinha acabado de terminar com a piscina principal, estava começando a segunda. Foi quando a vi. — A voz de Axel está trêmula. — Eu tinha acabado de começar a colocar a cobertura. Ela é eletrônica, automática. Já havia coberto cerca de um terço da piscina quando veio uma rajada de vento e soprou o vapor da piscina. — Os dedos dele se contorcem. — A princípio, nem pensei que era uma pessoa, mas depois vi o cabelo dela. Se movendo na água.

Um silêncio pesado.

— Foi quando corri. — Axel para, cobre o rosto com a mão. — Sei o que você vai dizer: por que não mergulhei e a tirei de lá? Fico me perguntando isso, repassando o que aconteceu. Se eu simplesmente tivesse mergulhado naquela hora, ela poderia ter tido uma chance...

Elin coloca a mão no braço dele, ignorando os olhares da mesa vizinha.

— Axel, as pessoas nem sempre reagem da mesma forma — diz ela com delicadeza, baixando a voz. — Não existe um jeito certo de lidar com algo assim e, independentemente disso, realmente não acredito que houvesse qualquer coisa que você pudesse ter feito. Tenho certeza de que ela estava morta quando a encontrou.

Pela expressão de Axel, Elin sabe que ele não acredita no que ela disse. Ele viverá com aquilo para sempre. Ficará repassando o que aconteceu mil vezes por dia. *E se, e se, e se?*

— E antes de encontrá-la, você não viu nada suspeito em torno da área das piscinas?

— Não, mas também não fiquei lá muito tempo. Eu estava ajudando com os ônibus. Eles tiveram problemas no estacionamento por causa da neve.

— Você não viu mais ninguém? Algum outro funcionário? Hóspedes?

— Não. Só restavam poucos hóspedes, e os funcionários restantes estavam ajudando com a saída das pessoas.

Elin sente uma descarga de desânimo. *Sem testemunhas.* É improvável que alguém tenha visto qualquer coisa. O assassino provavelmente se aproveitou do fato de que o hotel estava sendo evacuado. Nenhum hóspede estaria lá fora, e havia um número mínimo de funcionários. *O momento perfeito.* Ela vira para a página seguinte do bloco de notas.

— Você conhecia bem Adele?

— Não muito. Só trocávamos algumas palavras, talvez. — Axel dá de ombros. — Tenho família. Três filhos. Na verdade, não converso com ninguém aqui, a não ser que seja algo do trabalho.

— Então, se ela tivesse com algum problema, você não saberia, não é?

— Não, mas ela vai saber melhor. — Ele aponta para uma mulher de cabelo escuro na mesa ao lado. — É Felisa, a diretora de serviço de quarto. Adele trabalhava para ela.

— Certo, obrigada. — Levantando-se, Elin pega sua bolsa. — Por favor, me diga se lembrar de qualquer outra coisa, mesmo que seja algo pequeno.

— Espere. — Axel franze o cenho. — Há uma coisa. Provavelmente não é relevante, mas Adele... eu a vi discutindo com alguém.

Interessada, Elin volta a se sentar.

— Faz pouco tempo?

— Semana passada. Eu estava no spa, na piscina principal, limpando algo que tinha derramado. Adele estava nos fundos do prédio. Quando contornei o prédio, ouvi vozes altas. Estavam... irritadas. Lembro de ter pensado que elas estavam tão envolvidas na discussão que mal repararam em mim.

— Você ouviu do que se tratava?

— Não consegui. Segui para dentro. — Ele dá um sorriso sem graça. — Sempre digo: não se envolva em questões de trabalho. Mantenha a cabeça baixa.

Elin digere as palavras dele.

— Você reconheceu com quem ela estava discutindo?

— Sim, a gerente assistente do hotel. O nome dela é Laure. Laure Strehl.

42

Uma ligação, pensa Elin, caminhando na direção de Felisa. Uma ligação entre Laure e Adele. Elas obviamente se conheciam bem o bastante para discutirem sobre alguma coisa.

Será que isso está conectado ao que aconteceu?

Afastando esse pensamento, ela para ao lado da mesa a cerca de um metro de distância.

— Felisa?

A mulher olha para Elin e para o bloco de notas em sua mão. Ela é esguia, com traços delicados, sobrancelhas perfeitamente arqueadas afinando até a extremidade exterior. O cabelo escuro está preso em uma trança complexa, e ela tem a pele morena. Seria espanhola? Portuguesa?

— É sobre Adele?

Elin assente.

— Tudo bem se sairmos daqui, para termos privacidade?

Elin aponta para uma mesa vazia próxima.

— É claro — responde a mulher.

Pegando seu copo de água, Felisa se levanta, olhando mais cuidadosamente para Elin, analisando-a. Seus olhos se movem para a mecha de cabelo louro presa atrás das orelhas, o piercing de dupla hélice. Ela já ouviu que Elin é policial, não ouviu? Esperava algo...

diferente. Elin está acostumada com isso — está bem ciente do que as pessoas dizem pelas suas costas.

Masculina. Concentrada demais na carreira para cuidar de si. Seja lá o que isso signifique.

Mesmo quando era pequena, sabia que havia um mundo lá fora além dela — uma tribo de mulheres de cabelos brilhosos e dedos habilidosos que sabiam como fazer penteados complexos. Mulheres que assistiam a vídeos no YouTube sobre como dominar a técnica exata de sombrear os olhos para fazer as maçãs do rosto "saltarem".

Sua amiga Helen, uma detetive-comissária, era uma delas. Uma vez mostrou a Elin um vídeo sobre "contornos" enquanto tomavam vinho e comiam curry. E mostrou o mesmo vídeo mais uma vez, como se assistir àquilo várias vezes fosse fazer Elin compreendê-lo melhor. Ainda assim, parecia uma língua estrangeira. Algo que jamais dominaria.

Elin se move para a cadeira do lado oposto de Felisa, mas antes que consiga se sentar, uma hóspede se aproxima delas. Ela tem quase quarenta anos, é pequena e curvilínea, o cabelo escuro está enrolado em um nó frouxo. Sua expressão é ansiosa. Elin a observa cautelosamente.

A mulher avança, perto demais. Ela está no espaço pessoal de Elin.

— Com licença, você é a policial, certo? — Suas palavras têm um sotaque estranho. Italiano, talvez.

— Sim, eu...

— Estamos preocupados — a mulher interrompe, lançando um olhar para trás, para a mesa à esquerda. — Meus pais... são idosos, eles estão... — Ela hesita, a testa franzindo em concentração, como se fizesse um grande esforço para encontrar a palavra certa. — Eles estão tendo dificuldades com isso. Acho que precisamos de mais informações.

Assentindo, Elin pigarreia.

— Por favor, compreendo que a situação é um pouco assustadora, mas temos tudo sob controle. Já houve várias discussões com a polícia local e temos um plano. Eu... — Ela sente que está falando demais, se desviando do assunto, então para.

A mulher franze o cenho, algo novo desponta em sua expressão. *Raiva*, pensa Elin. Uma reação normal quando alguém se sente assustado, impotente, mas que sempre assusta Elin.

Muitas vezes a raiva é imprevisível, uma barreira para manter as coisas sob controle.

— Sob controle — repete a mulher, com voz estridente, juntando as mãos. — Disso não tenho certeza. As pessoas estão com medo. Não apenas os hóspedes, mas também os funcionários. Ouvi um grupo deles conversando ali — ela aponta para eles — sobre quanto tempo levará para fazer com que a polícia chegue até nós. — As bochechas dela estão vermelhas, manchadas. — Se eles trabalham aqui e estão assustados, como é que nós, os hóspedes, deveríamos nos sentir?

Elin troca um olhar com Felisa.

— Vou dar todas as informações possíveis em alguns minutos — responde ela com firmeza. — Vamos estabelecer protocolos claros para conter a situação. Hoje à noite, mudaremos todos para os quartos no primeiro andar, quartos que são geralmente reservados para funcionários. Os funcionários serão utilizados como seguranças em todos os espaços públicos.

— Seguranças?

— Sim. Em todos os corredores. Estamos fazendo tudo o que podemos para manter as pessoas seguras.

Há um silêncio que parece interminável enquanto a mulher processa as palavras de Elin.

Finalmente, seus ombros relaxam. Para o alívio de Elin, ela fala:

— Vou dizer a eles. — Ela aponta outra vez para a mesa onde seus pais estão sentados. — Mas ainda acho que você deveria se comunicar melhor. Manter todo mundo informado se qualquer coisa mudar.

— É claro.

Elin espera a mulher partir, então se senta.

— Sinto muito — murmura ela.

— Tudo bem — responde Felisa. — Era de se esperar, não era? As pessoas estão preocupadas.

Elin pousa o bloco de notas na mesa.

— Então, estou querendo saber mais sobre os últimos dias de Adele, descobrir o que pode ter provocado o ataque.

Felisa toma um gole de água.

— Ela terminou seu turno na sexta-feira e não deveria voltar até terça da semana que vem.

— Então você a viu na sexta, antes de ela partir?

Elin escreve furiosamente. Sua caligrafia é frouxa, um rabisco, mas ela não consegue fazer melhor. O cansaço que sentira no vestiário agora é total, cada movimento lento, embotado, como caminhar pela lama.

Ela precisa comer alguma coisa.

— Vi rapidinho. Ela estava com pressa, queria voltar para o filho antes que ele partisse para passar a semana com o pai.

— Eles não estão juntos?

Felisa responde que não balançando a cabeça.

— Mas isso não vem de agora. Eles nunca estiveram realmente juntos. Acho que tentaram por algum tempo, por causa do garoto, mas…

— E, para você, como ela estava?

— Bem. Quer dizer, estressada, porque não queria chegar atrasada, mas… — Ela para. — Você… acha que ela ao menos chegou em casa? — diz ela, hesitante.

— Não sei. Tenho certeza de que a polícia vai conferir.

Elin, particularmente, tem certeza de que ela não chegou. Como sabe que Adele estava amarrada, Elin presumiu que ela tivesse sido mantida em algum lugar no hotel, ou próximo dali, até ser morta.

A mão de Felisa se fecha em torno do copo, segurando-o com tanta força que os nós dos dedos perdem a cor.

— Quem faria isso? Não faz sentido.

Elin pressiona.

— Você estava ciente de qualquer problema que Adele pudesse ter? Na vida pessoal? No trabalho?

— Não, mas Adele é suíça. Sei que parece estranho, mas os suíços são de fato um pouco... reservados. — Ela abre um sorriso fraco. — Quando morei em Genebra, levou dois anos para meu vizinho me cumprimentar com um *Bonjour, ça va?* em vez de apenas *Bonjour* — Felisa hesita, parecendo se perguntar se deve dizer algo mais. — Não era apenas isso. Adele, como pessoa, podia ser... distante.

— Como assim?

— Ela era estranha, para um membro da equipe de serviço de quarto. A rotatividade de funcionários em empregos como este é alta. Há muitos funcionários estrangeiros. É raro ter uma suíça, como Adele. Acho que ela gostava do trabalho, mas sempre tive a sensação de que achava que estava acima dele, então não queria se envolver muito. Era reservada — reitera Felisa, e sorri outra vez. — Provavelmente, ela estava certa. É uma garota inteligente. Inclusive, fiquei surpresa que estivesse fazendo um trabalho como esse.

— Então por que ela fazia?

— Perguntei uma vez, e ela respondeu que não havia escolha. Não tinha qualificações, e tinha um filho pequeno para criar.

Elin reflete sobre o que Felisa disse. *Algo não está certo quanto à situação de Adele. Algo não se encaixa.*

— Mais uma coisa. Eu queria perguntar sobre Laure Strehl. Você sabe que ela está desaparecida?

— Sim. — Felisa pousa o cotovelo na mesa. — Você acha... que quem quer que tenha feito isso com Adele... — ela engole em seco.

— Não sabemos. É por isso que precisamos entender se há qualquer ligação entre elas. Você diria que Adele e Laure eram amigas?

— Sim — responde ela, e faz uma expressão que Elin não consegue decifrar.

Ela sabe de algo, não sabe? Sabe de algo e não tem certeza se deve contar.

— Elas eram íntimas? — indaga Elin.

Felisa expira audivelmente.

— Até há poucos meses, sim. Eu sempre costumava vê-las juntas, mas depois parou. Presumi que fosse apenas um desentendimento, mas, há poucas semanas, eu estava com Adele e Laure passou diretamente por ela sem a cumprimentar. — Ela franze o cenho. — Foi estranho. O rosto de Adele, a expressão dela depois... Ela parecia com medo, é a única maneira que consigo descrever.

— De Laure?

— Sim. — O tom dela é casual. — Não me surpreendeu. Laure... não me entenda mal, mas ela pode ser... intensa. Leva tudo a sério demais. Nas reuniões, é aquela que nunca sorri, anota cada mínimo detalhe — ela baixa a voz. — Cécile, a gerente, é igual. — Ela franze o cenho. — Contudo, acho que é por um motivo diferente. Ela não tem família, um companheiro, então investe muito neste lugar. Até demais, eu acho.

Elin assente, revirando as palavras de Felisa em sua mente, preocupada com uma coisa específica: o desentendimento entre Laure e Adele.

Quando falar com Cécile, precisará perguntar se ela estava ciente daquilo, se outras pessoas ficaram sabendo.

Sua preocupação é que aquilo deixará as coisas ainda mais confusas. Toda vez que alguém fala de Laure, a imagem que Elin tem dela muda um pouco. No início, essa imagem era clara, mas agora está turva.

Impossível de determinar.

43

— Nenhum funcionário viu nada? — pergunta Lucas.

Ele tira o casaco e o pendura no encosto da cadeira. Mangas arregaçadas revelam antebraços bronzeados e musculosos, duas pulseiras de algodão encardidas no pulso direito. Verde-limão, azul.

— Não. Falei com todo mundo. Eles estavam ajudando com a retirada dos hóspedes que restavam no saguão, preparando-se para partir. Todos têm um… — Elin hesita, não querendo usar a palavra "álibi". — Sabemos onde todos estavam. — Cada um deles, ela pensa, repassando as conversas mentalmente. Tudo plausível, álibis verificáveis. Os hóspedes também.

Como isso é possível?

Ela pega o café e toma um bom gole. O líquido quente e amargo arranha sua garganta, mas a sensação é boa, a cafeína penetrando sua mente enevoada.

— Ele escolheu exatamente o momento certo — observa Cécile. Ela esfrega o nariz com um lenço de papel puído. Seu rosto parece exausto, os olhos fundos.

— Certo. Agora que definimos que ninguém viu nada, precisamos conferir as câmeras de segurança. Existem câmeras na piscina, na área ao redor?

— Sim. Vou falar com o diretor de segurança. Não vai demorar.

Cécile faz menção de que vai dizer mais alguma outra coisa, mas muda de ideia.

Lucas caminha na direção da janela.

— Se precisar de qualquer coisa, por favor, avise — diz ele. — Quem quer que tenha feito isso, quero que seja pego, e rápido. O que aconteceu com ela... — Elin vê a mandíbula dele se contrair. Uma repugnância autêntica.

Ele irradia tensão. Meias-luas de umidade marcam suas axilas; a parte inferior das costas. Ele está obviamente estressado, mas, apesar disso, Elin consegue reunir as peças finais dele. O que ela leu, vislumbrou... é autêntico.

Aquele lugar, o espaço privado dele, reflete seus dois lados, as contradições que ela percebera antes — o homem de negócios e o atleta relaxado.

A sala é discreta, com paredes claras e uma mesa de madeira muito bem polida. Uma máquina de café cromada no canto. Em uma prateleira acima dela há uma fileira de livros: títulos sobre escaladas e alpinismo em um lado, livros pomposos de design e arquitetura do outro.

Obras de arte ocupam a parede da direita: desenhos anatômicos antiquados de coração em molduras brancas. Desenhos precisos e cheios de detalhes.

Sua mente salta para o artigo que havia lido, sobre a internação dele no hospital durante a infância.

Tudo se encaixa, mas, apesar disso, Elin sente uma leve sensação de discordância na contradição visível. De certo modo, seria mais fácil explicá-lo se um dos lados *não fosse* real. O pensamento é desconcertante.

Cécile mexe em sua xícara de café vazia, passando o dedo pela borda.

— Você sabe dizer quando exatamente Adele foi morta? — As palavras saem em um jorro, rápidas demais, entoadas pelo pânico. — Para entendermos se a pessoa que fez isso ainda está aqui, ou se é possível que já tenha pegado um dos ônibus.

— Não posso afirmar definitivamente — responde Elin com a voz estável. — Precisamos esperar pela autópsia.

— Você deve ter uma ideia. — A voz de Cécile fica mais aguda. — Você deve saber, pelo seu trabalho, quando alguém morreu.

— Cécile... — começa Lucas, num tom incisivo, caminhando em sua direção.

— O quê? — pergunta Cécile, a voz beirando a histeria. — Ela deve saber, não deve? Pelo menos ter uma noção?

Lucas olha para a irmã, os lábios estão contraídos em uma linha fina. Ele está constrangido, Elin pode ver, por aquela demonstração de emoção.

— Por favor — pede ele, pousando uma das mãos no braço dela. Dá outro olhar de advertência. — Precisamos ficar calmos.

Elin repara na intimidade do gesto e também na leve condescendência no tom dele. Ela pode ver que aquele tipo de comunicação é um padrão de comportamento familiar: eles estão acostumados com aqueles papéis, com aquela forma de se comunicar.

O comportamento de Lucas lembra a Elin o de Isaac em momentos como aquele: deliberadamente inofensivo, o que só serve para amplificar a situação, ao invés de solucioná-la.

— Calmos? — Cécile olha para ele de queixo erguido. — Lucas, uma funcionária nossa foi assassinada. No seu hotel. Eu não estaria calma se estivesse na sua posição, estaria aterrorizada. Ele provavelmente está aqui, agora, esperando para escolher outra pessoa...

Elin pigarreia.

— Escute — ela começa —, não temos nenhuma prova de que o assassino, caso esteja entre nós, queira fazer mal a alguma outra pessoa. Não sabemos da vida pessoal de Adele. Algo assim é geralmente cometido por alguém próximo da vítima, com um motivo definido. Pode ser um companheiro, um amigo, alguém da família.

— Mas e quanto a Laure? — O pé de Cécile batuca no chão em um ritmo errático. — Ela continua desaparecida. Quem quer que tenha feito isso com a Adele poderia estar mantendo-a em algum lugar, não poderia?

— Ela continua desaparecida? — A feição de Lucas retesa antes que ele a reordene em uma expressão neutra.

A reação dele instiga a curiosidade de Elin.

— Você a conhece bem? Laure?

Sentando-se, Lucas se mexe desconfortavelmente na cadeira. Ele revira alguns papéis na mesa, como se estivesse tentando ganhar tempo para se recompor.

Ele está escondendo algo.

— Tão bem quanto conheço qualquer funcionário — responde ele, finalmente.

Elin decide ir direto ao assunto.

— O motivo pelo qual pergunto é porque encontramos algumas fotos suas nas coisas da Laure.

— Fotos? — repete Lucas, com a voz trêmula. Sua mão encontra uma caneta na mesa, e ele começa a girá-la entre os dedos.

— Sim. Fotografias. Acho que você não sabia que estava sendo fotografado. — Elin hesita antes de continuar: — Você teria alguma ideia de por que ela teria fotografias desse tipo?

Lucas permanece em silêncio por um minuto, depois levanta o olhar para ela, com uma expressão de resignação.

— Laure e eu... nós estávamos envolvidos.

— Vocês tinham um relacionamento? — Elin percebe sua dificuldade em respirar, um choque que não deveria estar sentindo.

Aquela era única explicação racional para as fotografias, mas ela estava esperando que não fosse este o caso.

— Eu não descreveria desta maneira. Não era sério.

Cécile dá uma pequena risada entrecortada.

— Não pensei que você seria tão previsível.

Elin olha para ela, curiosa com seu tom.

— Quando foi isso? — pergunta ela, virando-se de volta para Lucas.

Ele continua girando a caneta entre os dedos.

— Foi logo depois que abrimos. Foi burrice. Sei que não devo me envolver com funcionárias, mas aconteceu. Houve um evento, nós ficamos... Escute, eu levei adiante quando não deveria. Dormimos juntos algumas vezes, depois terminei. Ela ficou furiosa, mas... — Ele larga a caneta na mesa com um baque. — Isso foi tudo, pelo menos no que me diz respeito. Tenho certeza de que para ela também não foi nada além disso.

Há dezoito meses. Elin revira as palavras dele na cabeça. Na época, Laure definitivamente estava com Isaac, portanto deveria ter sido um caso. Sua mente se volta para Isaac: o que ela dirá a ele, como ele reagirá.

— Você disse que Laure ficou irritada quando terminou?

— Sim. Ela veio ao escritório algumas semanas depois e me confrontou. Disse que eu a usara, dera a ela a ideia errada. — Ele faz uma expressão de penitência. — Foi uma confusão, mas eu não queria que ela se sentisse constrangida, que precisasse deixar o emprego por causa daquilo. Pedi desculpas e disse que sentia muito se a havia iludido.

— E isso foi tudo? O último contato que vocês tiveram?

— Fora do trabalho, sim. — A expressão de Lucas enrijece. — Escute, não acho que isso, o que aconteceu entre nós... Isso não pode estar conectado com o desaparecimento dela. Foi há algum tempo. Obviamente, ela seguiu com a vida dela, com seu irmão.

Sentindo o desconforto dele, Elin muda de assunto.

— A outra coisa que queria perguntar é sobre Laure e Adele. Felisa mencionou que elas eram amigas, mas que tinham brigado havia pouco tempo. Você sabia de algum problema sobre isso?

— Não.

Ela se vira para Cécile.

— E você?

— Nada.

— E não houve nenhum outro problema, com o hotel? Nenhum conflito recente com funcionários ou qualquer outra reclamação?

Nenhum dos dois responde. O silêncio se estende, esmaecendo até se tornar constrangedor.

Elin capta o olhar disfarçado, quase imperceptível, de Lucas na direção de Cécile.

O que eles não estão me dizendo?

44

— Há uma coisa — diz Lucas.

Ele abre a gaveta abaixo da mesa, pega de dentro dela uma folha de papel e a desliza sobre a mesa na direção de Elin.

— Comecei a receber estes, há alguns meses.

IL FAUT BONNE MÉMOIRE APRÈS QU'ON A MENTI.

— "Um mentiroso deve ter boa memória" — traduz Lucas, com um leve tremor na voz. — Não dei importância no começo, mas agora, depois do que aconteceu…

— Você sabe a que isso se refere? — pergunta Elin examinando o bilhete, sentindo a boca seca. As palavras estão impressas com letras grandes que cobrem boa parte da página.

Isso é uma ameaça. Não há outra maneira de interpretar isso.

— Deduzi que tinha a ver com o hotel. Recebemos um número enorme de reclamações antes do início da construção. Primeiro foram os moradores locais; depois, os ambientalistas. Começou como algo pequeno, mas depois explodiu na internet. Passamos a ter grupos maiores vindo para cá. Não somente suíços, mas franceses também.

— Manifestantes contratados?

— Algo assim. Começou a se tornar pessoal — diz Lucas, corando e baixando o olhar para as mãos. — Vingativo. Não parece que o problema era bem o hotel. Parecia ser uma desculpa para disseminar o ódio e provocar confusão.

— E os outros? — indaga Elin, ainda observando o bilhete.

O texto não está muito nítido, o que sugere que a pessoa usou uma impressora a jato de tinta em vez de uma a laser. Aquilo significava que era praticamente certo que foi utilizada uma impressora doméstica normal, e, neste caso, as chances de descobrir quem enviou aquele bilhete são mínimas. Será preciso esperar a polícia.

— Só tenho este, desculpe. — Ele põe a mão de novo na gaveta e empurra outra folha de papel na direção dela. — Havia outro, o primeiro, mas o joguei fora. Pensei que era uma coisa isolada. Algo sobre vingança... mais do mesmo.

Elin olha para o papel.

Chassez le naturel, il revient au galop.

Desta vez, é Cécile quem traduz.

— "Expulse o natural, e ele voltará a galope." O que isso significa?

Lucas passa as mãos atrás da cabeça.

— Suponho que a expressão seria "a pessoa é para o que nasce".

Elin assente.

— Como você os recebeu? — quer saber ela.

— Foram enviados diretamente para mim.

Atrás dele, a neve bate contra a janela em um jato furioso, fazendo todos se virarem para olhar.

— E, fora os manifestantes, você não tem ideia de quem poderia tê-los enviado?

— Não — responde Lucas, parecendo genuinamente confuso. Ele aponta para as cartas. — Você acha que elas estão ligadas ao que aconteceu?

— É cedo demais para dizer.

Elin ainda está refletindo.

Se estão ligadas, de que maneira? O que a morte de Adele poderia ter a ver com isso?

— Se importa se eu ficar com elas?

Ele responde que não com um meneio de cabeça, o cabelo se soltando de trás da orelha, ocultando brevemente suas feições.

Guardando os bilhetes na bolsa, Elin se levanta.

— Uma última coisa — diz ela. — Comentaram comigo ontem sobre os restos de um corpo que foram encontrados na montanha.

Ela fica em silêncio, esperando a reação deles.

— Sim — Lucas fica tenso. — Mas ainda não sabemos quem é. Pelo que a polícia disse, não parece ser recente.

Elin sente um arrepio enquanto registra as palavras dele.

— Quer dizer que eles não têm a menor ideia de quem seja?

Elin trata de não mencionar o que ouviu. Ela quer saber até que ponto ele levará aquilo.

A pergunta paira no ar. Lucas hesita, a boca abrindo e fechando, e então:

— Não.

Elin assimila aquela resposta. *Por que Margot saberia, mas ele não? Com certeza a polícia teria dito a ele.*

Lucas só pode estar mentindo. Foi um amigo de infância dele que foi encontrado, um amigo com quem ele estava envolvido profissionalmente, um amigo tão íntimo que seu desaparecimento comprometera a abertura do hotel.

Por que mentir? O que ele estava tentando esconder?

O telefone de Elin toca quando ela está deixando o escritório de Lucas.

— Elin, aqui é Berndt. Pode conversar agora?

— Sim. Estou sozinha.

Elin desce o corredor na direção dos elevadores.

— Descobriu alguma coisa? — pergunta ela, fazendo uma careta diante da hesitação em seu tom. É como se estivesse interrogando a si mesma.

O que há de errado comigo?

Mas ela sabe qual é a resposta: a mentira de Lucas... aquilo a deixou abalada. Ela não consegue entender o que aquilo quer dizer.

— Não exatamente — ele soa cansado. — Completamos uma busca pelos nomes que você nos forneceu usando o RIPOL, nosso banco de dados, mas nada particularmente interessante apareceu, pelo menos não para Valais.

— O que "particularmente interessante" significa? — quer saber ela.

Elin oscila de um pé para o outro, confusa: ele está se referindo a informações de registros? Alguma investigação em aberto ou fechada?

— Não posso dizer mais por causa do sigilo dos dados, mas, para que você saiba, não encontramos nada que me faça pensar que, no momento, você ou qualquer outra pessoa esteja correndo qualquer perigo por parte de alguém no local. Contudo — Berndt faz uma breve pausa —, tenho mais um pedido. Na Suíça, o procedimento para procurar pessoas nos nossos bancos de dados é mais complexo do que na Inglaterra. Existe um banco de dados central, mas só podemos acessá-lo por distritos.

— Por distritos?

Confusa, Elin ruboriza, a palma da mão suada em torno do telefone. Ela pode sentir suas inseguranças a mordiscando, uma voz negativa e provocadora dentro da sua cabeça. *Amadora. Está tempo demais fora do jogo. Impostora.*

— Sim — responde Berndt. — Isso significa que alguém poderia ter um registro criminal em um distrito vizinho, ou em um condado, como Vaud, mas isso não apareceria aqui, no distrito de Valais. — Berndt hesita. Ela pode ouvir um telefone tocando ao fundo. — Posso fazer uma solicitação para cada distrito, mas deve ser por informações específicas sobre um possível suspeito.

Processando o que ele disse, Elin para alguns metros antes do elevador.

— Quer dizer que preciso indicar alguém que possa ter alguma relevância para a investigação, para então você solicitar mais informações?

— Sim, mas para que você esteja ciente, cada solicitação precisa ser aprovada pelo promotor. Tentarei agilizar as coisas, mas pode ser que demore um pouco.

— Está bem. E Laure? E as câmeras de segurança? E os registros telefônicos?

Elin tenta não deixar a impaciência transparecer em sua voz. Ela não gosta daquela sensação de impotência, de não ser quem está no controle, não saber exatamente o que está acontecendo.

— Conferimos as câmeras de segurança da estação. Ninguém com as características de Laure desembarcou de um ônibus ou embarcou no bonde, nem naquela noite nem durante o dia seguinte. Também conferimos empresas locais de táxi, e eles não buscavam ninguém no hotel há mais de um mês. Ainda estamos esperando as operadoras de telefonia.

— E a psicóloga?

— Deixamos mensagens. Não deve demorar.

— Certo — responde Elin, com o máximo de confiança que consegue reunir, mas parte dela sente que está se atrapalhando. No momento, ela não tem nada relacionado ao desaparecimento de Laure ou à morte de Adele.

Nenhuma evidência. Nenhuma testemunha. Nenhum motivo. Ela está no escuro.

Quando Elin se despede, recebe uma mensagem de Will dizendo que ele e Isaac estão jantando no lounge.

Olhando para o vazio, sua visão se turva, e imagens mais claras, mais definidas, tomam seu lugar.

Imagens de Adele.

Tudo no que ela consegue pensar é o olhar de horror daquela mulher. Como deve ter sido a sensação de afundar na água e saber que jamais voltaria a emergir.

45

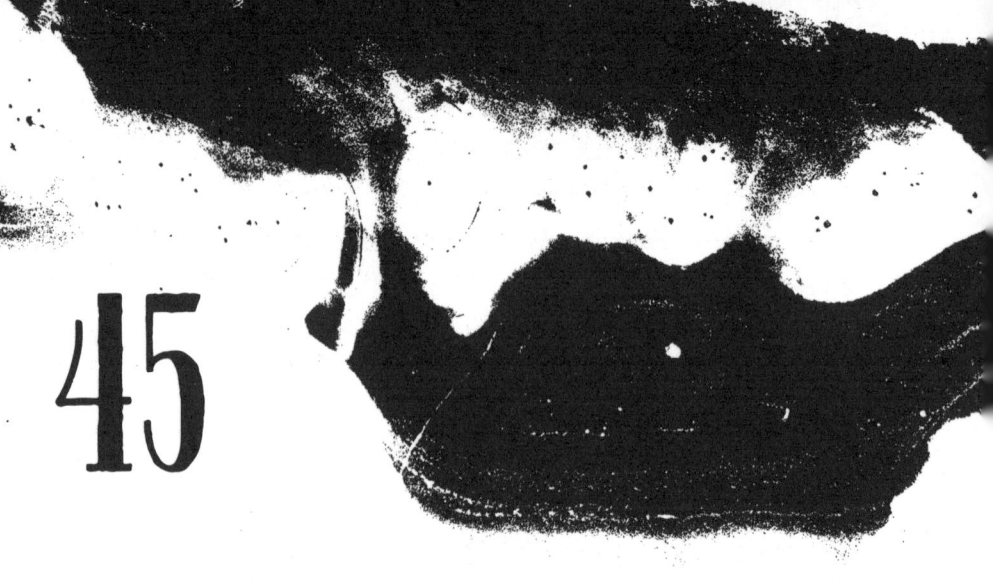

— Laure... e Lucas? — pergunta Isaac, seus olhos estão entristecidos. — Eles estavam juntos?

— Sim. Logo depois de o hotel abrir — responde Elin.

Mudando de posição na cadeira, Elin pega o garfo e coloca um pequeno pedaço de batata na boca. Embora esteja na hora do jantar, não sente fome e precisa se forçar a comer. Seu apetite desapareceu.

Elin corre os olhos pelo lounge. Os poucos hóspedes que ainda restam estão agrupados em torno das mesas, bebendo, conversando. *Estão nervosos*, ela pensa, reparando nos gestos largos, nas risadas forçadas, altas demais. Por sua experiência profissional, ela sabe que aquela é uma reação comum. *Fingir que nada aconteceu. Podemos fingir até a mentira se tornar verdade.*

Mas a ilusão logo é estilhaçada. Ela repara em um funcionário de pé ao lado da porta, olhando ao redor. Um segurança, vigiando, como ela recomendou.

Um alívio relaxa a feição de Isaac.

— Isso foi quando estávamos dando um tempo. Estávamos brigando por causa de bobeiras... — Dando um longo gole na cerveja, ele empurra o prato para o lado. É um prato de massa, intocado, com o molho cremoso e claro agora grudento e solidificado.

Apesar da firmeza nas palavras dele, Elin nota o gole em seco que Isaac dá. *Ele está abalado com o que ela lhe contou. Ele não sabia.*

— Dando um tempo? — repete ela, captando o olhar de Will, incapaz de impedir o buraco que se abre em seu estômago. Aquele não era bem o casal feliz que ela julgara ser.

Será que ele teria me contado sobre esse tempo que estavam dando se isso não tivesse acontecido?

É impossível saber, e aquele pensamento a machuca — houve um tempo em que ela sabia tudo sobre o irmão. Qual carrinho de brinquedo era o favorito. A forma exata da marca de nascença fragmentada entre os dedos dos pés dele. Quantas colheradas cheias de Nesquik de chocolate ele gostava no leite.

Elin sente uma pontada repentina e aguda de ânsia pelo que podia ter sido: uma vida conectados. Eles costumavam falar sobre isso quando eram crianças, sobre comprar casas vizinhas, fazer ruidosas refeições familiares, sobre os filhos deles brincando juntos, sendo amigos. Mas aquilo fora há muito tempo. Sentindo a garganta travar, ela pigarreia com força. Então pega a água e dá um pequeno gole.

Isaac esfrega as pálpebras. O eczema se espalhou. Ainda está moderado, mas quase alcança os olhos.

— Mas e se tiver algo mais nisso?

— Como assim?

— Aquelas fotos que ela tem dele. Isso não é normal, não é? — Ele tamborila os dedos na mesa, com uma expressão desalentadora. — E se aconteceu algo entre eles que não sabemos?

— Tipo o quê? — pergunta Will. Ele puxa a cesta de pães e pega uma fatia de uma baguete marrom com sementes.

— Não sei. Talvez a coisa tenha ficado feia, ou...

Elin pigarreia.

— Isaac, não podemos presumir nada. Ainda não. Tirar conclusões precipitadas é a pior coisa que podemos fazer. Precisamos nos ater aos fatos. Adele foi assassinada, e Laure está desaparecida. Isso é tudo que sabemos.

— Isaac, meu amigo, ela está certa — diz Will, despedaçando o pão. — Ainda não pense no pior. Não quando você não tem informações suficientes.

Elin olha para ele sorrindo, grata pelo apoio. Mais uma coisa que Will faz com maestria. *Colocar panos quentes.* Aliviar as coisas.

— Jesus, me sinto tão inútil. Encontrar aquela mulher, daquela maneira... — A voz de Isaac se estilhaça. — Elin, Laure está em perigo, não está? A cada minuto que passamos aqui, sem fazer nada, há uma chance de ela...

Ela sente a pressão das palavras dele; um peso ancorando-a. Seu coração dispara.

— E se a polícia não conseguir subir hoje à noite? Amanhã? Você precisa fazer alguma coisa. Encontrá-la. — Ele olha na direção da janela, para a forte nevasca iluminada pelas luzes externas. — Veja só como está lá fora.

— Isaac, estou fazendo tudo o que posso. Estou conversando com a polícia, mas não posso fazer muito sem uma equipe completa. Não seria seguro...

— E se fosse Will? — Isaac a interrompe indicando Will com a cabeça. — Você ia querer encontrá-lo, não é? Sabendo o que acaba de acontecer? — Os olhos de Isaac estão franzidos, fixos nela, como se ele a estivesse testando.

Elin pisca, pasma com a intensidade da reação dele.

— Como eu disse, nem sequer sabemos se há uma ligação.

Isaac a encara com uma expressão de incredulidade.

— Você realmente acha que o aconteceu com Adele é um caso isolado? Que não está relacionado com Laure? Não pode ser uma coincidência. As duas trabalhavam aqui, eram amigas...

Elin não responde imediatamente. Ela concorda com ele. Depois de falar com Lucas, ela está ainda mais convencida de que os dois casos estão conectados.

— Escute... Eu...

— O quê? — pergunta Isaac, debruçando-se sobre a mesa, os olhos brilhando. — Você sabe de algo, não sabe?

Elin se encolhe levemente, notando o cheio de cerveja no hálito dele, o leve azedume de suor. O olhar dele a assusta. Lembra a ela dos momentos logo antes de ele perder a cabeça. Se soltar. Jogar coisas pelo quarto como se fossem confetes. Mesmo agora, vem à mente a expressão da mãe quando aquilo acontecia, como ela encolhia o corpo, sem conseguir disfarçar a decepção em seu rosto, não com Isaac, mas com ela mesma, como se, de alguma maneira, ela fosse culpada pelo comportamento dele.

Alguns meses depois que a mãe morreu, Elin encontrou uma caixa de papelão empoeirada no seu loft, repleta de livros de psicologia popular, artigos rasgados, sempre sobre o mesmo tema — como seu estilo de criação afeta seus filhos. Como fazer seus filhos se abrirem.

A descoberta mergulhou Elin numa tristeza indescritível. A mãe havia escolhido culpar a si mesma em vez de Isaac. A desculpa máxima para um garoto rebelde.

— Eu estava prestes a te contar — diz, repelindo o pensamento. — Conversei com a chefe de Adele, Felisa. Ela disse que Adele e Laure tinham brigado. Ela mencionou qualquer coisa a respeito disso para você?

Isaac faz que não com a cabeça, os cachos escuros caindo sobre o rosto.

— Não. Até onde sei, ainda eram amigas.

Elin morde o lábio, frustrada. Como poderá descobrir o que aconteceu entre elas? Sua mente se prende a uma ideia: o laptop de Laure.

Ele não ajudou muito em um primeiro momento, mas ela não fez uma investigação muito meticulosa, pois não estava convencida de que Laure estava de fato desaparecida.

— Vamos dar outra olhada no laptop dela — diz, virando-se para Isaac. — Podemos ter deixado para lá algo que agora, diante do que sabemos, pode ser relevante.

Assentindo, ele se levanta.

— Vou pegá-lo.

Quando ele está fora do alcance da voz deles, Will olha para ela.

— Você realmente acha que vai encontrar algo nele?

— Não sei, mas deve valer uma tentativa. Também vou dar outra olhada nas redes sociais dela para ver se deixei passar algo.

— Sabe, acho que tudo isso… tomou sua decisão por você, não tomou?

— O que quer dizer?

— Voltar ao trabalho. Para alguém que não tinha tanta certeza, você parece bastante decidida agora. — A expressão dele é séria. — Você ganhou vida fazendo isso, Elin.

— Eles me pediram para ajudar.

— E você poderia facilmente ter se recusado. Ter dado os motivos.

Elin dá de ombros.

— Talvez.

Ela não sabe como responder, pois ele está certo: alguma parte dela tinha, sim, ganhado vida, mas ainda há uma grande diferença entre ajudar naquele caso e voltar de fato ao trabalho na polícia. Sua decisão ainda não foi tomada. Ela pensa nos e-mails de Anna. Os e-mails que ela tem feito questão de ignorar.

Recostando-se na cadeira, Elin pega o telefone, vasculhando outra vez o Instagram de Laure. Desta vez, considerando o que descobriu, procura qualquer evidência da relação de Laure com Adele.

Começa a rolar a tela. Não há nada que coincida com a teoria de Felisa, de que houve uma briga. Nas fotos de dois ou três meses antes ela encontra Felisa, o que condiz com a ideia de que o problema entre as duas era bastante recente.

Na primeira foto delas juntas, Laure está em um bar, vestindo um top de tecido fino com alças, passando um dos braços frouxamente pelos ombros nus de Adele. A segunda é em um restaurante escuro; elas estão com um grupo maior. Alguém se afastou da mesa e tirou uma foto da galera.

Elin continua rolando a tela, volta mais no tempo, para mais de quatro meses atrás. Uma imagem em particular chama sua atenção. Ela foi tirada ali, no lounge do hotel. Ela reconhece o candelabro grande e futurista no centro da imagem, as lascas de vidro abstratas captando a luz, embranquecendo a imagem em alguns pontos.

— Olhe para isso. — Ela mostra o telefone para Will.

Laure está em primeiro plano com um homem. Ela está erguendo uma taça de vinho rosé para a câmera, a cabeça jogada para trás em uma gargalhada. A taça está manchada, salpicada com gotículas condensadas. No fundo, sentadas em uma das mesas, Elin vê duas pessoas, cabeças baixas, não mais do que a poucos centímetros uma da outra.

Elas estão mergulhadas em uma conversa, com expressões sombrias.

Embora estejam fora de foco, ela ainda consegue identificar exatamente quem são.

Adele e Lucas.

46

A linguagem corporal revelando a intimidade entre eles, a postura dos dois, faz aquilo parecer mais do que uma conversa educada.

"Adele e Lucas se conhecem socialmente…"

Elin é tomada por uma sensação crescente de desconforto. Sem dúvida eles se conheciam, certamente mais do que Lucas dera a entender.

Será que a briga pode ter sido por causa do irmão?

O pensamento, sua previsibilidade deprimente, a decepciona.

— Está olhando o quê?

Isaac. Ele espia sobre o ombro dela. Outra vez, ela sente o cheiro amargo de cerveja no hálito do irmão.

— Encontrei isso. — Ela inclina a tela do celular na direção do irmão. — Lucas e Adele, juntos.

Isaac se senta ao lado dela. Arrancando o telefone de sua mão, ele dá zoom na imagem deslizando os dedos sobre a tela.

— Parece bastante aconchegante, não é mesmo? — Ele dá uma risada débil, os olhos se acendendo com uma intensidade familiar. — Talvez ele também estivesse ficando com ela?

— Não podemos afirmar isso — responde Elin em um tom neutro.

Isaac continua rolando o *feed* do Instagram de Laure. A velocidade dos seus movimentos, os gestos erráticos incomodam Elin. Ela segura a mão dele.

— Isaac, pare. Nós íamos olhar o laptop.

Ele abre a boca, prestes a protestar, mas desiste.

Elin puxa o laptop para si e o abre. Desta vez, decide trabalhar mais metodicamente, começando pela área de trabalho, pelas pastas empilhadas em fileiras organizadas na tela.

Ela olha vidrada para a enorme quantidade de pastas, as similaridades na classificação delas — as datas, os nomes. A maioria parecem pastas de trabalho: Saúde e Segurança, Treinamentos, Viagem. Independentemente disso, ela clica nelas.

Na metade da lista de pastas, encontra uma com um nome mais genérico: *Trabalho.doc.*

Clicando nela, em vez de uma série de arquivos, encontra outra pasta com o mesmo nome. O dedo de Elin paira sobre a pasta, e ela clica novamente.

Outra pasta, mas desta vez aparece algo.

O pulso de Elin está acelerado.

Uma lista de arquivos.

Ela pode logo perceber, pelo nome dos arquivos, que estão criptografados.

Por quê? Por que criptografar arquivos no laptop pessoal?

— O que você encontrou? — pergunta Will, debruçando-se sobre a mesa.

— Alguns arquivos na área de trabalho. Estão criptografados.

— Você consegue abri-los?

— Não, mas conheço alguém que pode fazer isso, um antigo colega, Noah.

Chefe da equipe de Perícia Digital, Noah fora crucial em vários casos importantes nos quais ela trabalhara, primeiro como detetive coronel, e depois, no último caso, como detetive sargento, quando ela havia sido promovida.

— Vou enviar uma mensagem para ele perguntando se ele pode fazer isso.

Ela pega o telefone e digita:

Arquivos criptografados... você pode fazer sua mágica? Ressalva: preciso disso com urgência.

Três pontos pequenos aparecem na parte inferior esquerda da tela. Ele está respondendo.

Acho que não é uma solicitação oficial, não é mesmo?

Não, mas há alguma chance...?

Uma demora. Ela fica olhando para a tela, perguntando-se se é pedir demais. Ele estaria disposto a ajudar, considerando que não se falavam há meses?

Finalmente, uma resposta:

Certo, confio em você, mas estou curioso. Trabalhando de novo? Nos abandonou para se aventurar em outros lugares?

Longa história. Enviando agora para seu e-mail pessoal.

Elin encaminha os arquivos para Noah, depois se vira para Isaac.

— Quando os tivermos... — Ela para de falar ao reparar em Cécile caminhando na direção deles. Seu cabelo curto está desgrenhado, os olhos vermelhos, com bolsas abaixo deles. Ela parece cansada.

— Desculpe-me por perturbá-la, mas as imagens das câmeras de segurança estão prontas, se você quiser dar uma olhada.

Elin lança um olhar para Isaac, como se pedindo desculpas.

— Perdão. Você se importa?

Ele estreita os olhos, mas logo recobra a compostura.

— Tudo bem.

Levantando-se, Elin aperta a mão de Will.

— Vejo você mais tarde, tudo bem?

Ele sorri, mas parece estar desconfortável. Lança um olhar preocupado ao redor do salão, na direção da porta aberta.

Elin sabe que, provavelmente, deveria estar sentindo o mesmo que ele, mas, seguindo Cécile, ela sente seu coração batendo forte.

Não é medo provocando a reação, mas algo igualmente primitivo.

Empolgação: uma descarga repentina de adrenalina.

Will está certo, sobre ela ter ganhado vida. Ela tinha se esquecido daquilo: da vida não apenas acontecendo com ela, mas ela sendo *parte* da vida. Mudando o percurso de algo. Agindo.

47

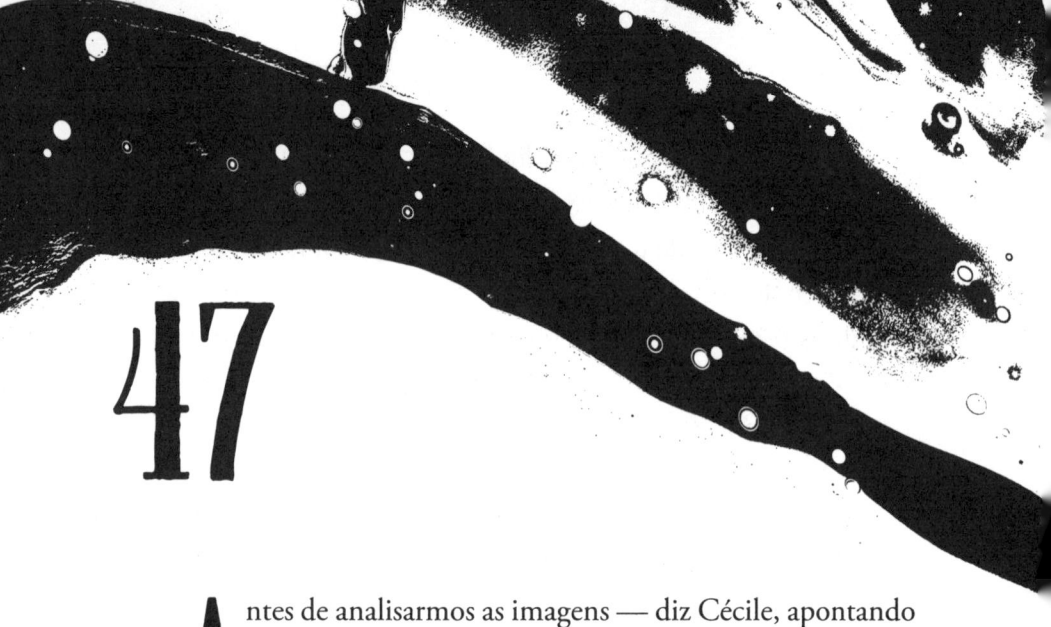

— Antes de analisarmos as imagens — diz Cécile, apontando para o tablet sobre a mesa —, eu queria falar com você sobre Lucas. Não quero que você fique com a ideia errada sobre o que ele disse mais cedo, sobre a Laure. — Ela parece constrangida, seu olhar e o de Elin se cruzam.

— Em relação a quê?

O perfume de Cécile paira no ar: leve, cítrico, surpreendentemente feminino.

— Ao que aconteceu entre eles. — Cécile prende uma mecha solta de cabelo atrás da orelha. — Não sei se você sabe, mas Lucas é meu irmão.

— Imaginei. O sobrenome deu a dica.

— É claro.

Sorrindo, Cécile puxa sua cadeira do lado da mesa e a move até estar ao lado de Elin.

— O que ele disse, da maneira que soou, é uma fachada que ele criou, uma maneira de se proteger. — As palavras saem aos tropeços. — Não foi fácil para Lucas. O casamento dele terminou mal, depois disso ele não teve mais nenhum relacionamento de verdade. Esses casos rápidos… são porque ele sente medo.

— De quê?

— De se abrir. De estar vulnerável. — Cécile morde o lábio, mexendo na bainha da camisa. Suas palavras são casuais, mas a emoção em sua voz é óbvia. — Pelo fato de ele ter ficado indo e voltando do hospital quando criança, outras pessoas, particularmente nossos pais, o tratavam como se ele fosse frágil. Acho que ele sempre teve a sensação de que precisa provar algo. Quando Helene, sua esposa, o deixou, os sentimentos de inferioridade se intensificaram.

— Um rompimento pode ser desestabilizador — responde Elin, pensando no relacionamento que teve antes de conhecer Will, como ficou totalmente devastada. Como a fizera questionar tudo.

— Sim. Passei pela mesma coisa depois do meu divórcio. Você fica remoendo as coisas na cabeça. Se culpando — diz Cécile, com os olhos distantes, vidrados. — Eu tinha muitos planos, como Lucas. Filhos, vida em família… nada disso aconteceu. Leva tempo para a gente se reajustar mentalmente.

— Suponho que o que aconteceu com Daniel Lemaitre não tenha ajudado, o fato de que ele desapareceu antes de o hotel sequer ser inaugurado… deve ter sido duro.

— Foi. Colocou pressão nas coisas. Finanças. Relações públicas. Tudo. Atrasou a construção em quase um ano. — Ela hesita. — Mas o estresse para Lucas não foi somente financeiro. Ele e Daniel eram próximos.

— Você também o conhecia, não é? — indaga Elin.

— Não tão bem quanto Lucas, mas sim. Nossos pais eram próximos. Costumávamos esquiar juntos quase todo final de semana, e quando ficamos mais velhos, íamos a jantares, festas… — Cécile assume um olhar que Elin não consegue decifrar, então ela sorri. — Mas ele era mais amigo de Lucas, que tendia a dominar todas as nossas amizades. Você tem um irmão, provavelmente sabe como é.

Elin pensa no que elas têm em comum. Duas mulheres fortes ainda definidas por dinâmicas fraternas, lutando por oxigênio contra irmãos alfa.

Cécile pega o tablet e dá uma breve risada.

— De todo modo, Lucas provavelmente não gostaria que eu falasse sobre a vida pessoal dele.

Ela ruboriza, constrangida. Elin está tocada. Não apenas por Cécile proteger o irmão, mas pelo constrangimento dela. Mais uma coisa de si que Elin reconhece em Cécile: a luta para verbalizar temas difíceis, demonstrar emoção.

Cécile desvia do olhar de Elin, e há um alvoroço de movimentos enquanto ela clica na tela do tablet, inserindo um código.

— Nosso sistema de segurança… é de última geração. Um sistema de IP comercial. Isso significa que você pode visualizar ao vivo em qualquer um dos seus dispositivos. — A luz acima capta o leve borrão de impressões digitais na parte inferior da tela. — Esta tela inicial mostra cada câmera, a imagem transmitida por elas. Tudo o que você faz é selecionar uma e depois encontrar o período que lhe interessa. Há áudio também.

— Certo. — Elin pousa o braço na mesa. — Faça a primeira, mostre para mim como se faz.

— Onde você quer começar?

— Que tal o spa? Existe uma câmera na parte externa?

Cécile faz uma careta.

— Existe, mas não sei bem como vai estar a qualidade da imagem, com todo aquele vapor, a tempestade… — Começando a rolar a tela, ela para abruptamente, selecionando uma câmera mais abaixo. — Aqui. Isto é em tempo real.

Ela tem razão, Elin pensa com desânimo, olhando para a imagem. A câmera mostra o contorno mal definido da área da piscina, mas o vapor e a neve movendo-se rapidamente diante da lente obscurecem boa parte da cena. A imagem tem uma aparência úmida, etérea.

— Não é o ideal — diz Cécile —, mas a imagem pode estar melhor mais cedo do que no decorrer do dia. Exatamente qual horário estamos procurando?

— Tudo desde a manhã de hoje até quando Axel encontrou o corpo.

Cécile volta o vídeo, a imagem permanecendo visível na tela enquanto ela retrocede.

— Então, de volta até às nove da manhã... — Mas, antes que ela consiga terminar a frase, a tela fica preta; logo antes das cinco da tarde. — Deve haver algum erro — murmura. Franzindo o cenho, ela repete a ação. — Está vazio. A manhã inteira, a tarde, sumiram.

— Tem certeza? — pergunta Elin, sentindo uma onda de inquietação.

Cécile tenta outra vez, mais lentamente agora, mas o resultado é o mesmo: as imagens sumiram. Ela capta o olhar de Elin.

— Alguém apagou.

— Apagou ou tratou de garantir que nunca fosse filmado, antes de mais nada — emendou Elin, percebendo intuitivamente que aquilo é parte de um plano.

Ele está um passo à nossa frente, ela pensa, olhando pela janela para a escuridão. A teoria dela, de que se trata de um assassino organizado, permanece firme, e isso a assusta.

Elin se move para a frente na cadeira, tomada por uma urgência repentina.

— É possível apagar as gravações sem que o sistema envie notificações?

— Sim, é possível, tenho certeza. A maioria das coisas pode ser hackeada, não pode?

— Quem tem acesso ao sistema?

— O diretor de segurança, alguns funcionários que trabalham sob o comando dele...

Todos os que possuem álibis, pensa Elin desconcertada, repassando mentalmente tudo o que sabe até agora.

— Vamos tentar outra câmera. Existe alguma na entrada do spa?

— Sim. Fica no corredor, acho. — Cécile bate na tela outra vez. Suas mãos fazem um movimento nervoso, indicando pânico. — Aqui.

A câmera foca na direção do corredor abaixo, que aparece na imagem por inteiro: o chão de concreto polido, o branco intenso das paredes.

Desta vez, Elin passa os olhos pela gravação, retrocedendo do presente até o meio-dia. Mas, novamente, logo antes das cinco da tarde, a tela fica preta. A parte seguinte de imagem gravada é do dia anterior. Sentada em silêncio por um momento, a semente de uma ideia brota em sua mente.

— Posso conferir as gravações de ontem?

— É claro.

Elin volta a gravação, encontrando o horário aproximado com facilidade. Leva apenas alguns minutos para ela se ver no vídeo, descendo o corredor na direção do spa para encontrar Will na piscina. Continuando a avançar a gravação, ela tenta calcular quanto tempo permaneceu no spa. Cinco, dez minutos falando com Margot? O mesmo com Will?

Ela examina a gravação até se ver deixando o spa, subindo o corredor de volta na direção do saguão. Examinando a tela, ela se dá conta: *Margot tinha razão*. Ninguém havia entrado no spa antes de ela sair. Se alguém estivesse no vestiário com ela, a pessoa deveria ter saído por outro caminho.

Elin se vira para Cécile.

— Existe alguma outra entrada para o spa? Pelos vestiários?

— Sim. Há uma porta nos fundos — responde Cécile. — É usada para acessar a área de manutenção, os geradores, as bombas. Ela leva aos vestiários, mas só é usada pelos funcionários da manutenção. — Ela hesita. — É preciso ter a senha de acesso.

— As câmeras de vigilância cobrem esta porta?

Mordendo o lábio, Cécile ruboriza outra vez, sente o calor subir pelo pescoço, pelas bochechas.

— Há uma câmera no lado de fora, no teto, no lado oposto à porta. Os funcionários... eles não sabem que ela está lá — diz ela, um pouco desconcertada. — Escute, há câmeras em todas as partes. Ocorreram furtos entre os funcionários em um dos hotéis de Lucas em Zurique.

— Você consegue encontrar a gravação? — indaga Elin. Ela não se importa com a questão ética das câmeras escondidas. Simplesmente quer ver a gravação.

— Apenas alguns de nós temos acesso, portanto fica em um sistema diferente — responde Cécile, então pega o tablet, sai da tela inicial e abre outra, inserindo uma senha. Depois o devolve a Elin. — Aqui.

Elin já sabe o intervalo de tempo aproximado pela outra câmera: em torno de três e meia, quando ela terminou de conversar com Will. Quando encontra o horário certo, aperta *play*. Nada acontece pelos primeiros poucos minutos. A imagem é estática, fixa na porta. O único movimento é da neve voando pela tela. Qualquer som é abafado pelo vento.

Prendendo a respiração, Elin tamborila os dedos na mesa, desejando que seu palpite esteja correto.

Ainda nenhum movimento.

Ela solta o ar pesadamente, frustrada. Quem quer que fosse, precisaria ter usado aquela porta para acessar o vestiário. A menos que tivesse entrado antes dela...

— Existe... — ela começa, então congela.

Um movimento.

Uma pessoa na parte inferior esquerda da imagem.

A figura é alta, forte, veste um casaco preto impermeável com um capuz que cobre seu rosto. Está usando calças escuras, sem corte.

Elin fica entusiasmada. Ela estava certa o tempo todo.

Tinha alguém lá dentro. Tinha alguém a observando.

Ela foca na figura. É evidente que aquela pessoa não sabia da presença da câmera. Não lança nem mesmo um olhar na direção dela. Ela caminha com determinação na direção da porta.

E então, quem é? Quem a estava observando?

É impossível saber. A menos que aquela pessoa se vire, Elin não tem a menor chance de identificá-la. As roupas sem corte e o capuz são o disfarce perfeito. Ela nem sequer consegue distinguir se é um homem ou uma mulher.

Elin olha para a tela, observa enquanto a figura encosta um chaveiro em um bloco eletrônico na porta e começa a abri-la com um empurrão.

Vire, Elin diz a si mesma, torcendo, *vire.*

Então, como se a tivesse ouvido, a pessoa olha ao redor, na direção da câmera, verificando se há alguém atrás dela a vendo entrar.

Elin está olhando tão fixamente para a tela que seus olhos começam a lacrimejar. A imagem fica borrada. Ela pisca uma, duas vezes, mas a imagem permanece igual.

Então pressiona o botão de pausa, e a imagem congela.

Com a mão tremendo, Elin toca na tela com dedos e os afasta bem, dando zoom na imagem. A qualidade da imagem é tão clara que ela quase consegue ver os poros no rosto da pessoa.

O sangue lateja em seus ouvidos com um bramido ensurdecedor.

Ela sabe quem é. Sabe exatamente quem estava a observando.

48

— É Laure — diz Elin com a boca seca. — Com certeza é ela. — Pigarreando, ela se vira para Cécile. — Ontem, quando eu estava no spa, senti que alguém me observava no vestiário. Ouvi uma das portas dos cubículos sendo aberta e fechada, mas ninguém saiu de lá. Conferi todas as portas... Não havia ninguém ali. Agora faz sentido. Alguém poderia ter entrado por esta porta lateral.

A mão de Cécile vacila sobre a tela.

— Você acha que ela estava observando você?

— Se não há câmeras de segurança no vestiário, não posso afirmar, mas por qual outro motivo ela entraria lá?

Adiantando a gravação mais alguns minutos, o estômago de Elin é tomado por um horror corrosivo.

Como esperado, é Laure quem reaparece.

A imagem é outro soco no estômago.

Uma sensação instintiva de alívio por Laure estar viva, ilesa, a qual é inundada imediatamente por uma mágoa imensa. Decepção.

Por que ela faria algo assim?

Então, a mente de Elin dá o próximo salto.

— Quero conferir outra coisa. Ontem, alguém me empurrou na piscina de mergulho.

A expressão de Cécile fica sombria.

— Está achando que foi ela?

— Não sei — responde Elin, olhando de volta para a tela. — Existe alguma câmera ali por perto?

— Não oficialmente. Mas, sim, tem uma que fica na grade à esquerda.

Cécile encontra a imagem. Por causa do vapor da umidade na lente, é difícil distinguir rostos; percebe-se somente vislumbres fugazes de corpos, formas seminuas, braços em torno dos próprios corpos.

Elin não consegue ver nenhuma das piscinas principais, só a piscina de mergulho e uma pequena parte da passagem de madeira acima dela. Durante alguns minutos, não há nenhum movimento. Então, surge um grupo de cinco ou seis pessoas saindo do quadro de volta para a piscina interna.

Ainda sem sinal dela.

A imagem na tela fica novamente parada, o único movimento são as nuvens de vapor subindo em bolsões pelo ar.

Mais dois minutos.

Elin finalmente aparece, caminhando da parte inferior do quadro, subindo a passagem de madeira. Ela observa a si mesma virar para a esquerda. Seu cabelo é como uma seta pálida, apontando para baixo, para a nuca.

Elin sente um calafrio. É estranho se ver daquela maneira, seminua, vulnerável. Em sua cabeça, ela é tão forte, com um físico tão imbatível quanto o de qualquer homem. Contudo, naquela imagem, ela parece tudo menos isso.

Ela se vê parar ao lado da piscina de mergulho. A câmera é baixa demais para capturar sua cabeça: tudo o que ela consegue ver é uma parte de seu tronco.

Não há sinal de mais ninguém. Ninguém caminhando perto da piscina.

Elin morde o lábio, frustrada. *Ela não pode estar errada. Com certeza...*

Mas, então, percebe um movimento repentino atrás dela.

Uma figura escondida pelas sombras junto às suas costas.

Elin prende a respiração. Quer gritar para si mesma: *Saia! Vire-se! Fuja!* Mas não há nada que ela possa fazer, além de observar a cena se desenrolar.

Observa a si mesma caindo para a frente. Na hora, tudo pareceu acontecer em um piscar de olhos; agora, no entanto, a sensação é de que ocorreu lentamente.

Uma sequência de *frames*.

Ela se encolhe ao se ver cair na água, esguichando água para o alto, e só então consegue ver quem a empurrou. Seu estômago é tomado por um frio nauseante.

Laure.

Confira de novo, ela diz a si mesma. Ela precisa ter certeza.

Elin volta a gravação, desta vez dando zoom na figura.

Ela está vestindo exatamente as mesmas roupas: o mesmo capuz com a ponta mole. O rosto não está tão claro quanto na imagem da sala dos geradores, mas ela tem certeza de que é Laure.

Olhando para Cécile, sua mão treme contra a mesa.

— É Laure. — Sua boca está seca, grudenta. — Laure me empurrou.

Ela sabe que aquele é um dos momentos dos quais não existe volta.

Um dos momentos nos quais o conhecimento é tão poderoso que elimina tudo o que veio antes.

Elin não consegue acreditar. Não quer acreditar, mas sabe que é verdade.

Era Laure a observando. Foi Laure quem a empurrou.

Aquele pensamento frio e perturbador leva a outro: que Laure pode não ser uma vítima, afinal. Ela pode estar envolvida nisso. Pode ser a predadora.

49

O elevador que sobe para o andar deles estremece ao parar, e as portas se abrem.

Elin sai para o corredor, as pernas como gelatina. Ela não consegue pensar direito. Imaginara tudo menos aquilo. Laure, afinal, não estava nas mãos do assassino de Adele, Laure a empurrara. Ela a empurrara naquela piscina.

Os pensamentos dela, crus, indagadores, andam em círculos, voltando sempre para o mesmo ponto: *Por que empurrá-la? Por que fazer Isaac sofrer com seu "desaparecimento" se não fosse por um motivo sinistro?*

Embora Elin queira ignorá-la, a conclusão mais óbvia é a de que Laure está envolvida nisso.

Que ela é capaz de matar alguém.

É para onde tudo está apontando, tudo o que ela descobriu até agora, essa nova informação...

Imagens passam rapidamente por sua cabeça: Laure caminhando pela praia, *skimboard* sob o braço. Laure lendo, concentrada, com o lábio inferior voltado para fora. Laure mergulhando no mar dos degraus do penhasco.

Não, é impossível, mas...

Será que Isaac não percebeu os sinais? Nem os colegas dela, os amigos?

Isso não está além das possibilidades. Seus pensamentos se arrastam para um caso de três anos atrás, envolvendo uma mulher de mais de quarenta anos condenada por assassinar a nova companheira do ex. Um esfaqueamento brutal, perverso: dezessete vezes na cabeça, no pescoço, no peito. Um vizinho a encontrara se esvaindo em sangue ao lado da casa de brinquedo do filho dela no jardim.

A suspeita trabalhara em um banco em Exeter vendendo hipotecas. Colegas, amigos, todos a descreveram da mesma maneira: *tranquila. Modesta. Gentil.*

Elin e a equipe descobriram que ela planejara o assassinato por mais de dois anos. A equipe forense digital recuperou páginas e mais páginas de pesquisa no laptop dela sobre métodos de matar alguém, como evitar ser detectada.

O que mais havia assustado Elin fora que ninguém tivera a menor ideia. A assassina se dava bem com a vítima, até tinha passado férias com ela alguns meses antes.

Ontem, tomavam drinques juntas ao pôr do sol e, hoje, são parte de um assassinato a sangue-frio.

Será que eles erraram tanto no julgamento de Laure assim?

Abrindo a porta para o quarto deles, sua mente se volta para a direção oposta.

Talvez ela esteja tirando conclusões precipitadas. Empurrá-la na piscina significa necessariamente que Laure está envolvida na morte de Adele?

Mas, ainda assim, o pensamento incomoda: *Por que outro motivo ela faria aquilo?*

Sentando-se à mesa, Elin pega seu bloco de notas. A única maneira de conseguir esclarecer isso em sua mente é passando tudo para o papel. Com a mão vacilante, faz um resumo do que descobriu até agora:

Os problemas mentais de Laure, o artigo, o cartão da psicóloga.
Relacionamento com Lucas / fotografias dele.
O segundo telefone de Laure / as chamadas repetidas para um número desconhecido.
O telefonema furioso na noite em que Laure desapareceu.
A discussão de Laure com Adele.
Possíveis cartas de chantagem para Lucas — ligadas de alguma maneira?

Elin assimila as palavras, incapaz de evitar a imagem óbvia que elas constroem: tudo aponta para alguém imprevisível. Instável.

Mas aquilo é o suficiente para concluir que Laure é capaz de estar evolvida no assassinato de alguém? E uma pergunta ainda maior a incomoda: *Por quê?*

Por que Laure desejaria fazer mal a Adele?

Então Elin começa a pensar em *como* Adele foi morta: o saco de areia, a máscara, a caixa de vidro, os dedos. Tudo extremo, nada daquilo necessário para matá-la, o que certamente indicava que não fora aleatório. Aquilo significava alguma coisa; talvez algo profundamente pessoal.

Mas o quê? Ela sabe que Laure e Adele discutiram. Seria possível que a discussão, o que quer que a tenha provocado, fosse motivo para Laure matá-la?

E aquilo não explica o corpo de Daniel Lemaitre. Estariam as duas mortes interligadas? E, caso estejam, como?

Seu telefone começa a tocar. Tirando-o do bolso, ela vê que é Noah.

Noah.

Os arquivos.

50

— Quando eu disse que era urgente — começa Elin, surpresa ao ver sua mão tremendo ao segurar o telefone —, eu não esperava... especialmente tão tarde.

Ela olha seu relógio. *Oito e dez.*

— Sempre trabalho até tarde. Você sabe disso.

— Eu sabia — diz ela, com delicadeza.

É estranho falar de novo com Noah, e Elin sabe que este constrangimento é culpa sua. Durante a licença, não vira ninguém da equipe, só trocara mensagens. Ela os bloqueou, se afastou de todos.

Noah ri. Um som familiar, profundo, levemente rouco. Passam alguns instantes.

— Warner, senti saudades do seu tom doce.

— Eu também — responde Elin com uma pontada aguda e repentina de saudades de casa. Não, ela corrige, não saudades de casa... saudades do trabalho. Embora tenha negado para Will com assertividade, ela sentia falta daquilo. Não apenas de se comunicar, mas do agito do escritório, da sala de incidentes. Reuniões. Interrogatórios. Viver além do espaço na sua cabeça.

— Tem certeza? — replica Noah. — Pelo que ouvi, você está bastante feliz na aposentadoria. — As palavras são leves, mas Elin reparou na inspiração, na mudança de brincadeira para seriedade.

— Não é fácil, Noah. — A voz dela oscila. — Decidir se volto ou não. Não quero decepcionar as pessoas.

— Mas você sabe que pode contar com o apoio de todos nós, não sabe? Em relação ao que aconteceu. Nenhum de nós acha que foi culpa sua. Você agiu instintivamente. Visceralmente. Qualquer um de nós faria o mesmo.

Uma longa pausa.

Elin percebe que seu pé está batucando no chão e que sua mão ainda treme ao segurar o telefone. Sua garganta se fecha de repente, obrigando-a a fazer um esforço para conseguir falar:

— Eu sei.

Noah muda de assunto.

— Então, os arquivos... Vou deixar você dar uma boa olhada, mas são principalmente cópias de e-mails, algumas cartas. Já os enviei para você.

— A criptografia não era muito complicada, então?

— Não. Bem básica. Uma chave de dezesseis bits. Na verdade, eu diria que foi um insulto para alguém com o meu conhecimento...

Ela ri.

— Noah, escute, obrigado por fazer isso tão rápido.

— Estou acostumado. Você sempre foi bastante exigente.

— Vou precisar te recompensar por isso?

— Apenas com curry, quando você voltar.

— Fechado — diz Elin, despedindo-se e já abrindo o laptop.

O primeiro dos arquivos que Noah enviou é um documento de Word com informações em francês e em inglês copiadas e coladas. Um artigo impresso, parecido com o que ela encontrou ontem na gaveta de Laure. A manchete está em francês: *"Dépression psychotique."* Fácil de traduzir: depressão psicótica.

Seus olhos passam pelo texto traduzido:

Leia sobre depressão psicótica, uma forma grave de depressão na qual as pessoas têm delírios e alucinações, além dos sintomas habituais da doença.

Elin reflete sobre aquilo. *Será que isso se referia a Laure?* Estaria ela preocupada, ciente de algo errado, de uma piora no seu estado mental? Talvez estivesse pesquisando sobre isso?

O arquivo seguinte é outro documento do Word. Na primeira página, há uma linha de texto. As palavras estão em francês, mas Elin as reconhece imediatamente.

É a carta anônima que foi enviada para Lucas. Elin titubeia, desviando os olhos da tela.

Foi Laure quem enviou as cartas.

Uma coisa é especular, outra, é ter uma prova como aquela em mãos. Prova de que Laure tinha alguma cisma perturbadora com Lucas Caron.

Ela volta a olhar para a tela e abre outro arquivo.

Mais uma vez, um arquivo de Word, com várias páginas e cópias de e-mails trocados entre Laure e uma mulher chamada Claire. Não se vê nenhum endereço, somente o corpo das mensagens. Elin os examina.

Laure,
Como solicitado, segue em anexo uma cópia do rascunho do artigo. É importante que ninguém consiga rastrear essas informações até chegar a mim.
Claire.

UM HOTEL CONSTRUÍDO COM CORRUPÇÃO?

As primeiras fundações estão sendo escavadas para a grande reforma e expansão do que era o Sanatorium du Plumachit em um hotel de luxo chamado Le Sommet.

Lucas Caron, bisneto do proprietário original, investiu milhões na reforma. Resultado de nove anos de planejamento, quando concluído, o resort incorporará um novo centro de conferências e um spa alpino de 650 metros quadrados.

Contudo, durante a reforma houve inúmeros problemas. O projeto original provocou a oposição dos grupos de ambientalistas, preocupados com o impacto dos empreendimentos imobiliários em um parque nacional. As leis relativas a construções nessas áreas são particularmente rigorosas na Suíça, e a oposição formal durou anos.

Uma campanha e petição on-line obteve mais de 200 mil assinaturas, e grupos de ambientalistas protestaram muitas vezes no local.

Pierre Delane, um médico local, se opôs ao projeto desde o princípio. "Ele não combina com a paisagem. A fachada é moderna demais, uma mudança brutal em relação ao prédio original", disse ele.

Mais importante, houve preocupação em relação à segurança dos hóspedes. Stefan Schmid, um guia montanhês, avisou em 2013 aos oficiais municipais que a área acima da estrada que é o acesso principal para o hotel era suscetível a avalanches.

Examinando a área, professores de geologia da Universidade de Lausanne perceberam um fato que o projetista do sanatório não apontara: a estrada principal de acesso é localizada na base de um cânion, no caminho direto de um canal natural para a neve que cai do Mont Bella Lui.

Essas preocupações levaram a acusações de suborno, e surgiram perguntas sobre como o Sr. Caron conseguiu obter a licença para a expansão do hotel, levando em conta todas as preocupações relativas à segurança. As acusações, no entanto, foram indeferidas devido à falta de provas.

Outro morador local comentou: "Este projeto cheira a corrupção do início ao fim."

Elin fica olhando para a tela.

Esta "Claire" é certamente uma jornalista, mas por que Laure iria querer cópias desse artigo? Como a jornalista diz que se trata de um rascunho e pede a Laure que não seja possível rastrearem a informação até chegar a ela, aparentemente o artigo nunca foi publicado. Portanto, por que ele estaria copiado em um documento de Word e criptografado?

Ajeitando-se na cadeira, Elin passa para outro e-mail.

Laure,
Mais arquivos e pesquisas. As fontes não quiseram ser identificadas, mas acreditamos que eram confiáveis.
Claire.

O primeiro anexo contém um artigo mais curto, o qual se refere a um protesto realizado no lugar; o segundo, uma cópia de um documento de planejamento, um arquivo do conselho local.

O francês de Elin não é perfeito, mas o arquivo parece uma lista de objeções à notificação de planejamento.

O que Laure estava planejando fazer com essas informações?

Sua mente se volta para as cartas que Lucas recebeu. É a isso que elas se referem? Seriam as cartas alguma espécie de chantagem?

O artigo é perturbador: as acusações de suborno, corrupção. É a primeira vez que ela ouve falar nisso, e aquilo a incomoda. Algo assim... com certeza não teria aparecido quando ela buscou informações sobre Lucas on-line?

Mas não em inglês, ela pensa. Quaisquer artigos, o mais provável é que fossem em francês. Usando o Google Tradutor, faz uma busca usando os termos específicos em francês: *Le Sommet. Corruption.*

Nada aparece. Nem mesmo um único artigo. Ela tinha razão: ou o artigo nunca esteve on-line, por isso não há registro dele, ou nunca foi publicado. Seja qual tenha sido a história, ela foi eliminada.

Mas é mais uma coisa que liga Laure ao hotel, a Lucas Caron.

Será que Laure tinha algum tipo de obsessão? Será que aquilo estava ligado à morte de Adele?

De todo modo, por mais difícil que seja reconhecer, Laure se tornou uma suspeita, e Elin precisará contar a Berndt que talvez Laure esteja envolvida.

51

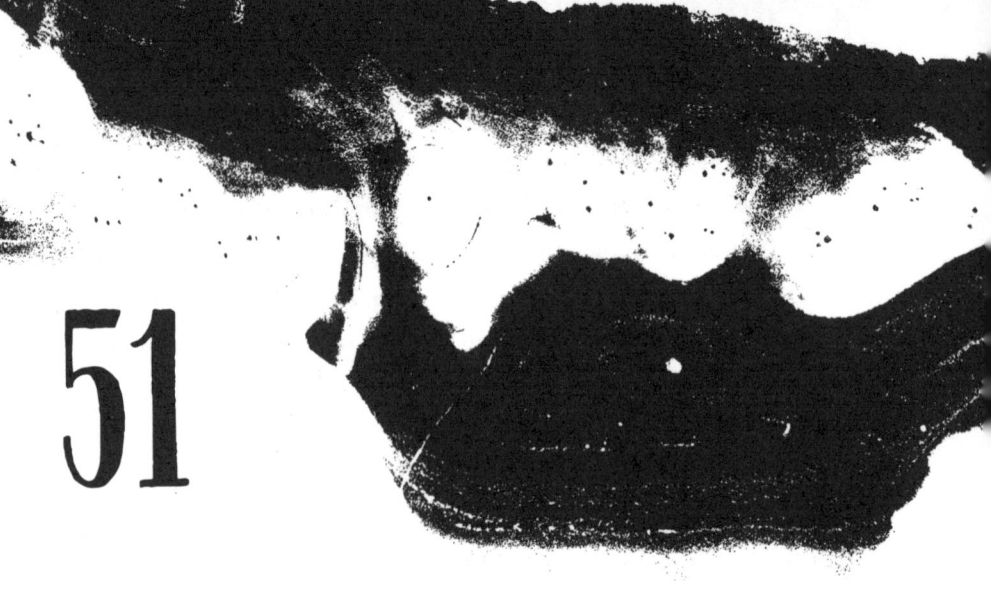

— Laure Strehl? — repete Berndt. — A mulher que está desaparecida?

— Sim.

Elin está mexendo na quina do seu bloco de notas, quase torcendo para que Berndt não escute direito e, assim, não seja ela quem precise fazer aquilo, envolver Laure no crime.

— Certo, deixe-me colocar você no viva-voz, o resto da força-tarefa está aqui. Estamos trabalhando até mais tarde.

Ela pode ouvir botões sendo pressionados, um chiado de estática e um zumbido.

— Está me ouvindo bem? — pergunta ele.

— Sim, tudo certo.

Respire fundo, ela diz a si mesma, recostando-se na cadeira. *Por mais que seja difícil, por mais que pareça errado, você precisa fazer isso. Descobrir a verdade.*

— Elin, eu gostaria que você explicasse o que precisa — Berndt fala em voz baixa, deliberadamente. — Se você tem qualquer questão específica em relação à senhorita Strehl que gostaria que investigássemos.

Elin sente as bochechas esquentarem com a maneira oficial com que ele diz o nome de Laure.

Pigarreando, ela força as palavras a saírem.

— O ponto principal que eu gostaria de esclarecer é se existe qualquer coisa nos registros dela que possa ser relevante para o caso.

— Muito bem. Mas, primeiro, temos uma atualização relativa à psicóloga. — Ela ouve o farfalhar de folhas de papel. — Laure não era paciente dela. Não há nenhum registro de que ela a tenha visitado.

Elin processa as palavras dele. *Se este é o caso, por que ter o cartão de visitas dela na gaveta? O artigo no laptop?* Ela reflete sobre aquilo: é possível que ela tenha decidido ir a outro terapeuta, ou que simplesmente não tivesse chegado a telefonar?

— Certo — responde ela. — Então, agora, acho que devemos procurar nos registros dela. Registros criminais, clínicos.

Vozes abafadas soam ao fundo.

— Elin, aqui é o promotor, Hugo Tapparel. Existe um limite mínimo de evidências exigido para acessar o banco de dados para descobrir estas informações. — A voz dele tem uma autoridade fria que desconcerta Elin. — Por favor, você poderia detalhar o que tem, para que possamos avaliar se os critérios mínimos foram atendidos?

Embaralhando-se com as palavras, Elin enumera o que descobriu, bastante constrangida, ciente de que ultrapassou os limites no que fez e disse para obter as informações sobre Laure. Mas que escolha ela tinha?

Silêncio. É Berndt quem fala primeiro.

— Bem, deixe-me ser bem claro... Os arquivos criptografados sugerem o envolvimento de Laure na tentativa de chantagem contra Lucas Caron, e também contêm e-mails para uma jornalista relacionados a uma denúncia associada.

— Sim, eu...

Ela é interrompida pelo promotor.

— Elin, você pode confirmar qual oficial a instruiu a fazer uma busca no laptop? Não creio que tenha sido uma ordem da força-tarefa… — diz ele, deixando evidente sua opinião de que ela foi longe demais.

Ela fica tensa. Com certeza, eles estavam tornando aquilo mais difícil do que precisava ser. Por que erguer obstáculos?

Berndt fala por cima dele, com um tom mais brando.

— Creio que, para dar seguimento ao ponto de Hugo, você deve, por favor, nos enviar os arquivos. Informaremos a você o que descobrirmos.

— Obrigada — diz Elin, e desliga.

Toma um longo gole de água do copo ao lado. Cada passo daquilo lhe parece muito difícil e frustrante. Mas ela sabe que nada se compara ao que ela precisa fazer a seguir: contar a Isaac sobre Laure. Suas suspeitas.

Ela esfrega os olhos. Estão ressecados, ardendo, as pálpebras pesadas. Recostando-se na cadeira, ela os fecha. Pode ouvir o vento lá fora, colidindo contra o prédio com uma força bruta. Depois, ouve uma voz. Tão clara que é como se fosse alguém que estivesse no quarto com ela.

A voz de Isaac.

— Precisamos tirá-lo! Precisamos tirá-lo! — berra a voz, sôfrega.

Então, um grito: primitivo, bruto, uma lamentação fúnebre grave, gutural.

O som de movimento frenético na água.

Sua visão se estreita para um ponto minúsculo: Sam. A aba da sua camiseta sendo puxada pela água.

A camiseta não parece mais parte dele, mas alguma outra coisa, como se Sam, já morto, não tivesse o direito de reclamá-la.

52

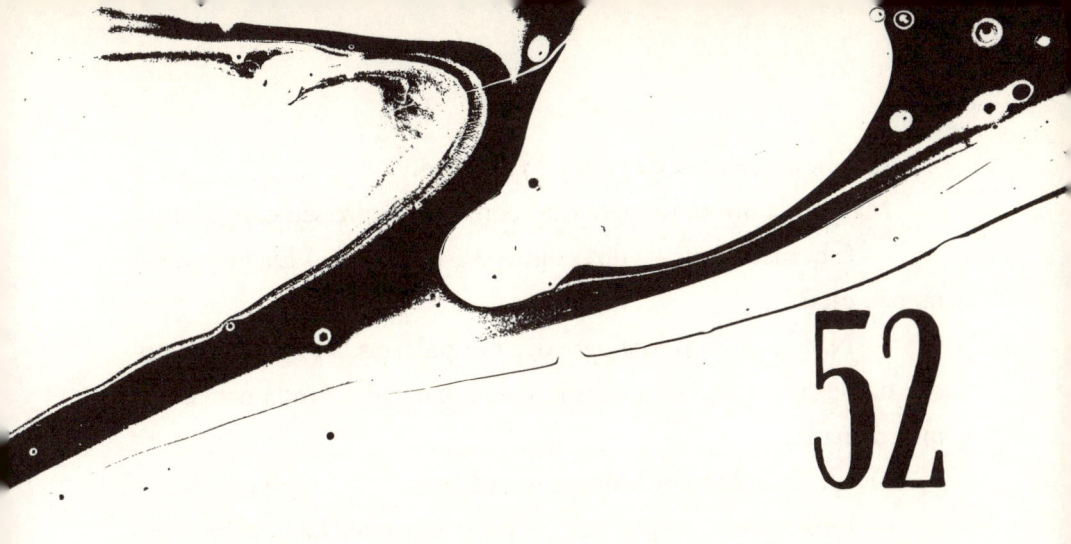

Elin abre os olhos com um sobressalto, seu corpo despertando com um solavanco ao som de batidas fortes na porta.

Será que ela adormeceu?

Conferindo a hora no telefone, ela vê que sim, dormiu por mais de meia hora.

Mais batidas na porta, agora mais altas, mais insistentes.

Will? *Não*. Por que ele bateria na porta? Ele tinha uma chave.

— Elin?

Caminhando até a porta, ela a abre e se depara com Margot no lado de fora, vestindo jeans escuros e um casaco branco de gola larga. Mais uma vez, Elin fica espantada com sua inibição, sua postura inclinada, a curva arredondada dos seus ombros.

Ninguém nunca lhe disse para que tivesse orgulho da sua altura, ela pensa com uma pontada de empatia, imaginando o *bullying* sofrido na escola, os xingamentos, as zombarias.

— Está tudo bem?

— Eu estava aqui pensando... Você soube de algo sobre Laure?

Margot alisa o cabelo para trás. Ele está preso rente ao couro cabeludo, oleoso, com várias presilhas de estrelas mantendo-o firme no lugar. Aquele penteado faz seu rosto tomar uma feição dura, mais pronunciada.

Elin hesita, mas se dá conta do seu erro.

Margot dá um passo para trás, com uma expressão congelada.

— Oh, meu Deus — diz, com voz estridente. — Ela está morta, não está?

— Não... — Elin luta para dizer as palavras, a língua presa no céu da boca. — Não está, continua desaparecida. Ainda não sabemos de nada.

Os olhos de Margot brilham, cintilantes.

— Pensei que... — titubeia. — Ela desapareceu há tanto tempo.

— Entre — convida Elin, com voz suave. — Não podemos conversar aqui.

Margot a segue para dentro do quarto, o rosto branco e contraído. Ela confere a tela de seu telefone e depois o gira entre os dedos.

Alguns momentos de silêncio.

Elin respira fundo, olha pela janela. Mais neve, subindo pelo vidro. Está quase no topo do caixilho.

Quando Elin se vira de volta, Margot está olhando para ela.

— Sinto muito por isso.

— Tudo bem. Sei que é assustador. É fácil chegar a conclusões precipitadas.

Margot continua girando o telefone na mão.

Outro silêncio pesado.

Quando Margot finalmente pousa o telefone sobre a mesa, começa a cutucar as unhas. Pedacinhos minúsculos de esmalte cinza caem tremulando no chão.

Há algo errado, pensa Elin, observando-a. *Não apenas com Laure. Alguma outra coisa.*

— Margot... algum problema?

Uma pausa, e então ela assente.

— Ando com uma coisa na cabeça. Antes, quando conversamos, não fui totalmente sincera.

— Sobre o quê?

— O relacionamento entre Laure e Isaac. Depois do que aconteceu com Adele, acho que há algo que você deve saber. O motivo pelo qual eu não quis mencionar isto antes é por causa de quem isto envolve. — O olhar dela desvia para além de Elin, depois retorna para ela.

— Prossiga — diz Elin.

— Lucas Caron. Ele e Laure, eles tiveram um lance há algum tempo.

— Eu sei. Lucas me contou.

Margot olha para ela, surpresa.

— Ele disse alguma coisa sobre ter começado de novo?

— Ele disse que estava terminado. Que foi um caso breve, durou enquanto ela e Isaac estavam dando um tempo. — Elin olha para Margot. — Você não acha que foi isso?

— Não. Vi os dois há umas semanas no corredor para o spa. Nas câmeras de segurança. Laure estava vindo me encontrar para almoçar.

— E aconteceu alguma coisa?

— Sim. Parecia que Laure ia passar direto por ele, mas ele a parou, segurou o braço dela. — Margot se recosta contra a mesa, sua boca contorcendo-se. — O rosto dela... era como se estivesse com medo. Ela estava tentando escapar, mas ele não deixava.

— O que aconteceu depois?

— Eles conversaram por mais alguns minutos, depois Lucas foi embora.

Elin tenta manter uma expressão neutra, mas sua cabeça está em disparada.

Lucas não falou nada sobre aquilo.

— Laure seguiu para o spa?

— Sim, mas foi estranho. Ela não mencionou o que tinha acontecido. Foi isso o que me fez pensar que algo poderia ter recomeçado... que ela não queria me contar porque agora estava com Isaac, noiva...

— Mas ela parecia preocupada? — questiona Elin. — Ansiosa?

— Não exatamente. — Margot morde o lábio. — Eu gostaria de ter dito algo, perguntado a ela sobre aquilo.

— Mas no início ela foi aberta com você sobre o relacionamento entre eles?

— Na primeira vez, sim, mas ela estava solteira na época, tinha terminado com Isaac. Sinceramente, no início pensei que fosse uma questão de dor de cotovelo, mas quando terminou eu não estava mais tão certa disso. Ela ficou realmente irritada. — Margot dá de ombros, um gesto incompatível com a intensidade nos seus olhos. — Mas isso é compreensível, não é? Se alguém te joga para escanteio como se você fosse lixo? Ninguém gosta disso, não é mesmo? De se sentir usado.

— Foi isso o que ela disse que aconteceu? — pergunta Elin, ciente da sua respiração entrecortada. Tudo aquilo, e o que significava... Ela não estava gostando nada, nada.

— Sim. Lucas a largou, mais ou menos. Acho que ela tinha a impressão de que era algo mais do que realmente era, entende?

Elin assente, pensando no que aquilo significa. Isso corrobora a imagem que ela tem de Lucas, de que é um mentiroso. Primeiro disse que não sabia que o corpo na montanha era o de Daniel, depois aquela fotografia dele com Adele sugerindo que a conhecia melhor do que dissera, e agora isso.

Ele lhe dissera com todas as palavras que não estivera em contato com Laure desde o fim daquele caso entre os dois.

Por que mentir?

Mas Elin sabe a resposta: ele só mentiria se tivesse algo a esconder.

53

Elin encontra Isaac sentado com Will no lounge, em uma pequena mesa ao lado da janela.

Eles não estão conversando. De cabeça baixa, Will olha para o telefone, e Isaac olha para a escuridão através do vidro.

Puxando uma cadeira, ela se senta entre os dois.

Seu coração bate forte. O que está prestes a fazer é simplesmente horrível. Ela nunca foi boa em dar más notícias, em amenizar o choque. As palavras sempre saem desajeitadas, do jeito errado.

Will levanta o olhar com uma expressão pétrea.

— Você ficou longe por muito tempo. Já está tarde, Elin. São nove e meia.

— Não foi tanto tempo assim.

— Mandei uma mensagem para você e voltei para o quarto. Como você não estava lá, vim para cá e encontrei Isaac — diz Will com um tom acusatório, atipicamente crítico. — Achei que ele poderia estar precisando de companhia.

— Devemos ter nos desencontrado por pouco — comenta, ignorando o comentário dele. — Examinei as gravações das câmeras de segurança com Cécile, depois voltei para o quarto e conversei com Noah. Ele enviou os arquivos criptografados.

— Rápido assim? — pergunta Isaac, erguendo o olhar pela primeira vez.

— Sim. — Hesitando, Elin conta para eles o que descobriu. Quando termina de falar, está perfeitamente ciente do olhar de Isaac fixo nela. Sem piscar.

Um silêncio terrível recai sobre eles, carregado.

Elin não consegue encará-lo. Em vez disso, olha ao redor do salão, para as outras mesas ocupadas. Algumas pessoas estão comendo juntas. Um grupo de funcionários joga cartas.

Finalmente, Isaac fala, debruçando-se sobre a mesa, os antebraços pressionados contra a madeira.

— Você realmente acha que Laure está envolvida nisso? Está louca?

O tom mordaz da voz dele deixa Elin desconcertada.

— Bem, ela não está presa, está? Sendo mantida em algum lugar, como você pensava. Sabemos pelas gravações das câmeras de segurança que ela estava aqui o tempo todo. E se estava, por que não entrou em contato? Não disse a você que estava bem?

Isaac fica tenso.

— Não sei, mas deve haver outra explicação, não deve?

Passa-se um longo tempo. Ela pode ouvir as inspirações rápidas de Isaac.

Elin pensa duas vezes, lutando com o que está prestes a dizer.

— Laure falava muito com você sobre a depressão dela?

— Um pouco. — A expressão de Isaac é fechada. Defensiva.

— O laptop de Laure, os arquivos criptografados… havia algo ali sobre depressão psicótica — diz Elin, se embaralhando com as palavras. — Isso é quando a depressão é tão grave que pode resultar em episódios psicóticos.

Ele ruboriza, o seu rosto ficando furioso, lívido.

— Você sabia?

— Não — responde ele, com a voz entrecortada. — Ela nunca me contou isso.

Elin pousa uma das mãos no braço dele, mas ele se afasta.

— Isaac, pode ser que ela não quisesse contar para você. Ela não sabia como você reagiria...

— Como eu reagiria? Elin, estamos noivos. — Ele cerra o punho. — Essas mentiras não fazem sentido, não agora.

— Mas não vão fazer sentido, este é o ponto. A pessoa que passa por um surto desses perde a noção da realidade. As falsas percepções, as falsas crenças podem levar a um comportamento paranoico, delirante.

Os olhos de Isaac se estreitam até se tornarem pequenas frestas.

— Tudo isso — diz ele em voz baixa. — Você está querendo que eu perca a cabeça, não é? Você realmente acha que ela tem alguma relação com o que aconteceu.

Ela sente seu rosto esquentar.

— Não temos certeza, ainda não. Eu só queria...

— Não, você está revirando a coisa errada, alguma teoria, quando deveríamos estar lá fora procurando por ela. Lauren não está envolvida nisso, Elin. Sei que não está. — Baixando o olhar para as mãos, ele pressiona os nós dos dedos uns contra os outros. — Veja o que aconteceu com Adele. Você acha que Laure seria capaz de fazer aquilo? — Ele morde o lábio. — Pelo amor de Deus, Elin. Ela era sua *amiga*.

Will lança um olhar preocupado para ela, cutucando-a com o pé sob a mesa. Elin sabe que ele quer que ela pare, mas ela não consegue. Isaac precisa confrontar aquilo. Se Laure tem alguma ligação com aquele crime, ele precisa saber.

— Isaac, ninguém está afirmando nada, mas acho que você deve estar preparado. Laure mentiu. Várias vezes.

Ele faz que não com a cabeça.

— Não é simples assim, não é mesmo, Elin? Todos nós mentimos. É o que as pessoas fazem. É o nosso lado desagradável, difícil de engolir, que nos faz parecer más pessoas — replica ele, virando-se para ela. — Olhe para você…. você não tem sido honesta, não é mesmo? Sobre o que está acontecendo na sua vida, sobre essa licença do trabalho? — O corpo dele fica rígido. — Olhe para o que está fazendo agora. Você nem sequer contou a Lucas e Cécile que não está de fato trabalhando no momento, não é?

Elin respira. Está prestes a falar, mas as palavras não saem. Ela não sabe dizer por que não contou a eles. É algo complexo demais para ser destrinchado, mesmo em sua própria mente.

Um emaranhado de motivos. Uma recusa instintiva em admitir, mesmo para si mesma, que ela não é mais detetive e que talvez jamais volte a ser. E, o mais constrangedor de tudo, há o orgulho. O fato de ainda querer ser vista como alguém importante.

Isaac olha para ela com um olhar de triunfo.

— Isso não significa que você tenha feito algo mau — diz ele.

Escorando as mãos contra a mesa, Elin sente algo se partir dentro dela: um fio invisível que foi esticado por tempo demais.

— Certo. Vou contar para eles. É o que você quer? Que eu diga cada detalhe?

— Não — diz Isaac com uma voz dura. — Não se você não quiser. Tudo que quero é que você compreenda que ninguém é perfeito. Todos têm defeitos, até você. Laure provavelmente fez besteira, algumas coisas incrivelmente idiotas, mas isso não significa que está envolvida no assassinato de alguém.

— Sei disso, mas…

— Mas o quê? — Isaac se levanta, arrastando a cadeira no chão. Seu rosto está corado. — Você ouviu o que acabou de dizer, Elin? Você é que nem a mamãe, tem os olhos vendados. Você acha que o mundo é em preto e branco, que existe uma resposta perfeita para tudo. Só porque Laure fez uma coisa, isso não significa automaticamente que o que ela fez leva à outra. As coisas são complicadas, nem sempre há explicações.

— Eu nunca disse isso.

A voz dela soa rouca, abafada. Ela percebe que está suando, a pele sob seus braços pinica de calor.

— Sei que não disse, mas todos sentimos que pensa isso. — Ele se vira para Will. — Não me diga que você não sentiu? Não sentiu a *reprovação* dela?

Ela pisca, atordoada com a mordacidade nas palavras dele.

— Alguém precisa dizer isso, Elin. Por que você acha que não mantive contato? É porque é exaustivo estar perto de você. Você quer que tudo seja feito da maneira perfeitamente correta, todos os patinhos enfileirados. Isso me deixa triste. É um dos motivos pelos quais fui embora, por que também deixei mamãe.

— Isaac, por favor.

— Não, é verdade. Deveríamos estar concentrados em encontrar Laure, mas tudo tomou um rumo completamente diferente. — Os olhos dele flamejam. — No minuto em que você chegou aqui, eu soube que não seria uma viagem divertida. Você tinha algo a provar.

— O que quer dizer? — rebate Elin, indignada.

— Você sempre foi assim. Sempre nessa... missão.

— Missão?

— De salvar pessoas. De ser a heroína. O tempo todo. Isso, seu trabalho... Você segue um padrão. É sempre assim.

Will se levanta e põe uma das mãos no braço de Isaac, o rosto endurecido.

— Escute, amigo, você não acha que deveria parar? Todo mundo está cansado...

Isaac afasta o braço com força.

— Não. Ela precisa saber.

O pescoço de Elin começa a arder, ela sente como se molas de raiva quentes se contraíssem dentro dela.

O que há de errado com ele? Será que ele não consegue ver?

A única razão de ela ser assim é por causa do que aconteceu com Sam.

Por causa do que *ele* fez.

— Isaac — começa ela, com a voz trêmula —, não importa o que você diga, respostas são importantes. A verdade importa. Como é possível seguir em frente sem ela? Veja o que aconteceu com Sam. Minha mente está em *loop* por causa disso. Revivendo aquele dia repetidamente, e isso acontece porque não temos as respostas. Não sabemos o que aconteceu.

Isaac congela, o rubor sobe pelo seu rosto mais uma vez. Ele abre a boca para falar, mas depois a fecha.

Um silêncio pesado se instaura entre eles, revelando tudo o que ela precisa saber.

Elin sente sua mão sacudindo no colo.

— Você não quer falar sobre isso?

Ele fixa o olhar no chão, recusando-se a encará-la.

— Vamos lá, Isaac. Quero saber o que você tem a dizer. Você passou anos evitando falar sobre isso. Quero respostas.

— Elin, pare. — Will estende uma das mãos, pousando-a sobre a dela.

Isaac levanta o olhar para encontrar o dela, seus olhos confusos pela comoção.

Culpa, pensa Elin, encarando-o. Ele está tomado pela culpa.

Isaac dá meia-volta.

— Vou para a cama. Não quero ter essa conversa aqui. Não agora. — Ele continua evitando o olhar de Elin.

— Isso mesmo — diz ela enquanto ele vai embora. — Agora quem é que está fugindo?

Depois de observá-lo partir, eles se sentam, sem dizer nada. Ele partir daquela maneira... é como se fosse um tapa. Como se estivesse enganando-a mais uma vez.

Will está olhando para ela com uma expressão estranha no rosto.

— Que tal voltarmos para o quarto por um minuto? Descansar um pouco? Acho que você está cansada.

— Cansada? Não estou...

— Bem, me parece que sim. O que você disse... foi intenso demais... — diz ele, sua voz enfraquecendo, meneando a cabeça negativamente.

Elin observa a cena ao redor: o pequeno grupo de funcionários jogando cartas, a neve caindo lá fora sem parar. Tudo é demais, agitado demais. Parece que sua cabeça vai explodir.

— O quê? — pergunta ela. — O que você estava prestes a dizer?

Os dedos de Will tamborilam na mesa.

— Como você começou tudo aquilo, como contou para ele, não sei se foi o jeito certo...

— O jeito certo? Não existe outra maneira. Will, ele precisava saber o que Laure fez.

Mas assim que diz as palavras, ela sabe que Will tem razão. Ela lidou mal com a situação, pressionou o irmão sem necessidade. Ainda não tem nenhuma prova de que Laure estava de fato envolvida no que havia acontecido.

Um pensamento horrível e importuno vem à sua mente: *Será que, de alguma maneira, ela contou aquilo daquele jeito de propósito?* Será que alguma parte inconsciente dela estava punindo Isaac por causa de Sam?

— E não é só isso — acrescenta Will. — Confrontá-lo daquela maneira, agora, sobre o Sam.

— O que quer dizer?

— Foi um passo longe demais depois do que você contou sobre Laure. Sabe, não consigo evitar pensar sobre o que Isaac disse.

— Qual parte? — Elin força uma risada. — Ele disse muita coisa. — Puxando a garrafa de água para si, ela se serve um copo de modo teatral.

— Sobre a obsessão por obter respostas. Por ser a heroína. — Ele olha para ela. — Você acha que é o que está fazendo agora, com este caso? Tentando provar algo?

— Para quem?

— Para si mesma. — Ele ruboriza. — Você está tentando provar algo a si mesma. Como não pode salvar Sam, está tentando salvar todas as outras pessoas. Exorcizando fantasmas.

Elin olha para ele, sangue latejando em seus ouvidos.

— Você acha que é disso que se trata? Que não me importo com o que aconteceu com Adele, com Laure? — Ela toma um longo gole de água, tão grande que faz força para engolir.

— Tudo que sei é que, com você mergulhando nisso, não parece ter espaço para mais ninguém. Para os sentimentos das pessoas. — Ele hesita, o rubor em seu rosto ficando mais forte. — O que está acontecendo aqui, como eu disse antes, não faz sentido que você esteja tão envolvida. Você também precisa pensar nas outras pessoas, no efeito que suas decisões têm.

Elin não responde. Não porque não quer, mas porque não tem a resposta.

Provavelmente Will está certo, mas ela não sabe *como* parar.

Tudo o que sabe é que, desde que Sam morreu, é como se estivesse constantemente em busca de algo. Como se estivesse correndo, tentando encontrar a linha de chegada, mas o final está sempre um pouco além do alcance.

54

Quarto dia

Elin acorda com o bipe de uma notificação de mensagem. Franzindo os olhos na profunda escuridão do quarto, olha para o brilho luminoso emitido pelo telefone na mesa de cabeceira.

A hora aparece em números grandes em negrito: 6h02. Ela estende o braço para pegar o telefone, mas a mão não o alcança e encontra apenas ar.

Tenta outra vez, a cabeça latejando.

A causa é óbvia, falta de sono. Só conseguiu dormir depois das três da manhã. Ainda estava acelerada, seu cérebro continuava revirando as descobertas sobre Laure, as discussões com Isaac e com Will.

Esfregando os olhos, ela olha para a tela. Há uma mensagem de um número desconhecido. Abrindo-a, a mensagem completa aparece:

Quero explicar. Por favor, me encontre na cobertura. 9h. Há um outro elevador, pegue esse para não ser vista. Não diga a ninguém e venha sozinha. Sinto muito. Laure.

Laure.

A respiração de Elin fica presa na garganta. Aquela mensagem só pode ter sido enviada pelo outro telefone de Laure, não é mesmo? Debruçando na beira da cama, ela puxa a bolsa e a coloca sobre as cobertas. Então, pega a conta de celular e confere se bate com o número na mensagem.

É o mesmo número: o segundo telefone de Laure.

Mas ele estava desligado quando Isaac tentou ligar para ele. Ela deve tê-lo ligado de novo.

Elin olha para a tela, os olhos isolando cada palavra antes de juntá-las de volta.

Duas frases chamam a atenção:

Quero explicar. Sinto muito.

Ela reflete sobre elas. *Explicar:* aquilo sugere inerentemente que ela tem algo *a* explicar. A desculpa, a inferência — a mesma coisa.

Elin sente uma fria gota de confirmação em seu peito. *Laure está realmente envolvida nisso.* Não restam dúvidas agora.

Recostando-se contra o travesseiro, ela tenta conectar os fatos, as suposições, mas está muito agitada para isso, à flor da pele. O cérebro não está funcionando como deveria.

Arrastando-se para fora da cama, caminha na direção da janela.

A mente está a mil, todo o contorcionismo mental voltando para a mesma conclusão: ela tem duas opções. A primeira é contar a Cécile e a Lucas e encontrar Laure com reforços. A outra é dar um jeito de escapulir e encontrar Laure cara a cara sozinha. Mas nenhuma das opções é a ideal.

Com a primeira, ela arrisca afugentar Laure, talvez a impelindo a fazer alguma outra coisa. Se Laure estiver sendo honesta, poderá ver Elin trazendo outra pessoa como uma traição, prova de que Elin não confia nela. Se estiver à beira de algum tipo de delírio, já se sentindo de alguma maneira vítima de injustiça, então aquilo poderia ser perigoso.

E há a possibilidade, que ela está achando difícil considerar, de que aquilo seja uma armadilha. O risco existe, não é? Impossível ignorar. Laure a empurrou na piscina, afinal de contas. Tentou assustá-la. Mas, se Laure quisesse mesmo machucá-la, teria feito isso naquela ocasião, no spa, não teria?

Com a mente saltitando de um cenário a outro, Elin caminha pelo quarto. Lá fora, o vento conduz a neve para lá e para cá. Ela está agora espalhada pela varanda em pilhas aleatórias sopradas pelo vento.

Elin sabe que deveria acordar Will, perguntar sua opinião, mas, depois da última conversa entre os dois, sabe o que vai ouvir.

Deixe para lá. Nem toque no assunto.

Seus olhos correm pelos pequenos montes de neve do outro lado da janela.

Uma memória vem à tona: as cartas de Laure.

As cartas que Laure enviara para ela, chegando todas as semanas depois que Sam morrera. Cartas chegando cheias de empatia no começo, depois, divertidas. Histórias sobre a escola, garotos, sobre sua mãe, Coralie. Tentando fazer Elin conversar, tentando se reaproximar.

Cartas que Elin escolheu ignorar porque estava com inveja e não conseguia lidar com o fato de que Laure não perdera na loteria da vida como Elin.

Ela pisca, os olhos franzindo. Ela precisa encontrar Laure. Conceder a ela o benefício da dúvida.

Desta vez, ela precisa escutar.

55

São 8h45. Elin relê o nome gravado na placa de vidro na parede. *Suite Plaine Morte*. Deve ser aqui. De acordo com o site do hotel, esta é a única cobertura.

Mas, quando olha pela porta de vidro, percebe que a suíte propriamente dita não fica ali. Em vez disso, há outro pequeno corredor que leva a um par de portas de elevador no fundo, à esquerda. Laure tinha razão, a suíte tem o próprio corredor de acesso, assim como o próprio elevador.

Ao erguer a mão para empurrar a porta, Elin sente o telefone vibrar no bolso. Aliviada por tê-lo colocado para vibrar, Elin o pega e olha para a tela.

Laure?

Não: um número diferente. Berndt.

A busca no RIPOL mostra que de fato temos inteligência sobre Laure Strehl — a referência é o distrito de Vaud. Procurando obter permissão para compartilhar os detalhes com você o mais rápido possível.

Inteligência? O que isso significa? Elin se pergunta se deveria telefonar de volta para ele. Ela baixa os olhos novamente para a tela. São 8h48. Não tem tempo. Aquela ligação vai precisar esperar. Guardando o telefone no bolso, ela atravessa a porta.

Elin começa a ficar nervosa e caminha em passos rápidos demais. Apesar do casaco leve, sente o suor porejar nas suas costas.

O espaço do corredor é angustiante, um dos poucos no hotel que não tem vidro. As paredes aqui são de um mármore creme, com veios rosados dançando na superfície. Apesar de conferir mais privacidade ao lugar, o mármore o torna apertado. Sufocante.

Na metade do caminho até o elevador, ela repara em pequenos desenhos quadrados cobrindo as paredes. São rascunhos emoldurados em preto: um emaranhado confuso de linhas soltas feitas a nanquim. Leva um momento, mas quando finalmente seus olhos compreendam a confusão de formas, Elin recua um passo.

Pessoas, ela pensa, levando a mão à boca.

Partes de pessoas: rosto, perna, joelho.

O efeito é brutal. Parecem imagens de amputações. Desmembramentos.

Enquanto Elin passa pelos desenhos, o silêncio é excruciante. Está ciente de cada som que faz.

De cada respiração. De cada passo.

Como vou explicar por que estou aqui caso encontre alguém? O que vou dizer? E, além disso, há câmeras de segurança. E se alguém me vir subindo? Cécile ou Lucas?

Um grande espelho cobre a parede no final do corredor. Elin não consegue evitar ver a si mesma se aproximando — o cabelo sem vida, a calça jeans larga. O colar de Sam envolve seu pescoço, seguindo a linha do casaco. A cicatriz acima do lábio superior capta a luz que vem de cima, desenhando uma tênue linha prateada da boca até o nariz.

Mais alguns passos. Ela está quase no elevador que deve subir diretamente para a suíte.

Pelo canto do olho, repara em um movimento no espelho. O fremir de uma sombra.

Elin congela, convencida de ter avistado uma silhueta, mas, quando olha de novo, não há mais nada ali. Sabe que é apenas um reflexo, uma distorção das luzes acima reverberando vislumbres do seu próprio movimento, mas isso não impede a fria pontada de medo em seu peito.

Sou louca por fazer isso sozinha? Por me arriscar?

Dando os últimos passos até o elevador, respira fundo e repreende a si mesma: *Não se desespere agora. Você está prestes a obter respostas.*

Alguns momentos depois, Elin sai do elevador para a entrada da cobertura. Seus olhos examinam o espaço mais além: a sala de estar, a lareira, as enormes janelas de vidro.

Ela confere o relógio. São 8h50. Está dez minutos adiantada.

Laure já está aqui?

Elin olha ao redor. Não vê ninguém, mas não pode excluir a possibilidade de que Laure já está ali, esperando para ter certeza de que Elin não trouxe ninguém.

Adentrando ainda mais na suíte, Elin para. Não sabe bem o que estava esperando, mas não era naquela escala. A vista. Vidro envolve o espaço inteiro, revelando exatamente quanta neve caiu — a paisagem agora é de um branco perfeito, imaculado, cada marco está sufocado pela nevasca.

Depois de pousar a bolsa no sofá, ela caminha pela suíte para se recompor. As salas de estar e de jantar da suíte são um plano aberto, mas divididas em seções. Na extremidade direita, há uma pequena cozinha, e no lado oposto, outra área para receber visitas. Um corredor sai para a direita, onde ela imagina que fiquem os quartos.

Na área de estar principal, onde ela se encontra, há uma lareira e três sofás amplos dispostos em torno de uma mesa de centro.

Há uma sala de jantar no nível inferior, vários degraus abaixo. Uma grande mesa de carvalho é a peça central, e uma obra de arte gigantesca domina a parede à direita. É mais uma daquelas imagens estranhas, desmembradas: azuis vibrantes se transformando em preto, pedaços de membros esquartejados.

Tudo é simples, quase brusco de tão cru, sem nada da ostentação que se costuma ver em suítes como esta. Não há decorações exuberantes, como tecidos macios cafonas, objetos folheados a ouro, vasos enormes cheios de flores. Em vez disso, o estilo é *clean*, as cores são suaves, de bom gosto.

O luxo está no acabamento, nos detalhes: as paredes de mármore, as poltronas decorativas de couro, vários móveis aparentemente caros, a grande pele branca de cordeiro cobrindo o chão.

Ela para, logo se recompondo. *Não se distrai.*

Laure poderia estar aqui, em um dos outros cômodos.

— Laure? — chama ela, mantendo a voz baixa.

Elin fica perfeitamente imóvel, mas não há resposta, apenas o silêncio e sua própria voz ecoando em sua cabeça.

Ela caminha na direção do corredor à direita, com todos os sentidos em alerta máximo para qualquer movimento ou som. O primeiro cômodo no qual entra é uma biblioteca que também serve como sala de jogos; o segundo, no lado oposto, é uma saleta. Varandas envolvem cada espaço.

Ela examina rapidamente cada cômodo, mas não há nenhum sinal de que alguém esteja lá. Tudo está imaculado, intocado.

Apesar disso, enquanto caminha na direção do que devem ser os quartos, seu casaco está agora úmido de suor, o tecido roçando desconfortavelmente contra a pele das costas.

Ela ainda poderia estar aqui, em algum lugar. Escondida.

Cautelosamente, Elin entra no primeiro quarto. *O master*, ela pensa, olhando para a grande cama despontando da parede, a piscina particular na varanda, a jacuzzi.

Não há ninguém aqui.

Examinando os outros três quartos e encontrando-os vazios, caminha de volta para a sala de estar, sentindo um nó de tensão pulsante em seus membros. Tudo que ela quer é terminar logo com aquilo.

Elin olha mais uma vez para o relógio: 8h57. Faltam três minutos.

É quando ouve um barulho, o som de algo arrastando, arranhando, como se alguma coisa estivesse sendo empurrada, movida de alguma maneira.

Ela dá meia-volta, ouvindo a própria respiração ruidosa. Nas janelas, capta um vislumbre do próprio reflexo, e mais alguma coisa.

Uma silhueta?

Como no vestiário da piscina, Elin tem a sensação inconfundível de que alguém a observa, que olhos rastejam sobre ela.

Com uma sensação crescente de pânico, ela olha de novo ao redor.

Nada. Tudo que consegue ouvir é o batimento do seu coração ressoando em seus ouvidos.

Outra olhada no relógio: dois minutos. O tempo está se arrastando, extremamente devagar.

Finalmente um som.

Algo mais familiar: o zumbido metálico do elevador, logo engolido pelo arrastar das portas se abrindo. Sentindo sua respiração acelerar, ela pressiona os cotovelos contra as costelas: um gesto automático, defensivo.

Mantenha a calma. Respire fundo. Não entre em pânico.

As portas do elevador estão totalmente abertas, mas ninguém sai de dentro dele.

Está vazio.

Tudo o que ela consegue ouvir é o som mecânico abafado do elevador quando ele se posiciona.

Elin vacila, seus olhos são atraídos para baixo. Há algo ali, no chão.

Ela sente suas pernas fraquejarem, e depois cederem.

56

É Laure. Laure está morta.

As palavras ficam girando na cabeça de Elin, indo de um lado para o outro sem parar, enquanto sua mente se recusa a assimilar, a absorver o que está diante dela.

O elevador está fazendo barulhos, barulhos horríveis. Enquanto ela se move entre as portas, elas abrem e fecham repetidamente, quase sincronizadas com a pulsação latejando em sua cabeça.

Um horror mecânico, refletindo a cena diante dela.

É como se o próprio elevador tivesse causado o dano, as portas como dentes incisivos, mastigando-a, cuspindo-a de volta.

Laure está tombada no canto esquerdo, a cabeça inclinada para a direita em um ângulo estranho, o cabelo escuro espalhado sobre seu rosto. Está usando uma máscara. A mesma máscara de borracha preta que Adele estava usando. Embora todo o rosto esteja coberto, impedindo que se entreveja qualquer traço, Elin sabe que aquela é Laure. O cabelo, o corpo esguio. As mesmas sapatilhas que ela estava usando outro dia.

Sangue encharca sua camiseta cinza, principalmente em torno do pescoço.

O olhar de Elin se volta para baixo.

Logo abaixo da máscara, há uma incisão profunda no pescoço de Laure. Parece que o corte foi feito por trás — a cabeça deve ter sido puxada para trás, e a faca, cortado da esquerda para a direita.

A garganta dela cortada, como a de um animal.

Elin dá um passo à frente para ver mais atentamente. O ferimento é mais profundo na esquerda, ficando mais leve para a direita. Ele começa abaixo da orelha, correndo obliquamente para baixo, atravessando o meio do pescoço.

Alguém destro.

O mais provável é que a artéria carótida e a veia jugular tenham sido cortadas. A perda de sangue teria sido enorme. Fatal, mas haveria tempo suficiente para Laure se dar conta do que estava acontecendo, sentir o sangue e sua vida esvaindo-se dela.

Elin engole em seco, sente a bile subindo do fundo da garganta.

Como alguém poderia fazer algo assim?

Apesar do trauma óbvio, com uma mão trêmula, Elin leva os dedos ao outro lado do pescoço de Laure, tentando encontrar uma pulsação.

Não há nada: a pele dela está fria. Ela está morta há algum tempo, mas não muito. Não há nenhum enrijecimento, nenhum sinal de *rigor mortis*.

Sua cabeça começa a girar à medida que ela compreende o que aquilo significa — quem quer que a tenha matado não pode estar longe.

Respire, ela diz a si mesma. *Respire.*

Elin se força a se virar, a focar na cadeira de madeira ao lado do elevador. Detalhes: a curva encovada do encosto, o padrão circular dos veios da madeira. Acompanhando-os com os olhos, ela engole o ar, respirando por meio de adrenalina, esperando que a tontura passe.

Conforme sua respiração se normaliza, ela se vira de volta. Todas as células do seu corpo desejam que aquilo não seja real, que seja alguma projeção distorcida da sua imaginação. Mas não é. O corpo de Laure, a brutalidade desumana, são reais.

Elin sabe que, desta vez, não pode deixar que o medo a domine. Ela precisa examinar adequadamente, obter as primeiras impressões cruciais. Mas as portas do elevador ainda estão se deslizando, pulsando para um lado e para o outro conforme ela se move entre os sensores. Ela precisa de algo pesado para forçá-las a ficarem abertas.

Olhando para todos os lados, perscrutando esbaforida o espaço fora do elevador, seus olhos pousam sobre uma cadeira. Elin a pega, pesando-a com as mãos. A cadeira é sólida, cumprirá a função. Ela a posiciona na entrada contra o lado esquerdo. As portas param de se mover.

Entrando de volta no elevador, Elin se agacha ao lado do corpo de Laure e, inclinando a cabeça para o lado, olha para as mãos daquele corpo.

Partes dos dedos dela foram removidas: o indicador da mão direita, o índex. Ela não consegue ver a mão esquerda, não sem mover o corpo.

Parece que eles foram mutilados com um instrumento afiado: um alicate, ou algum tipo de tesoura de podar. Diferentemente das amputações de Adele, há sangue em torno dos ferimentos, escorrido pelas costas da mão.

Seu olhar sobe para o sangue que encharca a camiseta de Laure. Muito sangue, mas não o bastante...

Elin olha ao redor dentro do elevador. Exceto pelo movimento do corpo, um borrão atravessando a parede, o lugar está limpo: nada no chão, nenhum respingo nas paredes ou no teto.

Ela não foi morta aqui.

O corpo de Laure foi movido da cena do crime. Colocado no elevador somente poucos minutos depois de Elin tê-lo pegado, ela pensa.

A pessoa que a matou pressionou o botão deste andar e depois saiu rapidamente do elevador.

Ao se levantar, Elin sente a cabeça girar, não pela repulsa, mas por causa da sua ingenuidade, sua inadequação.

Todas as suas teorias, suas ideias, estavam erradas. Laure ou estava tentando adverti-la, ou aquilo era uma armadilha preparada pelo assassino.

Tirando o telefone do bolso, ela digita uma mensagem para Will.

Encontrei Laure na suíte da cobertura. Ela está...

A mão dela treme sobre o teclado, digitando uma palavra ininteligível.

Respirando fundo, recompondo-se, ela apaga várias linhas antes de continuar: Ela está morta.

Pressionando enviar, deixa o elevador.

Desta vez, o calcanhar dela bate em algo. O som — uma batida oca, o leve tranco — a puxa para o lado. Elin tropeça, agarrando a parede para se equilibrar. Aprumando-se, olha para baixo, para ver no que seu pé bateu.

Uma caixa de vidro.

Uma pontada de medo, mas não é o conteúdo da caixa a pegando desprevenida, e sim a percepção de que ela não estava ali havia alguns minutos.

Quando ela usara a cadeira para manter a porta do elevador aberta, não havia nada no chão.

Aquilo significava somente uma coisa. O assassino estava na suíte enquanto ela examinava o corpo de Laure. Apenas alguns passos atrás dela.

De alguma maneira, ele entrara na cobertura e colocara a caixa ali.

É quando ela ouve um barulho: algo estranho, desconhecido. Não uma respiração, é mais um assobio, depois uma tragada de ar forçada e pesada.

Elin gira e vê alguém ao seu lado.

Ela não consegue saber quem é porque ele não tem um rosto. Tudo que vê é a máscara.

57

Elin pisca, sentindo o medo alfinetar seu estômago.

Tonta, sua primeira impressão é a de que está imaginando aquilo — alguma alucinação disparada pelo choque de encontrar o corpo de Laure —, mas o som vindo da máscara vira de ponta-cabeça seu pensamento.

A respiração distorcida é amplificada, grotesca.

Congelando, pensamentos espiralam em sua cabeça: sobre o que poderá vir em seguida; os ferimentos horrendos infligidos em Laure e Adele.

O que ele faria com ela?

As criações horríveis e sem cor de seu cérebro a paralisam.

Ela tenta mover seus membros em uma posição defensiva, mas é como se estivesse andando na lama. Cada movimento é pesado, grudento.

Somente quando a adrenalina começa a fazer efeito é que seu corpo toma alguma atitude, e Elin repentinamente começa a chutar para cima e para a frente com a perna direita. Ela consegue fazer isso. Está cansada, sim, mas é forte, seu corpo está em forma. Ela está preparada.

Mas é tarde demais.

O agressor é mais forte. Mais rápido. E tem a vantagem de saber o que está prestes a fazer.

Um plano.

Ele a agarra, virando-a de costas para ele. O pulso direito dela é puxado com força para trás, e seu braço, torcido atrás das costas. Uma mão tapa sua boca, seu pescoço puxado para trás.

Olhando de lado, Elin consegue ver a máscara — ela está a apenas alguns centímetros do seu rosto. Detalhes amplificados: cortes microscópicos na borracha, finos veios brancos.

É agora que ela sente o horror absoluto dominá-la, algo tão primitivo que ela só sentiu aquilo uma vez antes: no caso Hayler, quando estava com ele, naquele dia, na água. A memória a deixa furiosa, lhe dá uma onda de energia.

Fincando os calcanhares no chão de madeira, ela gira o corpo para a frente, a perna esquerda chutando para trás, atingindo a coxa do agressor. Parece funcionar, pois a força com a qual ele a segura diminui. Elin sente uma hesitação.

Então, um som distante: o baque de uma porta batendo.

Alguém está vindo.

Will?

De repente, o agressor a solta, empurrando-a para trás.

Elin cai e bate cabeça com força no chão, sentindo o impacto pulsar por seu corpo. Ela grita. A dor é excruciante, violenta o bastante para turvar sua visão; estrelas brancas cintilando contra a escuridão.

Em uma questão de segundos, ela sente a mão de alguém em seu rosto, dedos a agarrando, esfregando sua bochecha no chão de madeira. Assim, tão perto, ela pode sentir o cheiro dele: suor, algo que lembra sabão misturado com alguma outra coisa. Um odor familiar, mas que ela não consegue reconhecer com exatidão.

Um objeto raspa na bochecha dela. É áspero, com textura de plástico.

A máscara.

Em pânico, ela estica a mão para cima para tentar removê-la, mas a única coisa que consegue agarrar é o ar.

Outro baque. Ela ouve seu nome ser chamado.

Will.

Silêncio, uma hesitação mais longa. A mão em seu rosto é removida com brusquidão.

Elin aguarda, olhando com repulsa para a caixa de vidro a pouco mais de um metro, as pulseiras brilhando sob os pontos de luz acima. Seus músculos estão tensos por causa do que quer que esteja por acontecer, mas tudo que ela sente é movimento: uma lufada de ar.

Ele já não está mais prendendo-a ao chão.

Inclinando a cabeça para o lado, Elin tenta ver se a pessoa mascarada ainda está por perto, mas não há ninguém.

Passos pesados, correndo. Baques surdos ritmados.

Ele se foi.

Elin se ergue e se senta. As costas ainda doem por causa da queda. As batidas de seu coração estão pesadas dentro do peito, o som reverberando em seus ouvidos.

Seus olhos marejam. São lágrimas de vergonha, por sua ingenuidade tê-la provocado mais uma vez.

Como ela pôde ter interpretado tudo aquilo tão mal? Como foi capaz de imaginar que Laure poderia ter sido culpada?

Não se trata de um crime passional, de vingança por causa de um breve caso que deu errado.

É maior do que Laure. Muito maior, e agora Elin está de volta à estaca zero.

58

— Tem certeza de que não está sentindo dor? Inclinando-se para a frente, Will pega a mão de Elin. A testa dele está úmida de suor, seus olhos pesados de emoção.

— Estou bem. Ele não teve chance de... — Ela para, reconfigura a frase. — Ele deve ter ouvido você chegando.

Mas as palavras soam desconexas. Ela não consegue fazer seus olhos pararem de esquadrinhar a sala. Apesar da presença de Will, o espaço amplo ainda parece repleto de perigo.

Há esconderijos em todas as partes.

O movimento frenético da neve lá fora não ajuda: flechas brancas pontiagudas alvejando o vidro, eclipsadas somente por redemoinhos turvos de névoa.

Captando o olhar de medo passando pelo rosto de Will, Elin aperta a mão dele, desfrutando do calor dela em torno da sua. Ela não consegue evitar pensar no que poderia ter acontecido: *ela poderia ter perdido isso, ela e Will, se o assassino tivesse conseguido o que queria...*

— Estou bem, de verdade — responde ela. Ao se recostar no sofá, no entanto, sente seu coração acelerado. Seus olhos se fecham por um instante.

Mais uma vez, ela a vê: a máscara, o tubo de borracha correndo do nariz para a boca.

Não. Ela não pode deixar que sua cabeça siga neste caminho. Não pode deixar que a domine. Não agora que Laure está morta. Ela precisa descobrir quem fez aquilo.

— Beba isso — oferece Will, entregando a ela uma garrafa de água enquanto ajeita os óculos no nariz com o indicador.

Elin dá um pequeno gole, as mãos tremendo, a boca da garrafa balançando contra seus lábios, batendo contra os dentes. Seu olhar dispara na direção do elevador. Vislumbrando o corpo de Laure, sente outra pontada aguda ao se dar conta: *Ela morreu. Isto é real.*

Desta vez, Elin não vê o corpo curvado e abatido de Laure, mas a antiga Laure. A Laure criança. Memórias vêm à tona: as dobrinhas que dividiam seus antebraços, as contas coloridas que Laure prendia no cabelo, seu caminhar desajeitado na areia.

Lágrimas ardem em seus olhos.

— Elin, está tudo bem, você sabe. Sentir... — As palavras de Will se perdem.

Nenhum dos dois fala nada por um momento.

— É um choque, é isso — diz ela, finalmente.

Elin se força a encontrar o olhar dele, mas as lágrimas não se foram, elas simplesmente se moveram. Ela as engoliu, uma massa grudenta pesando na garganta.

Ainda a observando, Will morde com força o lábio inferior.

— Elin, não queria dizer isto agora, mas você ter subido aqui sozinha, desta maneira, foi perigoso. Imprudente.

O calor sobe pelo pescoço de Elin. Ela passa o polegar pela boca da garrafa.

— Eu queria dar a ela uma chance de se explicar. Pensei... — Elin se interrompe, incerta. — Achei que era verdade, entende? Cometi um erro.

Uma pausa desconfortável. Elin toma outro gole de água.

— Você não pensou no risco? O que isso poderia ter feito a nós? — A perna dele balança para cima e para baixo. — Especialmente depois do que discutimos ontem à noite.

— Eu sei, mas continuei pensando que, se ela quisesse me fazer mal, teria feito quando teve a oportunidade.

O rosto dela está contraído, as mãos cerradas no colo dele.

Ela se debruça para a frente e o beija delicadamente.

— Me desculpe — sussurra na bochecha dele. — Eu não deveria inventar desculpas. Eu me coloquei em risco. Não deveria ter feito isso.

Ele resiste por um momento, antes de retribuir o beijo. Afastando-se, passa a mão na bochecha dela e dá um leve sorriso relutante.

— Esta deve ser a primeira vez que você admitiu que estava errada. — diz ele, com a voz mais branda. — Sinceramente, se você não tivesse me enviado a mensagem naquela hora, não sei o que eu...

Mas ela não ouve o resto das palavras. Um pensamento se agarra em torno da primeira metade da frase.

A mensagem.

Não era para Elin ter tido a oportunidade de enviá-la. O assassino queria pegá-la desprevenida, não dar tempo para que entrasse em contato com alguém, disparasse o alarme.

Isso significa que algo deu errado nos planos do agressor. Será que algo ou alguém o parara a caminho da cobertura?

— Will, como você chegou aqui?

— Como o elevador não funcionou, perguntei a um funcionário se havia outra maneira de subir. Ele me mostrou a escada. Ela dá na saleta.

— Deve ter sido por onde ele entrou — murmura ela, colocando a garrafa de água na mesa ao seu lado. — Ele colocou Laure no elevador, depois subiu pela escada.

Talvez tenha sido esse o atraso.

Por algum motivo, o assassino fora detido na escada ou perto dela. Por causa disso, ele precisou improvisar e foi aí cometeu um erro. Deu a ela tempo para enviar a mensagem.

Elin desenvolve o pensamento: se ele cometeu um erro, pode haver outro. Ela olha na direção do elevador. Precisa olhar de novo.

Examinar o corpo de Laure mais detidamente.

Will segue seu olhar. Com os olhos pousando em Laure, ele se encolhe.

— Não faça isso — diz ele, com uma voz trôpega. — O que quer que esteja pensando em fazer, não faça. Pode estar faltando apenas um dia para que a polícia chegue. Deixe isso a cargo deles. — Ele a encara. — E você precisa contar ao Isaac, Elin, antes de tudo. — Mais uma vez, contra a sua vontade, os olhos se voltam na direção de Laure. — Ele precisa saber o que aconteceu.

Elin muda de posição. O que ele está dizendo faz sentido, mas as apostas aumentaram. Ela não pode deixar por aqui. Esta armação diz respeito a matar Laure, mas também diz respeito a *ela*.

O fato de que ele foi atrás dela lhe diz algo vital: o assassino queria se livrar dela. O único motivo para isso é porque ele está planejando mais alguma coisa.

59

Agachando-se, Elin começa a fotografar o corpo de Laure.

A cada clique e imagem congelada no telefone, seus olhos encontram algo novo: uma mancha de sangue, uma marca, uma característica do rosto de Laure que ela não havia percebido.

Elin respira fundo, repelindo memórias, feliz com a tela entre elas, o pequeno distanciamento que ela proporciona.

Ela foca no corte no pescoço, fotografando-o de vários ângulos, assegurando-se de que está capturando os detalhes do ferimento. Contudo, mais uma vez, a profundidade e precisão daquele corte a fazem parar.

Cruel. Não há dúvida. Não houve hesitação quando a lâmina tocou na carne. Uma execução.

Seu olhar percorre as partes visíveis do corpo de Laure: mãos, pulsos, antebraços. Como em Adele, não há sinal de luta, nenhum corte, hematoma ou escoriação.

Absolutamente nenhuma marca visível.

O assassino deve ter usado um sedativo para contê-la. Se tivesse usado força, haveria no mínimo algum hematoma.

Elin põe o telefone no chão e puxa a bolsa. Pega o bloco de notas e começa a rabiscar seus pensamentos, mas sua cabeça lateja quando ela a inclina para a frente.

Há um lampejo estranho atrás dos seus olhos — não luzes, mas cenas, fragmentos de momentos. Fundindo-se uns com os outros, claros, brilhantes.

Um flashback. *Mais um.*

Elin pisca, tenta impedir a vinda deles, mas não funciona.

Eles são contínuos, incessantes:

O rosto de Isaac, naquele dia, sua boca entreaberta. O medo congelando seu rosto em algo assustadoramente preciso, robótico, estranho.

Depois, o sol na nuca dela, abrasador.

Uma rede de pesca à deriva na superfície da água.

Pegando a garrafa de água que Will lhe entregou, ela dá um longo gole. Em segundos, os detalhes, a essência das imagens, dissolvem-se, deixando um vazio. Algo vital escorre por entre seus dedos.

— Então é igual. — Will se aproxima por trás dela. — Igual a como foi com Adele.

Elin repara na boca de Will se contraindo de repulsa enquanto ele observa a cena de perto. Ele olha, vidrado, antes de se virar.

— Não exatamente — responde ela, fingindo não perceber a reação dele. — O método do assassinato é diferente. Com Adele, foi principalmente por afogamento, mas isto... — Ela tosse. — Ele cortou a garganta dela. Você não consegue ver, não deste ângulo, mas os dedos dela... também estão diferentes. Os ferimentos não estão costurados como os de Adele.

Mas o que essas diferenças significam?

Ela não sabe com certeza, mas aquilo indica a possibilidade de que o assassinato de Laure tenha sido cometido mais apressadamente, e também de uma forma mais atordoada. Contudo, ela pensa, outros elementos *são* iguais: a máscara, a amputação dos dedos, a caixa de vidro, as pulseiras... idênticos. Nada daquilo era essencial para o assassinato propriamente dito, mas certamente é simbólico. O assassino está tentando comunicar algo.

Mas o quê?

Ela isola os elementos um a um. Primeiro a máscara. Há dois fatores: se estivesse somente no rosto do assassino, seria possível presumir que ela era simplesmente uma maneira de tentar ocultar sua identidade, mas o fato de que também está na vítima deve ter algum significado.

É impossível dizer qual poderia ser até que tenha mais informações. É o mesmo com a amputação dos dedos, poderia haver várias explicações para o motivo. Mas, por ora, Elin está no escuro.

A caixa de vidro é a única coisa da qual ela tem certeza. Como as outras no hotel com a escarradeira, com o capacete clias, sua função é a de exibir.

Por quê?

O motivo geral é crucial, mas agora que sua teoria anterior sobre Laure foi refutada, ela está de volta ao começo. Tentando conectar elementos aparentemente desconectados.

Virando-se de volta para Laure, ela recomeça a tirar fotos, mas o telefone toca, vibrando contra a palma da sua mão. Ela olha para a tela.

Berndt.

O tom dele é de urgência.

— Elin, não sei se você recebeu minha mensagem, mas temos uma atualização referente a Laure Strehl. O promotor concordou que eu lhe transmita a informação.

— Prossiga — a voz de Elin é rouca, lágrimas inundam seus olhos à medida que ela se dá conta do próprio engano.

Ele está falando de Laure no tempo presente. Como se ainda estivesse viva, e ela não o corrigiu.

— Não creio que Laure represente um risco para ninguém, ou para si mesma. A informação que encontramos no registro dela é relacionada a acusações feitas depois de algum tipo de briga com sua… como se diz? Colega de apartamento.

— Sim, isso mesmo — diz Elin, com voz fraca.

— Laure empurrou a colega de apartamento contra uma porta de vidro. O vidro se estilhaçou e a mulher acabou com alguns cortes, alguns ferimentos. — Berndt hesita. — Laure teve sorte. Apesar de ter precisado de tratamento hospitalar, a amiga retirou as acusações.

— Eu...

Mas antes que ela possa dizer qualquer outra coisa, ele continua.

— Também consegui encontrar algumas respostas para nossas perguntas pendentes. Provavelmente, não é a notícia que você esperaria. Em relação aos registros telefônicos, o primeiro telefone, como era de se esperar, não mostra nada incomum: ligações para amigos, familiares e seu irmão. O segundo telefone só apresenta ligações para o que parece ser um telefone pré-pago. Não conseguimos rastrear quem ligou para ela.

— Certo — responde Elin. — Se for possível, eu gostaria de ver os registros.

Ele parece pensar duas vezes antes de murmurar seu consentimento.

Ela precisa contar a ele agora sobre Laure. Precisa dizer as palavras em voz alta. *Conte a ele. Conte a ele.*

— Obrigada pelas informações, mas você deveria saber... — Ela pigarreia, reordena as palavras mentalmente. — Laure... ela está morta. Acabo de encontrar o corpo dela.

Uma tragada de ar repentina.

— Eu... me desculpe, não entendo...

— Laure foi assassinada — Elin diz roboticamente, dando as costas para o corpo encurvado sem vida. Limpa as lágrimas com as costas da mão. — Parece ter sido o mesmo assassino. Uma assinatura parecida... Ele tentou me atacar.

— Elin — a voz de Berndt é baixa, urgente —, antes de mais nada, por favor, me diga, você está bem?

— Estou. Alguém entrou no quarto e ele fugiu.

— Tem certeza? — A respiração do detetive acelera.

— Tenho. — Elin olha para Will e desliza sua mão para dentro da dele. — Tem uma pessoa comigo.

— Você não sofreu nenhum ferimento?

— Não.

Berndt expira pesadamente.

— Ótimo — diz ele e, após uma pausa, pergunta: — Elin, você consegue explicar o que encontrou? Exatamente o que aconteceu antes de você descobrir o corpo e o que aconteceu quando foi atacada?

Ele escuta em silêncio enquanto Elin narra os detalhes.

— E você não se lembra de absolutamente nada do agressor?

— Não. — Ela fecha os olhos brevemente. — Porque ele estava usando a máscara. Tudo que sei é que ele é forte. Forte o bastante para me prender com facilidade no chão. — A voz dela está trêmula. — Lamento, foi muito rápido.

— Tudo bem. Se você se lembrar de algo, me diga, por favor. — Ela ouve o farfalhar de papéis, vozes murmuradas ao fundo. — Elin, a prioridade agora é manter você, os funcionários e os hóspedes em segurança. Depois de tirar as fotografias, por favor, fique em um lugar seguro e protegido.

— Farei isso. E você tem alguma notícia sobre quando conseguirão chegar aqui? — Sua voz soa aflita, assustada. — Obviamente, há um limite para o que posso fazer sozinha. Minha preocupação agora, vendo a premeditação envolvida nos dois assassinatos, é que isto não tenha terminado. Caso sejam assassinatos em série…

— Compreendo — interrompe Berndt. Elin nota um tom estranho em sua voz que ela não ouvira antes. — Escute, Elin, por causa do clima, não posso confirmar ainda. Deixe-me falar com a equipe. Darei um retorno para você assim que puder.

— Certo — diz Elin, segurando o telefone com mais força e incapaz de conter a frustração da sua voz.

Há algo que eles possam fazer, não? Alguma outra maneira de chegar aqui?

Ao se despedirem, ela ouve de novo o curioso tom na voz de Berndt. Ele é mais óbvio desta vez, e ela consegue decifrar o que é: *medo*. Medo contido.

É perturbador. Será que ele sabe de algo que ela não sabe? Talvez realmente não exista outra maneira de chegar ao hotel e as palavras reconfortantes dele sejam apenas isso: uma maneira de mantê-la calma.

Ela ativa de novo a câmera do telefone, expulsando o pensamento da cabeça.

Concentre-se. Laure é o que importa. Mais nada.

Desta vez, ela se concentra em fotografar o sangue que encharca as roupas do corpo. Começando pela camiseta, ela desce para os jeans. Ali, as manchas são menos concentradas, basicamente sangue que escorreu da camiseta, sobretudo em torno dos bolsos.

É quando ela repara em um pequeno volume no bolso de Laure, enfiado até o fundo contra a coxa dela.

Um isqueiro?

Elin tira um par de luvas da bolsa e as coloca. Movendo-se para a direita de Laure, ela enfia cuidadosamente os dedos no bolso e retira o objeto.

— Will?

Ele se vira.

— Veja, encontrei uma coisa — anuncia, erguendo o objeto.

— Um isqueiro?

— É o que parece. — Elin o gira entre os dedos, imaginando Laure naquela noite fora do quarto, fumando, falando ao telefone, sem ideia de que estava a apenas poucos dias *daquilo*.

Will olha para o objeto, os olhos franzidos.

— É um pouco grande para um isqueiro, não é? — Ele franze o cenho. — Os antigos são grandes, mas tinham um formato completamente diferente. Mais quadrados. Não se costuma ver isqueiros como este — ele hesita. — Teste-o.

Elin gira a roda. Ela inspira, olhando para a parte superior do isqueiro, o pequeno pedaço de metal deslizando do topo no lugar de uma chama.

— Um pen-drive. — Will fica olhando.

Elin é incapaz de fazer sua mão parar de tremer. Não consegue acreditar que o assassino tinha a intenção de deixar aquilo no corpo. Ou ele não sabia que estava ali, ou — o que Elin considera a opção mais provável — ele só percebera, ou se lembrara, quando já era tarde demais.

Talvez tivesse sido aquilo que provocou o atraso em subir para a cobertura. É possível que ele só tenha percebido que Laure estava com o pen-drive *após* ter colocado o corpo dela no elevador. Ele tinha voltado depois, mas o elevador já tinha subido.

De qualquer modo, esse foi o erro. *Esse.*

60

— Você acha que foi... recente? — pergunta Cécile com a voz entrecortada.

Como Will antes dela, seus olhos disparam involuntariamente na direção do elevador, para o corpo de Laure, a máscara de borracha escura enviesada sobre seu rosto. Embora todos estejam tentando evitar, a boca aberta do elevador atrai os olhares.

— Sim. Depois de examinar o corpo, eu diria que ela foi assassinada hoje no começo da manhã. Não sou especialista, mas acho que é uma boa suposição.

Os olhos de Cécile estão inexpressivos, úmidos de lágrimas.

— Me desculpe — diz ela, pegando um lenço de papel do bolso para secar os olhos. — Depois de Adele, eu sabia que havia uma possibilidade, mas é difícil acreditar nisso.

Elin estende o braço e põe a mão sobre a de Cécile.

— Eu compreendo.

— E você realmente não tem ideia de quem seja?

— Depois disso, não — responde Elin.

Ela se ajeita no sofá, e aquele movimento machuca. Sente uma dor surda subindo por sua coluna, de onde o assassino a derrubou no chão. A única pista que ela tem é o pen-drive, mas não quer mencioná-lo nem para Lucas nem para Cécile até que tenha tido a oportunidade de dar uma olhada nele.

Neste ponto, ela não interrogou ninguém sobre seus álibis, de modo que todos ainda são suspeitos, incluindo eles.

Seus olhos deslizam para Lucas, de pé a alguns metros delas. Ele está perto da área da cozinha, falando atentamente ao telefone. O cabelo penteado de maneira a não cobrir o rosto, torcido em um nó frouxo atrás da cabeça. Pela primeira vez, Elin pode ver a expressão daquele rosto com clareza, e ela não lhe agrada. É uma expressão fechada. Opaca.

Como que sentindo o olhar de Elin sobre si, Lucas levanta os olhos, mas não faz nenhum aceno de reconhecimento, simplesmente continua falando, o gancho pressionado contra o ouvido.

Cécile abraça o próprio corpo.

— Só pode ser alguém que esteja aqui, não é? — diz, com tensão na voz. — Você precisa falar de novo com todos. Os funcionários, os hóspedes. Ver se eles têm álibis para a manhã de hoje.

— É claro — afirma Elin em um tom equilibrado. — Obviamente, vocês também precisarão dar informações sobre onde estavam.

As palavras dela pairam no ar por alguns instantes antes que Cécile responda.

— Tudo bem — diz ela rigidamente. — Não é nada muito interessante. Logo que acordei, fiquei no meu quarto, depois estive com um funcionário...

— Vou tomar os detalhes depois. Primeiro, preciso perguntar sobre as câmeras de segurança. Existe uma câmera no corredor para o elevador?

— Não — responde Cécile. — Deveria haver, mas caiu.

— A câmera?

— O sistema inteiro. Durante a noite. Estamos tentando conseguir alguém que o conserte remotamente, mas há um problema com o software. Parece que está corrompido. O técnico externo disse que poderia levar vários dias. — Sua expressão fica tensa. — Antes disso, achei que era alguma falha, mas agora...

Elin assimila as palavras, um peso se formando em seu peito.

O assassino fez isso.

Ele derrubou o sistema de câmeras de segurança: a única coisa que poderia usar para identificá-lo. Sem o sistema, Elin está às cegas.

Ela está prestes a responder quando repara em Lucas caminhando na direção delas. Ele estende o telefone com uma expressão séria no rosto.

— É a polícia... querem falar com você.

Pegando o telefone, Elin o leva ao ouvido.

— Alô?

É Berndt. Sua voz está abafada.

— Elin, uma atualização. Sinto muito, mas não conseguiremos fazer com que ninguém chegue ao hotel hoje. O *groupe d'intervention* acabou de receber uma atualização do piloto. Eles receberam o METAR atualizado...

— METAR?

— A informação de radar para as próximas horas. A visibilidade está abaixo de cinquenta metros, e a velocidade contínua do vento alcança 111 quilômetros, com rajadas de quase 150 quilômetros.

Como que pegando a deixa, o vento uiva. É como se estivesse puxando o prédio, tentando arrancar as fundações.

— Quer dizer que vocês não podem vir?

— Não — diz Berndt, constrangido. — Elin, não é uma escolha, é contra as normas. As condições são tão ruins que precisaram guardar o helicóptero no hangar para evitar danos causados por qualquer objeto que possa estar voando. A coisa não parece boa aqui embaixo.

— E a estrada?

— A área em torno da avalanche continua intransponível. Temos pessoas trabalhando nela a pé, mas levará vários dias.

— E realmente não existe nenhuma outra maneira? — insiste ela, as palavras cortadas pela tensão que está sentindo.

Vários instantes se passam.

— Uma maneira segura, não — Berndt soa constrangido. — O *groupe d'intervention* é muito bem treinado, mas eles não estão qualificados para percorrer montanhas altas. Na melhor das hipóteses, chegaremos aí amanhã, a menos que a previsão do tempo mude.

— Quer dizer que estamos por conta própria. — A voz dela estremece. Mais uma vez, a insegurança a provoca. *Ela não consegue fazer isso. Ela não é capaz.*

— Receio que sim. — Há uma hesitação antes que ele volte a falar, num tom mais baixo: — Elin, por favor, escute. Agora que outra pessoa foi assassinada, o protocolo que aconselhamos é extremamente importante. Todos precisam ficar juntos. Sem exceções.

— Certo — responde Elin, com a voz trêmula.

Ela quer chorar, lágrimas de verdade. Não era para ser assim. Queria ter aquilo sob controle.

— Volto a ligar quando tiver mais informações sobre a previsão do tempo. — Berndt pigarreia.

Enquanto ele se despede, os olhos de Elin são atraídos mais uma vez para o elevador, para Laure.

A realidade a atinge como uma porta batendo em sua cara.

Ninguém está vindo. Não agora, não em algumas horas.

Laure está morta e eles estão presos aqui — sem entrada, sem saída, sem ideia do que acontecerá a seguir.

Ela já havia pensado muitas vezes sobre aquilo, os riscos de um crime em uma locação remota. O quanto as pessoas estariam vulneráveis, quanto estrago poderia ser feito em um período curto.

Sua mente viaja para os ataques terroristas na Noruega em 2011. Anders Breivik, um extremista de direita enfurecido, disparou contra adolescentes reunidos na ilha de Utøya durante um acampamento de verão anual. Quando a polícia chegou naquela ilha remota, 69 pessoas já haviam sido massacradas.

Ela não consegue evitar se perguntar: *Do que este assassino aqui seria capaz, tendo essa oportunidade em mãos?*

Seu fluxo de pensamento é interrompido pela voz de Lucas.

— Ei, olhe para isso.

Erguendo o olhar, ela vê Lucas perto do elevador, agachado ao lado da caixa de vidro.

— O que é?

Elin caminha até ele tensa, perfeitamente ciente de que, caso ele toque em qualquer coisa por acidente, comprometerá as evidências.

— Por favor — ela diz com delicadeza, aproximando-se —, não toque na caixa.

— Esta pulseira aqui... há algo nela. Não estão muito legíveis, mas acho que são números. — Lucas inclina a cabeça de lado. — Gravados. Como as pulseiras perto do corpo de Adele.

Elin se ajoelha ao lado dele.

— Esta aqui. — Lucas aponta para a pulseira à esquerda. — Veja.

Ele tem razão.

Cinco números, levemente gravados no metal, tão fracos que seria possível não reparar neles à primeira vista.

Elin olha e sente um choque ao percebê-los.

Isso significa que os números são importantes, não é?

— Você acha que são importantes?

— Sim — responde ela, voltando o olhar para a caixa, para a pulseira seguinte.

Ela precisa fotografar os números, anotá-los, compará-los com os que encontrou nas três pulseiras perto do corpo de Adele.

Posicionando o telefone, ela está prestes a tirar uma foto quando, pelo canto do olho, capta um movimento: Lucas olhando para Cécile por cima da cabeça dela.

Eles trocam um olhar antes que Lucas se vire com uma expressão preocupada.

61

— Tem certeza de que pegou tudo? — Will empurra a porta que leva da cobertura para a escada.

— Acho que sim — responde Elin, incerta, lançando um último olhar para o elevador, para Laure. — Acho que não há nada mais que eu possa fazer.

Antes de partirem, Elin tirara algumas fotografias finais da cena e da caixa de vidro contendo as pulseiras, assegurou-se de que o elevador estava desligado, mas se pegou se demorando mais do que precisava.

Era instintivo: não queria deixar Laure sozinha ali, isolada.

Enquanto Will fecha a porta atrás deles, ela é acometida novamente por um sentimento de culpa. Não consegue se livrar da sensação de que, de alguma maneira, fracassara com Laure — deixara passar algo vital que poderia ter evitado aquilo.

— Mais tarde, trarei um pouco de fita aqui para cima, para isolar a cena. Cécile bloqueará o acesso pelo corredor... — Elin para, registrando a expressão no rosto de Will. Está olhando para ela, mas seus olhos estão distantes, como se estivesse pensando em outra coisa. — Algum problema?

— O que você acha daqueles dois? Lucas e Cécile? — Ele baixa a voz. — Eles têm uma energia esquisita.

— Como assim?

— Não sei. Talvez seja impressão minha, mas o jeito como conversavam entre si... pareceu tenso. — Ele desce o primeiro degrau, a mão roçando no corrimão de metal. — Deve ser estranho, irmãos trabalhando juntos...

Ele não tem chance de terminar a frase.

Elin ouve vozes. As paredes de concreto da escada estão funcionando como uma câmara de eco, conduzindo o som para cima de modo que é impossível saber exatamente de onde está vindo: poderia ser dois andares abaixo, ou quatro.

Ela espia sobre o corrimão. A escada está escura e os degraus de concreto mergulhados na escuridão. Duas pessoas estão de pé bem no fundo da escada. Somente o topo da cabeça é visível, mas Elin as reconhece imediatamente.

Um calafrio sobe pela sua espinha. *Lucas e Cécile.* Eles tinham ido embora havia mais de vinte minutos. *Será que ficaram aqui esse tempo todo?*

Movendo-se rapidamente, ela gesticula para Will, levantando um dedo até os lábios.

Elin se afasta do corrimão e pressiona as costas contra a parede. Sem o som dos movimentos dela e de Will, a voz de Lucas e de Cécile fica mais alta, mais clara.

Estão falando em francês. Frases curtas e rápidas. Incompreensíveis.

Virando-se para Will, ela baixa a voz.

— Seu francês é melhor do que o meu. O que estão dizendo?

— Estão usando algumas gírias — sussurra ele —, mas Cécile está dizendo a ele que algo é grave, e que ele deveria contar, e que o que aconteceu com Laure... não é uma coincidência.

— E Lucas?

— Ele não está nada contente... Disse: "Eles não sabem de nada, com certeza."

O que ela está deixando passar aqui? O que está acontecendo entre os dois?

Elin mal respira.

— *Vous devez lui dire.*

— *Non, non. Je n'ai rien à faire, Cécile. Ne pas oublier, je ne suis pas l'un des équipe ici. Je suis le chef, votre patron.*

Elin fica paralisada com o tom de Lucas. A entonação relaxada desapareceu. As palavras soam agressivas, dominantes. Ela olha para Will.

— Cécile está dizendo outra vez que ele deveria contar a alguém, mas Lucas está ficando irritado, lembrando a ela de que ele é o chefe...

Avançando, Elin espia outra vez escada abaixo. Eles mudaram de posição, saíram do fundo da escada. A mão de Lucas pousa no braço de Cécile.

Mais palavras furiosas. Duas, três frases, de um para o outro.

Silêncio. O estalo de passos no chão enquanto eles partem.

Will olha para ela com uma expressão preocupada:

— Cécile acaba de dizer que vai contar a alguém se ele não contar.

— Contar o quê?

— Ela não disse. — Will expira pesadamente. — O que você acha disso?

— Não sei. — Ela visualiza a mão no braço de Cécile, o brilho furioso nos olhos de Lucas. Ela precisa de tempo para pensar e colocar sua cabeça em ordem.

Mas, antes disso, precisa fazer o que mais vem temendo: falar com Isaac, contar a ele o que aconteceu com Laure.

— Vou contar ao Isaac sozinha, se não tiver problema. Pode ser? — diz Elin, pensando em voz alta.

— Tudo bem — assente Will. — Vou trabalhar um pouco.

Eles descem a escada. No último degrau, traços de alguma coisa — vagos, indefinidos. Aquilo a incomoda, mas ela está imersa em seus sentidos, e a coisa se vai antes que possa identificar o que é.

62

— Mas você disse, você pensou... — balbucia Isaac, tateando em busca das palavras, palavras que não consegue encontrar. Seu rosto está inchado, seus olhos, pequenas frestas. O eczema na sua pálpebra é agora de um vermelho vívido, em carne viva, e está secretando um líquido claro.

— Eu sei. Eu me enganei.

Movendo uma pilha de roupas, Elin se senta na cama, ao lado dele, totalmente consciente de que suas palavras não são apropriadas. Ela desliza a bolsa do ombro e a pousa no chão.

Isaac se aproxima. Ela pode ver uma fina camada de suor na testa dele.

— E quanto às câmeras de segurança? — pergunta ele. — Laure empurrando você...

— Não sei. — Ela puxa para trás uma mecha de cabelo da testa, a pele já úmida, pegajosa. *Por que está com tanto calor?* — Talvez ela estivesse tentando me advertir. Talvez soubesse o que estava acontecendo, os perigos...

Ele abana a cabeça, seu rosto próximo ao dela.

— E você achava que Laure estava envolvida nisso. *Suspeitava dela.* — Ele dobra o lenço de papel na mão em um quadrado desigual, os olhos duros, acusatórios. — Ela estava ansiosa para se reaproximar de você, Elin. Você sabe disso, não sabe? Ela nunca entendeu o porquê de você não manter contato. Ela tentou escrever, ligar...

Elin se move para trás, desconfortável, sentindo a conhecida onda de culpa invadir seu peito. Ela decepcionara alguém, *mais uma vez*.

— Isaac, eu estava em choque. Todos estávamos.

Uma gota de suor escorre pelas suas costas. Levantando-se, volta-se para a lareira. Está acesa, com labaredas de um vermelho-alaranjado sobrepujando o vidro.

Por que ele acenderia a lareira se já está tão quente?

— Não tem desculpa, Elin — insiste Isaac. — Ela era sua amiga, e você a abandonou, como mamãe abandonou Coralie.

Um silêncio constrangedor, imponente. Ela sabe de onde vem aquela raiva. Não é apenas raiva dela, mas também da situação, da impotência dele, mas Elin não consegue deixar de responder.

— Ninguém abandonou ninguém. A vida... ela parou naquele dia. Não foi somente Laure. Mamãe excluiu quase todo mundo.

— Não. — Os dedos de Isaac estão destroçando o lenço de papel. — Tudo em que mamãe conseguia pensar era nela mesma. Em seu luto. Em como ele era o maior, o mais importante. Ela não queria pensar em mais ninguém. — Isaac encontra o olhar dela, sem desviar.

Elin percebe a insinuação não dita: ele também está se referindo a ela, mas é mais seguro acusar a mãe. Ela não está aqui, não pode se defender.

Será que ele tem razão?

Os olhos de Elin acompanham a neve caindo lá fora enquanto ela revira as palavras que ouviu. Provavelmente. Seu luto por Sam havia engolido tudo que cruzara seu caminho, e ela deixou isso acontecer. Era compreensível quando ela tinha doze anos, mas não agora.

Isaac dá as costas para a irmã, os ombros subindo e descendo.

— O que Laure deve ter passado... — diz com voz trêmula. — É culpa minha. Eu deveria ter cuidado melhor dela.

Os ombros dele caem, em sinal de resignação.

Elin o observa. Ela não sabe por que, mas a incapacidade dele de permanecer furioso com ela, de manter a discussão, faz algo se prender em sua garganta.

Dando alguns passos para a frente, estende a mão para ele, mas aquilo sai como um gesto enferrujado. A mão dela fica pairando no ar, antes de baixá-la novamente.

Ela sabe que palavras não serão suficientes e, ainda pior, que aquilo é apenas o começo. O luto... é como uma série de bombas explodindo, uma depois da outra. A cada hora, uma nova detonação. Choque atrás de choque.

— Isaac, não havia nada que você pudesse ter feito. Quem quer que esteja fazendo isso, é uma pessoa inteligente. Está um passo à nossa frente.

Ela tem a impressão de que ele sequer a ouviu. Os olhos do irmão acompanham a neve caindo lá fora. Em silêncio, ele seca as lágrimas com a mão. Há um contorno vermelho em torno do branco dos olhos.

Elin hesita, incerta quanto ao que fazer em seguida. Ele precisa de tempo. Tempo para processar aquilo sem precisar falar ou analisar o que aconteceu.

— Escute, vou embora. — Ela se levanta. — Vou ver o que tem no pen-drive. Voltarei mais tarde para ver como você está, tudo bem?

Não há resposta.

Enquanto ela avança na direção da porta, um movimento minúsculo captura seu olhar: algo na lareira, em meio às chamas que lambem o vidro. Parando, ela olha mais atentamente. Não é madeira, mas algo mais fino, enrolando-se sobre si mesmo. *Papel?*

— O que é isso? — pergunta em um tom suave, apontando para as chamas.

— O quê? — Ele levanta o olhar.

— Na lareira? Parece papel.

Desta vez, ela tem certeza de que pode ver uma imagem: formas, e não palavras. Silhuetas, talvez.

Uma fotografia?

— Apenas alguns recibos — diz ele apressadamente. — Lixo da minha mala.

Ele não a encara.

Quando ela estende a mão para abrir a porta, as chamas ficam mais altas, um grito de liberdade repentino, centelhas de um laranja-arroxeado. A imagem, se alguma vez esteve ali, se foi. Enrolada sobre si mesma: um punho cerrado de cinzas.

Elin sabe que, provavelmente, não é nada, mas a dúvida permanece.

Uma dúvida que está ligada à imagem fixa em sua mente: Isaac, com as mãos estendidas, seus dedos encharcados de sangue.

63

Quando Elin volta para o quarto, descobre que Will não está lá. *Ele não deveria estar trabalhando?* Ela confere o telefone e encontra uma mensagem.

Fui comer alguma coisa.

Elin sorri. Will precisa se reabastecer enquanto está trabalhando. Quando ele fica no apartamento dela e traz trabalho para casa, ela sempre fornece um petisco pós-jantar — ovos mexidos ou mingau de aveia. Queijo e biscoitos.

Ela responde: *Está bem. Voltei para o quarto. Vejo você daqui a pouco.*

Pegando a bolsa, coloca as luvas e retira o pen-drive do saco. Quando o insere na lateral do laptop, uma pequena janela aparece na tela: "Abrir disco F."

Ela clica. O conteúdo do pen-drive enche a tela: vinte, talvez trinta documentos individuais. Os nomes dos arquivos são todos iguais, exceto pelo último dígito.

Ela abre o primeiro. Um documento. Ele foi escaneado; o papel está levemente amarelado nas quinas, as palavras impressas em vez de geradas por computador.

Seus olhos disparam para as palavras bem no topo da página: GOTTERDORF KLINIK. Há uma data à esquerda: 1923.

Abaixo, há vários campos. *Namen, Gerburtsdatum, Krankengeschichte.*

Os primeiros dois ainda se encontram dentro da sua capacidade de compreensão: nome, data de nascimento — mas o terceiro é incompreensível para ela.

Abrindo outra tela, ela digita a palavra no Google Tradutor: *histórico clínico.*

Seu instinto inicial está correto: é um registro médico.

Mas há um problema: exceto pelos cabeçalhos, o resto do documento está editado. A própria palavra está marcada em preto sobre a caixa com o texto: EDITADO.

Ela experimenta outro: *a mesma coisa.*

EDITADO.

O padrão continua, e Elin sente uma pontada de frustração — nenhum dos arquivos contém qualquer informação propriamente dita, nenhum indício de a quem os históricos se referem, de seu conteúdo.

Então, os olhos dela saltam para a parte superior direita do documento, logo abaixo de onde deveria estar o nome do paciente.

ID No.

Ao lado, há um número. Intacto. Como ela não reparou antes?

Um número de cinco dígitos.

Ela se levanta com um sobressalto, revira a bolsa em busca do bloco de notas. Retirando-o, encontra a página na qual anotou os números nas pulseiras que encontraram perto do corpo de Adele.

Procura no celular pelas imagens das pulseiras deixadas ao lado de Laure. Nenhum dos números nas fotografias bate, então ela examina de novo o bloco de notas.

Quatro linhas abaixo, ela o encontra: 87534.

Elin fica olhando para o número até que os dígitos comecem a se sobrepor, tentando compreender: este arquivo, a pulseira, eles estão relacionados. O que significa que esta clínica está ligada de alguma maneira com os assassinatos.

Mas como?

Abrindo outra tela, Elin pesquisa a clínica no Google. O site da clínica aparece no topo dos resultados da busca.

Die Klinik Gotterdorf beschäftigt sich mit der Diagnose, Behandlung und Erforschung psychiatrischer Erkrankungen.

Até mesmo seu alemão inexistente lhe diz que, provavelmente, trata-se de uma instituição psiquiátrica.

Elin clica na página de contato e descobre que o endereço da clínica é em Berlim.

Volta para a página inicial e se depara com vários parágrafos de texto. Selecionando tudo, copia o texto para o Google Tradutor.

Nós investigamos as causas de transtornos psiquiátricos para desenvolver terapias melhores e personalizadas, assim como abordagens preventivas. A clínica atual, cujo foco é o tratamento de transtornos mentais, desenvolveu-se a partir do hospital fundado em 1872.

Confirmação imediata: a clínica era, e ainda é, uma instituição psiquiátrica.

Por que Laure estaria carregando por aí arquivos editados de uma clínica psiquiátrica alemã?

Elin sabe que só há uma maneira de descobrir. Rolando a página para encontrar os detalhes de contato da clínica, ela pega o telefone e digita o número. O telefone toca apenas algumas vezes antes que uma mulher o atenda.

— *Guten Tag, Gotterdorf Klinik* — diz a mulher com um tom árido, profissional.

Mais uma vez, Elin amaldiçoa sua falta de habilidade com línguas. Ela sempre foi sua nêmesis. Ela estudou tanto francês quanto alemão, é capaz ler razoavelmente as duas línguas, mas tinha de fazer um esforço enorme para falar mais do que algumas palavras.

— Você fala inglês?

— É claro. — A mulher trocou de língua com facilidade. — Como posso ajudar?

— Meu nome é Elin Warner, sou policial na Inglaterra. Estou trabalhando em um caso e encontrei alguns arquivos editados que parecem ser da sua clínica. São da década de 1920. Gostaria de saber o que devo fazer para descobrir mais sobre isso.

Uma longa pausa.

— Sinto muito, eu gostaria de ajudar, mas é preciso fazer uma solicitação formal para obter informações sobre os arquivos. Como você deve estar ciente, a confidencialidade dos pacientes nos impede de compartilhar qualquer informação.

Ela estava esperando aquilo.

— Compreendo, mas você poderia me dar alguma noção do que os registros possam conter?

— Aguarde um momento, por favor.

Elin ouve o farfalhar de papéis e o burburinho de vozes ao fundo.

— Sim — diz a mulher, finalmente. — Não há nenhum problema quanto a isso. Para cada paciente, temos registros de tudo, desde os primeiros sinais da patologia e do diagnóstico inicial, passando pelo tratamento hospitalar que receberam antes de serem internados na clínica. Depois que são internados, iniciamos nossos próprios registros... medicações, tratamentos, as reações dos pacientes.

Elin expira.

— Estes arquivos que encontramos, como são da década de 1920, seriam arquivos em papel ou eletrônicos?

— Ambos. Fizemos cópias eletrônicas de tudo que estava arquivado em papel.

Ela decide tentar a sorte.

— Seria possível vocês verificarem se realmente ainda os têm arquivados? Tenho o que presumo ser o número de um paciente — ela mantém a voz neutra. — Não preciso de nenhuma informação sobre seu conteúdo, somente a confirmação de que pertencem à clínica e de que são autênticos.

A mulher hesita, então:

— Certo. Por favor, poderia me informar o número?

Abrindo o arquivo de novo na tela, ela o soletra:

— LL87534.

— Obrigada. Aguarde um momento, por favor. Vou ver se consigo encontrar.

Uma inspiração de ar repentina, forte.

Um bom tempo se passa antes que a mulher volte a falar.

— Existe um arquivo com um número que coincide com o que você me forneceu, mas lamento, ele foi... — ela para por um segundo — ... ele foi removido.

64

—O registro desapareceu?

Elin não consegue conter a surpresa na voz.

— Sim, mas tenho certeza de que foi um engano, só isso. — A mulher pigarreia. — Lamento não poder ajudar mais.

Um clique agudo.

A atendente desligou, mas não antes que Elin percebesse a apreensão em sua voz. Sua mão se fecha com força em torno do celular. *Isso não é coincidência.*

Claramente, o que está registrado naqueles arquivos é importante o bastante para que alguém faça um grande esforço para garantir que a informação não caia nas mãos erradas.

Mas o que são? E, antes de tudo, como Laure conseguiu estes arquivos?

Elin pressiona os dedos contra as têmporas. Não importa como ela tente ver aquilo, tudo indica que ela está em desvantagem, buscando respostas para perguntas que nem tem certeza se são as certas.

Elin sabe que também não ajuda estar lidando com aquilo sozinha, sem ninguém para trocar ideias. Ela até conversa com Berndt ao telefone, mas não é a mesma coisa. Com sua equipe, não há apenas interação, mas uma química que pode acender uma fagulha de brilhantismo investigativo muitas vezes fundamental para solucionar um caso. Uma das perguntas ou observações aparentemente simples pode desencadear um fluxo de pensamento capaz de conduzir um caso para uma direção completamente diferente.

Pegando o telefone, ela encontra o e-mail que Berndt enviou com os registros dos celulares de Laure.

Ela abre o primeiro e examina a tela. Laure telefonava com certa regularidade para os mesmos números: Isaac, a mãe, a irmã, a prima, vários outros que foram identificados como amigos. Durante o período logo antes do seu desaparecimento, não há ligações que desviem desse padrão.

Elin abre o arquivo seguinte, os registros do segundo telefone de Laure, mas logo o deixa de lado, frustrada. A sequência de chamadas é interessante: grupos de chamadas para o mesmo número no decorrer das últimas semanas, incluindo uma que talvez seja a que Elin entreouviu no dia em que chegaram, mas aquilo praticamente não tinha utilidade nenhuma. Se não há como rastrear o telefone para o qual ela andava telefonando, não há nada que possa fazer.

Puxando o bloco de notas, ela lê as breves declarações que obteve dos funcionários e dos hóspedes depois do assassinato de Adele.

Será que ela deixou passar algo muito importante? Alguma outra ligação entre alguém com quem ela havia falado, Laure e Adele?

No entanto, folheando as anotações, mais uma vez se impressiona com o quanto as declarações são objetivas. Os álibis de todos estão em ordem, nada está marcado como suspeito ou digno de nota antes da morte de Adele.

A única coisa que ela tem para seguir em frente é o que deduziu até agora. Ela precisa anotar tudo, ordenar tudo em sua mente. Começa com os crimes:

- Duas vítimas mulheres, ambas funcionárias do hotel, idades parecidas.

Lista tudo o que descobriu tanto sobre as duas vítimas, começando por Adele:

- Sem problemas com amigos, família ou ex. Sem parceiro atual. (NENHUM MOTIVO EVIDENTE.)
- Sem problemas no trabalho, a não ser pelo término da amizade com Laurel. (Axel entreouviu uma discussão entre elas, confirmada por Felisa.)

Depois, ela reflete sobre tudo o que sabe a respeito de Laure. Esta é uma lista mais longa:

- A discussão ao telefone que ela entreouviu na primeira noite (possivelmente pelo telefone pré-pago).
- O segundo telefone de Laure: a quem pertencia o telefone descartável para o qual ela estava telefonando?
- O relacionamento de Laure com Lucas. Especificamente as cartas que ela lhe enviou e as fotografias dele que ela possuía. <u>Será que eles tinham voltado recentemente?</u>
- Os e-mails para a jornalista referentes à suposta corrupção/suborno do hotel.
- A discussão de Laure com Adele.

Em seguida, ela passa para os crimes propriamente ditos:

- Provavelmente, as duas foram sedadas antes de serem assassinadas.
- *Modus operandi* diferente para cada assassinato (afogamento/ferimento à faca no pescoço), mas há a mesma assinatura nos corpos.

Ela leva a caneta até a boca e a morde, enquanto observa o que escreveu. Seus olhos ficam voltando para uma palavra: *assinatura*.

Precisa pensar sobre isso, dissecar a questão. Nem todo crime tem uma, mas quando tem, é a assinatura que carrega o significado; é a marca pessoal do assassino. Não se trata de algo essencial, de fato necessário para se cometer o crime; seu único propósito é satisfazer as necessidades emocionais ou psicológicas do assassino. Ela vem das profundezas da sua mente, talvez refletindo uma fantasia que o agressor tenha em relação às vítimas.

O elemento-chave de uma assinatura é o fato de ser sempre a mesma, seguir um padrão, porque é fruto de fantasias ou desejos que evoluíram anos antes do primeiro assassinato.

Portanto, o que esta assinatura pode dizer a ela?

Selecionando os quatro elementos principais, ela os enumera:

- Caixa de exibição de vidro.
- Amputação de dedos (que, depois, são colocados na caixa de exibição).
- Pulseiras em torno dos dedos.
- Máscara afivelada na cabeça das vítimas. (O criminoso também usa a máscara.) A máscara parece ser uma usada no sanatório para o tratamento de tuberculose.

Enquanto Elin olha para o que escreveu, sua mente se enreda em torno das anotações até que um pensamento a fisga. Um lampejo: *E se eu estiver focando na coisa errada?*

E se ela tem focado demais nos relacionamentos entre as pessoas aqui e acabou deixando passar algo essencial?

O elemento médico.

Associando os arquivos com a assinatura — a máscara, as amputações, o uso da caixa de exibição —, fica óbvio.

Uma descarga de adrenalina passa por ela. Elin sente vontade de punir a si mesma. É isso, não é? A parte que estava faltando.

Isso tudo não tem absolutamente nada a ver com o hotel. É sobre o passado, o que o hotel costumava ser.

O sanatório.

65

Ainda olhando a página, Elin não repara na porta se abrindo nem em Will se aproximando por trás dela.

Ele põe a mão no ombro dela e o aperta.

— Ei. Não recebeu a minha mensagem?

— Eu respondi, não?

— Não aquela. Enviei outra sobre o clima.

— Eu estava em outro mundo, me desculpe. — Inclinando a cabeça na direção dele, ela o beija. — O que está acontecendo?

— Assisti ao noticiário local com alguns funcionários. A nevasca vai piorar nas próximas horas. O risco de avalanche é enorme.

Elin olha para fora. A neve cai implacavelmente. Aquilo é mais do que uma nevasca, é um ataque violento. Os montes ao redor da janela parecem crescer a cada minuto. Elin fica impactada por aquela visão e sente um nó no estômago.

— Poderia acontecer outra aqui, como antes?

— Eles acham que é possível — diz ele com ansiedade. — Esse volume de neve em um período tão curto... — Ele se recosta na mesa. — E então, como foi com o Isaac?

— Bem mal. Ele começou me culpando, depois culpou a si mesmo...

Ela olha de novo para o bloco de notas. As palavras na página estão oscilando outra vez. Elin esfrega os olhos; estão secos, ardendo.

— Você se importaria de dar uma conferida rápida nele? Ver como ele está? — pergunta ela. — Talvez seja melhor que outra pessoa vá.

Will a observa atentamente.

— E quanto a você? Você comeu ou bebeu alguma coisa desde que voltou para o quarto?

Abaixo da mesa, o pé dela balança para cima e para baixo.

— Não. Eu ia fazer isso, depois de falar com Isaac, mas acabei ficando presa no caso. Não tive tempo.

Will suspira, coçando a parte de trás da cabeça.

— Escute, sei que você está determinada a trabalhar nisso, mas precisa se cuidar. O que aconteceu lá em cima...

Elin encontra o olhar preocupado dele e move a cabeça rapidamente, assentindo.

— Chá? — sugere ele.

— Não, não precisa.

— Café?

Will ergue uma sobrancelha. Ela pode ver a determinação nos olhos dele. Ele é assim, obstinado. Intransigente. É por isso que todos os prédios que projeta são reverenciados, ganham prêmios. Ele é capaz de ficar sentado por horas ajustando um elemento específico do projeto para deixá-lo perfeito.

— Sim, obrigada. — Ela força um sorriso.

Will caminha até a cafeteira e coloca um copo sob o bocal.

— E então, o que está fazendo agora?

— Examinando o pen-drive que encontramos com Laure.

Ligando a máquina, ele levanta a voz acima do som da água fervendo.

— E? — pergunta.

— Há alguns arquivos aqui de uma clínica psiquiátrica na Alemanha, são da década de 1920.

— O que há neles?

A água ferve. Agora ouvem o leve ruído do café sendo forçado a passar pela máquina.

— Isso é o que é interessante. — Ela observa o gotejar compassado do café na xícara. — Toda a informação está editada. Os nomes, o histórico médico, os tratamentos. Tudo.

Will franze o cenho, pousando o café diante dela.

— Por que Laure os teria?

— Não sei. Liguei para a clínica, tentei descobrir qualquer informação que eles possam ter. É aí que fica interessante. Os arquivos foram apagados. A mulher com quem falei desligou muito rápido. Ela parecia confusa.

Will cruza o olhar com o de Elin.

— Quer dizer que não é uma coincidência?

— Acho que não.

Ela beberica o café. Ele tem razão. Ela realmente precisava de alguma coisa: o líquido quente e amargo penetra sua mente enevoada.

— Você contou ao Berndt sobre os arquivos?

— Nem cheguei a contar a ele sobre o pen-drive. Eu pretendia, mas... — Prestes a dar uma desculpa esfarrapada, Elin para de falar. Ela não considerou falar para Berndt, não de verdade. Quis investigar por conta própria, liderar, agir. — Não creio que eu possa agora. Se ele souber que telefonei para a clínica sem pedir permissão a eles...

Will franze o cenho.

— Você acha que ele mandaria você parar de investigar?

— É possível. Tudo precisa ser feito de acordo com o protocolo. Eles só me autorizaram a fazer a investigação mais básica possível — ela hesita. — Sinceramente, não acho que posso confirmar com eles cada ato meu. Não temos tempo.

— E você não tem nenhuma outra maneira de descobrir o que os arquivos contêm?

— Não, mas encontrei algo importante — diz Elin, apontando para o arquivo na tela, na direção do número do paciente. — Há um número no arquivo, uma das únicas coisas que não está editada.

— O número de um paciente?

— Sim. Ele bate com o número em uma das pulseiras na caixa de exibição do assassinato de Adele.

— Quer dizer que estes arquivos — ele ergue uma sobrancelha — estão ligados aos assassinatos?

— Sim! — Ela não consegue conter a empolgação na voz. — Acho que significam alguma coisa. Que fazem tudo se encaixar.

— Mas se você não sabe o que há neles…

— Não importa. O que importa é que sabemos que estão ligados aos crimes e que sabemos *o que* são.

Will franze o cenho outra vez.

— Não estou entendendo.

— O fato de que são arquivos médicos deve ser importante. Até agora, eu só estava pensando no hotel, nas relações entre as pessoas aqui como o potencial motivo para os assassinatos, mas acho que não é por aí. E também não acredito que não exista nenhuma relação com o hotel. Acho que está relacionado ao que ele *era*.

— O sanatório? — pergunta Will, puxando uma cadeira.

Agora ela conquistou a atenção dele.

— Sim. Pense em como os assassinatos foram realizados, nos objetos das cenas do crime. A máscara, as caixas de exibição, as pulseiras… é como se o assassino estivesse tentando chamar nossa atenção para algo. — Ela aponta outra vez para a tela. — É o passado do hotel, não é? Seu passado *clínico*, o sanatório. Estes arquivos médicos, quando estão datados, fazem a ligação.

— Faz sentido — diz Will com cautela. — Mas para onde seguir a partir daí?

— Preciso conferir os álibis de todos. Ver se há qualquer inconsistência. Não posso checar as câmeras de segurança, pois o sistema caiu.

— E se todos os álibis se confirmarem? Você ainda não tem nenhuma outra pista concreta.

Elin pega o café, toma um longo gole.

— Andei pensando sobre isso. Laure deve ter conseguido estes arquivos em algum lugar, não deve?

— Em algum lugar aqui?

— A sala de arquivos. É o único lugar do hotel que não foi modernizado. Se tudo isso está relacionado ao passado do hotel, acho que precisamos dar outra olhada nela.

66

Cécile já está de pé na porta da sala de arquivos quando Elin chega. Sua expressão é tensa, as olheiras tão marcadas que parecem hematomas.

Ela ainda está de uniforme, mas o efeito é o oposto do que pretendia. Em vez de dar a impressão de que o hotel está funcionando normalmente, a formalidade moderna e casual parece levemente irônica. O crachá enviesado dá o toque macabro final.

— Tem certeza de que está tudo bem em fazer isso?

Cécile assente com um leve movimento da cabeça.

— Se você acha que ajudará.

— Acho que não temos outra opção. É nossa única pista.

É verdade, Elin pensa.

Ela acaba de falar com todas as pessoas sobre seus paradeiros na noite anterior e na manhã de hoje. Seus álibis ou eram sólidos, ou inverificáveis no momento. Se as pessoas diziam que estavam sozinhas no quarto, ela não tem nenhuma maneira de provar se falavam ou não a verdade.

O fato de estar tão cega em relação àquilo a incomoda, mas sem uma equipe, câmeras de segurança, todas as checagens detalhadas habituais em busca de inconsistências, não há mais nada que possa fazer. Ela atingiu o limite das suas capacidades.

— Certo. — Cécile é seca, casual, mas Elin pode perceber a tensão em sua voz. Ela ergue o chaveiro até a porta, que se abre com um clique, e Elin a segue para dentro.

O cheiro é o mesmo do qual ela se lembra, aquele odor bolorento de papel velho, de poeira intocada. Mais uma vez, a bagunça salta aos olhos: pilhas de caixas enterrando outras caixas. Garrafas sujas, jarras. Uma máquina de microfilme sucateada. Armários de arquivos entupidos de papel.

Mas, apesar da bagunça, do caos, ela não consegue evitar sentir que algo no quarto parece sutilmente diferente.

Cécile a observa.

— Algo errado?

— Não sei. Você acha que alguém poderia ter estado aqui recentemente?

— Duvido. Esta sala nunca é usada, na verdade.

— Laure me disse. Ela me contou que, no começo, vocês planejavam tornar esta sala uma atração do hotel. Um arquivo.

— Sim. Laure começou a curadoria com o arquivista antes de o projeto ser cancelado.

— Por que ele foi cancelado?

Uma pausa, como se ela estivesse pensando como responder.

— Lucas estava em dúvida se essa era uma boa decisão — Cécile diz por fim. — No final das contas, ele decidiu que não funcionaria, que os hóspedes não desejariam saber o que acontecia aqui em todos os detalhes explícitos.

— O que quer dizer com "explícitos"?

— Alguns dos tratamentos para tuberculose eram básicos, para dizer o mínimo. As pessoas achavam que os pacientes vinham para cá simplesmente pela cura do ar fresco, sentando-se nas varandas, aproveitando a luz do sol, mas isso era apenas uma parte.

— Mas Laure disse que a maior parte dos tratamentos era natural.

— Só que nem todos. — Cécile dá um sorriso contido. — Um dos tratamentos era o pneumotórax, que consistia em provocar um colapso pulmonar. Para isso introduziam ar pela cavidade pleural e às vezes removiam parte das costelas, colapsando os pulmões permanentemente. Alguns métodos eram ainda mais rudimentares. Em um deles, usavam um malho para colapsar o tecido pulmonar.

— Eu não sabia. — Elin não consegue evitar visualizar aquilo, uma imagem vívida, explícita.

— Muitas pessoas não sabem. — A voz de Cécile é comedida. — Nem sempre era bem-sucedido. Apesar dos tratamentos, muitas pessoas morreram aqui ao longo dos anos, e acho que Lucas pensou que alguns hóspedes poderiam achar desagradável.

— Você concorda?

A voz de Cécile é seca e azeda: não é o que ela está dizendo, mas *como* está dizendo. *Lucas dizia. Lucas pensava.* Tudo está voltando para ele. O controle está nas mãos dele.

— Sim, acho que ele tem razão. Os hóspedes podem gostar da *ideia* de ficar em um antigo sanatório, de tirar fotos para as redes sociais, mas de saber os detalhes, o que realmente acontecia? — Cécile dá de os ombros. — Sobre isso já não tenho tanta certeza.

— Então foi Lucas quem vetou, afinal?

— Sim. — A expressão dela é inescrutável.

— O que ele diz sempre prevalece? — As palavras saem antes que Elin consiga impedi-las.

Palavras burras, porque é claro que ele tem o poder de veto. Ele é o dono deste lugar. As grandes decisões cabem a ele.

Cécile olha severamente para ela, olhos estreitos.

— O que quer dizer?

Repreendendo-se mentalmente, Elin conclui que precisa simplesmente contar a Cécile, sem rodeios. *Não há tempo para brincadeiras.*

— Ouvi vocês conversando no corredor quando descemos da cobertura. Você estava tentando convencer Lucas a contar algo a alguém. — Ela hesita, sente os nervos vibrarem sob sua pele, se perguntando se está indo longe demais. — Ele não pareceu feliz com isso.

Cécile fica em silêncio. Vários instantes se passam, depois ela diz:

— Tem a ver com o corpo que foi encontrado na montanha. O corpo de Daniel.

67

— O amigo de Lucas trabalha no CURML, o Centro Universitário de Medicina Forense de Lausanne. Os restos de Daniel foram enviados para lá. O que ele disse... parece que há similaridades com os outros assassinatos.

— Na maneira como ele foi assassinado?

Cécile assente, seu pé cutucando o capacho. Pequenas nuvens de poeira pairam no ar.

Enquanto a poeira se dissipa, Elin olha para baixo; um choque repentino. *Aqui está, mais uma vez:* um pensamento difuso, apenas vestígios, mas ele desaparece antes que ela consiga registrá-lo.

— Daniel foi... desmembrado — conta Cécile, expressando tensão em seu rosto. — Pior do que Adele e Laure, mas de modo parecido. O corpo estava parcialmente preservado pela neve, mas eles não acham que seja recente.

Elin não responde, mergulhada em seus pensamentos. Há uma grande chance de que isto esteja ligado com o que aconteceu com Laure e Adele. Ainda assim, algo a incomoda: este crime, muito provavelmente, ocorreu muitos anos atrás, em torno da época do desaparecimento de Daniel. Portanto, por que havia tamanha defasagem se estavam conectados?

Ela capta o olhar de Cécile.

— Por que Lucas não queria me contar isso?

— A resposta oficial seria que a informação ainda não foi divulgada publicamente, mas vou ser honesta, ele não está pensando direito. Ele está tentando conter isso, mas é impossível. — A voz dela é fina de frustração. — Foi longe demais.

— Conter? — repete Elin, incrédula.

— Sim. O que aconteceu aqui poderia ser desastroso para ele, não apenas profissionalmente, mas também pessoalmente. Este lugar... é mais do que trabalho. Construir este hotel tem sido o sonho dele desde jovem. Sua doença, ficar entrando e saindo do hospital... ela lhe deu esta *motivação*.

— O problema cardíaco dele?

— Como eu disse antes, foram várias cirurgias, complicações, longos períodos de recuperação. Ele não teve uma infância normal. Quando voltou para a escola, ele enfrentou dificuldades.

— *Bullying*?

— Sim, ele parecia estranho, entende? — O tom dela é amargo. — Fraco, magro. Metade das crianças o provocava e a outra metade tinha pena dele.

— E isso o marcou?

— Sim. Este lugar... ele nunca disse isso, mas acho que se trata de exorcizar estes fantasmas. Era o projeto impossível. Um lugar que todos diziam que jamais poderia ser ressuscitado. — Cécile dá de ombros. — Como ele. Ninguém pensava que ele se tornaria quem se tornou.

— Um ponto a provar — responde Elin, assentindo. — Com Isaac, é a mesma coisa. Ele sempre teve a necessidade de ser o melhor, ser quem estava no topo. — Ela franze o cenho. — Provavelmente isso também vem de alguma insegurança.

— Não creio que seja exclusivo deles. Este desejo de provar a si mesmo, de ser alguém. — Um sorriso toca os lábios de Cécile. —

Sabe, li certa vez, em algum lugar, que a maioria dos homens deseja construir um monumento a si mesmos. Meu ex desejava. Quando conheceu a esposa nova, ele se mudou para a Austrália, construiu a própria casa no meio do nada. — Ela se vira, fazendo um gesto amplo. — Isto aqui é isso, não é? O monumento de Lucas. Um gigantesco, belo monumento de vidro que diz *foda-se* para todas aquelas pessoas que tinham certeza de que ele não conseguiria.

Elin não responde, chocada com a intensidade da emoção de Cécile, com sua proteção. Aquilo vira de ponta-cabeça o que ela tinha visto na escada. Ela não consegue evitar ver Lucas sob uma luz diferente. Uma luz mais favorável.

Contudo, algo na maneira como Cécile fala sobre ele a incomoda. A mesma sensação que ela tem quando reflete sobre seus sentimentos por Isaac. A impressão de que, enquanto os protegem, elas também estão criando desculpas para eles, encontrando justificativas para seus comportamentos de merda, quando, talvez, não deveria existir nenhuma.

— Acho que é por isso que ele tem se contido. — Cécile olha ao redor da sala. — A ideia de que este lugar poderia fracassar... Acredito que ele sequer consiga considerar.

Elin considera o que ouviu, e, embora o raciocínio faça sentido, ainda não parece convincente. Mesmo que Lucas queira proteger o hotel, sua primeira reação seria compartilhar o que sabe, não seria?

Deve haver algo mais nisso.

— Mas, quando conversamos antes, você disse que ele e Daniel eram próximos...

— Sim. — Ela pigarreia. — É por isso que você provavelmente deveria falar com ele sobre isso.

— Certo — concorda Elin.

Ela percebe a maneira com que Cécile encerrou a conversa. Até este ponto, ela tinha sido aberta. Acessível.

Há algo aqui.

— Mas eles ainda eram bons amigos?

Uma hesitação. Cécile ruboriza.

— Não — diz ela por fim. — Eu não os descreveria como bons amigos. Nos últimos anos, o relacionamento era mais profissional do que qualquer outra coisa. A firma de Daniel prestou serviços para vários hotéis de Lucas.

— Mas você disse que eles *eram* próximos, não é?

— Quando crianças, sim, mas quando Lucas adoeceu... houve uma mudança. Daniel se aproximou do meu pai. Ele era um esquiador talentoso e meus pais costumavam assistir às competições das quais participava. Acho que Lucas sempre sentiu que havia uma comparação ali. Algo a cuja altura ele precisava viver. Era uma daquelas coisas. Conforme ficaram mais velhos, eles se afastaram.

— Mas o relacionamento deveria ser sólido o bastante para que quisessem trabalhar juntos, não?

— Sim, mas, sinceramente, acho que ambos se arrependiam disso.

— O que quer dizer?

— Houve algumas discussões nos últimos meses antes de Daniel desaparecer. A pressão sobre eles era imensa... a oposição à construção, as reclamações. — O rosto dela parece contraído. — Uns dois dias antes de Daniel desaparecer, Lucas e ele brigaram.

— Sobre o quê?

— Não sei. Ele nunca entrou em detalhes.

Elin pensa sobre o que ela disse. Apesar da história por trás daquilo, da empatia dela pelo que Lucas passara quando criança, seria burrice ignorar o fato de que ele tinha um possível motivo, por mais tênue que fosse, não somente para a morte de Laure, mas também para a de Daniel.

— E então, o que você estava procurando — anuncia Cécile, mudando de assunto. — Eu...

Uma batida alta na porta, seguida por outra.

Cécile abre a porta. Uma mulher beirando os trinta anos está de pé do lado fora. Está usando um uniforme de funcionária, tem o cabelo enrolado em um coque frouxo, com mechas desgrenhadas caindo sobre o rosto. Ela está ofegante.

— Sinto muito — começa a mulher, falando com um forte sotaque francês. — Não quero incomodar, mas... — Seu lábio treme.

— Tudo bem, Sara.

Dando um passo à frente, Cécile toca no braço dela.

Elin olha para ela, e um receio horrível faz seu estômago pesar. *Aconteceu alguma coisa.*

— É só que, só... — O rosto de Sara está corado. — Margot... não consigo encontrá-la. — Qualquer pretensão de manter o controle é perdida quando ela começa a chorar, um soluço gutural que faz seu peito subir e descer. — Acho que ela desapareceu. Não a vejo 'esde ontem à noite.

68

— Desapareceu? — repete Cécile, cruzando o olhar com o de Elin.

Sara assente levemente, ainda chorando.

— Conferi todos os lugares. Não consigo encontrá-la. — Ela fecha e abre as mãos. — Depois do que aconteceu…

Expirando pesadamente, Cécile dá um passo à frente, saindo para o corredor, em movimentos espasmódicos. Elin sente que ela está tentando manter o controle.

— Sara, sei que é difícil, mas, por favor, tente nos contar o que sabe.

— Vou tentar. — Ela faz um esforço para controlar os soluços. — Margot e eu estamos dividindo um quarto. Hoje, quando acordei, ela tinha sumido. Logo pensei que havia algum problema, mas disse para mim mesma que eu estava sendo idiota, que estava imaginando coisas, que ela apenas tinha acordado cedo. — Sara se interrompe, arfando. — Não tenho certeza, mas o lado dela do quarto… parece que houve alguma briga.

— Você perguntou a outras pessoas se elas a viram?

— Sim, é o que tenho feito desde hoje de manhã. Ninguém a viu. Só restam poucos de nós no hotel. Se ela estivesse por aqui, alguém a teria visto.

— E quanto ao telefone dela? — pergunta Cécile.

— Sumiu, mas ninguém atende.

— Mas há funcionários nos corredores dos quartos — Cécile soa receosa, indecisa. — Ninguém pode entrar ou sair sem que eles vejam.

— Eu sei. — Os olhos de Sara estão soturnos. — Mas ela sumiu. Sei que sumiu. — Agora ela fala num tom estridente, transparecendo o pânico. — Procurei por toda parte.

Elin permanece imóvel, assimilando as palavras.

É mais uma vítima, só pode ser.

Aquilo não lhe soa bem. O espaço de tempo, tão pouco depois de Laure... Parece que isso está seguindo um ritmo mais alucinado, está fugindo do controle.

Com o medo crescendo em seu estômago, ela olha para Sara.

— Precisamos dar uma olhada no seu quarto. Agora mesmo.

O quarto de Sara fica a apenas três portas do dela. É idêntico ao de Elin, exceto pelas camas de solteiro.

— Esta é a dela. — Sara aponta para a cama mais perto da porta.

Elin segue seus olhos, troca um olhar com Cécile.

Sara tem razão: há evidências claras de que houve uma luta. Lençóis cor de marfim, emaranhados em um nó embaraçado, foram arrancados da cama. Há um copo de vidro caído no chão, os restos da água escorrida formando uma pequena poça no chão, junto com um livro — um Livre de Poche, com a lombada rasgada.

É como se ela tivesse sido arrastada da cama.

— É culpa minha. — Sara leva uma das mãos ao lábio e puxa a pele seca nas comissuras. — Tenho dificuldade para dormir. Tomo comprimidos, uso uma máscara nos olhos e tampões de ouvido. Qualquer outra pessoa teria ouvido...

— Não é culpa sua — responde Elin.

Seus olhos ainda esquadrinham o quarto, encontrando mais coisas perto da cama de Margot: um marcador de livros amassado a cerca de meio metro do lençol, uma bolsa derrubada de lado, inclinada.

— Não sabemos o que aconteceu. Ainda não — completa.

Sara esfrega os olhos inchados.

— Mas isso não é verdade, é? — A voz dela é instável, acusatória. — Quem quer que tenha matado Adele está com a Margot também, não está?

Elin mantém um tom neutro.

— Como eu disse, não podemos presumir nada.

Mas, mesmo para os próprios ouvidos, suas palavras soam fracas. Vazias. Olhando para a cena diante de si, Elin tem bastante certeza do que aconteceu.

Ou o assassino levou Margot à noite, antes de sequestrar Laure, ou logo depois. De todo modo, aquilo não parece bom.

Sara dá meia-volta, os ombros subindo e descendo.

— Sara, sei que é difícil, mas eu gostaria que me contasse tudo o que fez ontem, antes de ir para a cama.

Respirando fundo e recompondo-se, Sara diz:

— Comemos com todo mundo, na sala de jantar. Ficamos sentadas por algum tempo, conversando. — Ela dá um sorriso fraco. — É tudo o que estamos fazendo no momento. Conversar. Beber. Ninguém quer ir para a cama.

— E depois? — pergunta Elin.

— Subimos de volta para o quarto. Assisti a um negócio na Netflix. Margot estava lendo. — Suas palavras saem rapidamente, naquele sotaque acentuado, obrigando Elin a prestar bastante atenção para entendê-la. — Apagamos a luz em torno das onze e meia.

— E isso foi o que você descobriu quando acordou?

Sara assente.

— Não toquei em nada. Me vesti, desci imediatamente e comecei a procurar por ela.

— E quando foi isso?

— Quase dez da manhã. Dormi demais.

Elin faz uma avaliação mental. *Dez da manhã.* Aquilo significava que era possível que Margot tivesse sido sequestrada *depois* do incidente com Laure na cobertura. Uma possibilidade tênue, considerando que haveria mais pessoas pelo hotel em torno daquele horário, mas não impossível.

No entanto, o mais provável era que ela tivesse sido sequestrada durante a noite. Contudo, uma coisa naquela teoria não bate: havia um funcionário fazendo o papel de segurança fora dos quartos a noite toda.

Como o assassino teria passado por ele?

Abrindo a porta, Elin desce o corredor na direção do funcionário. Ele é jovem, seu rosto ainda é gorducho, marcado por pequenas cicatrizes de catapora no nariz, nas bochechas.

— Está tudo bem? — diz ele, mas a ignorância sugerida pela pergunta é traída pelo olhar apreensivo na direção do quarto de Sara.

Ele sabe o que está acontecendo. Ele sabe e está com medo.

— Você passou a noite toda aqui?

— Boa parte da noite — responde ele, umedecendo os lábios com a língua. — Cheguei logo depois das onze da noite. Ninguém passou pelo corredor enquanto eu estava aqui — ele aponta para a garrafa prateada ao lado. — Esse negócio é como combustível de foguete.

— Tem certeza? Não ouviu nada?

— Nada. Somente hóspedes e funcionários voltando para os quartos.

Elin pressiona o indicador contra a palma da mão. *Pense, Elin, pense. Como o agressor poderia entrar no quarto sem ser visto?*

Ela então agradece ao funcionário e volta para o quarto de Sara, analisando novamente o espaço.

Ela está deixando algo passar?

Seu olhar se detém nas portas francesas. Elin avança cautelosamente na direção delas e para logo antes. Ela se curva para baixo e, inclinando a cabeça, olha para o chão.

Sua pulsação acelera. Pode ver o fantasma leve e borrado de uma pegada, onde a impressão da sola molhada secou, deixando um resíduo.

Ela se apruma, examina o umbral da porta. Há pequenas marcas na madeira, indicando que ele arrombara a porta com um pé de cabra.

Elin sente uma onda de frustração. As precauções que eles tomaram para manter as pessoas em segurança facilitou as coisas para o assassino. Mudando todos para os andares inferiores, ficara mais fácil subir. Mais fácil de fugir.

— Encontrou alguma coisa? — pergunta Cécile do outro lado do quarto.

Elin assente bruscamente.

— Acho que ele entrou por estas portas.

Ao abri-las, o ar congelante preenche o quarto. Com ele, o assobio agudo do vento, uma rajada amarga de neve.

Tudo o que ela consegue ver é branco; as árvores ao longe estão esbranquiçadas pela neve.

Quando examina a varanda, Elin percebe imediatamente que a neve foi modificada — está compactada, uma camada desigual e com protuberâncias. Embora a neve fresca tenha caído em cima, começando a cobrir algumas das marcas, ela ainda consegue ver compressões definidas.

É difícil saber o que é — não são pegadas. É algo maior, mais largo.

Analisando o contorno difuso, ela observa a forma.

As marcas começam a ficar claras.

É a marca de algo grande, pesado: um corpo.

Margot foi arrastada.

Elin processa o pensamento: se ela foi arrastada para fora do quarto, isto também significa que estava sedada.

A constatação vem como uma pontada aguda: *Ele não tinha muito tempo.*

Se ele queria encontrá-la, precisava ser rápido. Tomando por base os últimos dois assassinatos, a potencial redução entre os intervalos, o assassino provavelmente agiria rapidamente. Cruelmente.

Ela respira fundo e se vira para Cécile e Sara. Antes mesmo que Elin comece a falar, Sara abana a cabeça, um som estrangulado saindo da sua garganta.

— Você acha que ele a levou, não acha? — Ela afunda o rosto nas mãos. — A pessoa que... — Soluços fazem seu peito e ombros sacudirem.

Cécile põe um braço em torno dela.

— Escute, vamos descer para o lounge, nos sentar um pouco. Você sofreu um choque. — Olhando para Elin, ela gesticula com os lábios: — Tudo bem fazer isso?

O olhar de Elin já está saltando de volta para a neve lá fora e para o padrão curioso de compressões.

Se ele saiu por aqui, as marcas não terminariam ali.

Mas o pensamento, óbvio demais, a incomoda.

Certamente, o assassino não seria tão burro a ponto de deixar um rastro, seria?

A menos que não tivesse escolha.

Talvez ele tenha precisado improvisar, como fizera na cobertura. É possível que tivesse planejado levar Margot pelo corredor, mas algo dera errado.

A outra explicação, e a mais provável, é que o assassino está ficando descuidado. De todo modo, é uma pista. Algo que talvez possa nos levar até Margot.

69

Leva mais tempo do que ela imaginava para voltar ao seu quarto e colocar o casaco. Seus dedos se atrapalham com o cartão da porta do quarto, com o zíper, enquanto sua mente revira os acontecimentos.

Isso é uma boa ideia? Será que ela sequer deveria considerar sair sozinha? Ela deveria falar com Berndt primeiro?

Elin descarta o pensamento com um segundo: se ela entrar em contato com Berndt, explicar a ele o ocorrido, não apenas desperdiçará seu tempo precioso como também vai correr o risco de que ele a proíba de procurar Margot. Se não o contatar, não pode ser acusada de desafiar explicitamente qualquer instrução.

Pegando um par de luvas e vários dos sacos de plástico que Lucas forneceu, ela abre as portas francesas, saindo para a varanda.

O mundo exterior a agarra: suas botas afundam na neve fresca, o vento sopra seu cabelo ao redor do rosto.

Ela passa o cabelo por trás das orelhas e examina a balaustrada de vidro diante de si.

Será que ela consegue passar por cima?

A balaustrada não é alta, mas mesmo assim não será fácil. Ela levanta a perna, tenta se arrastar por cima daquela espécie de cerca, mas fica presa, com uma perna pendendo por cima e a outra para trás.

Elin tenta outra vez. Ela consegue agora, mas erguer seu corpo e passá-lo sobre a balaustrada exige que ela use a força dos dois braços e das duas coxas.

Como ele teria passado Margot por cima disso? Sedada, ela seria um peso morto.

Em segurança no outro lado, Elin expira forte por causa do esforço. Ela deduz: o assassino tem que ser forte, ela pensa, observando sua expiração emergir como vapor branco, dissolvido em nada pelo vento. Capaz de erguer alguém rápido e com facilidade.

A neve cai intensamente. É claustrofóbico. Sufocante. Ela mal consegue ver mais do que uns poucos metros à sua frente, nada visível na alvura, exceto pelo contorno das árvores congeladas, as formas geométricas do letreiro do Le Sommet.

A previsão do tempo estava certa, a tempestade está piorando.

Preparando-se, ela dá um passo à frente, depois para, ouvindo um ronco grave.

Um ronco que é seguido por um gigantesco som de explosão, reverberando pelo ar.

Há um barulho, uma brisa ártica repentina.

Sua mente se volta lentamente para o que Will lhe disse mais cedo: *uma avalanche.*

Ela uma vez leu em algum lugar que uma avalanche primeiro é ouvida, depois vista. Conforme a neve e o gelo caem montanha abaixo, eles imprimem uma força gigantesca no ar, comprimindo-o em um assobio baixo aterrorizante.

Elin consegue ouvir agora, um som perfurante ensurdecedor, atravessando completamente seu corpo.

Com uma fisgada de pânico, ela dispara na direção do hotel, começa a refazer seus passos, mas é uma decisão inútil, pois não tem ideia se está seguindo ao encontro da avalanche ou na direção oposta.

Em uma questão de segundos, Elin sabe que tomou a decisão certa.

A avalanche não a pegou por pouco. Ela ainda está de pé.

Mas ela é engolida pelo que só pode ser o efeito da avalanche: uma nuvem branca de neve levantada no ar pela força do impacto.

Minúsculas partículas cintilantes atingem seu rosto. É penetrante, dolorido.

Ela pisca, remove a neve do rosto, mas não consegue ver nada além de mais neve.

Levará alguns minutos até que tudo se acalme, para que veja exatamente onde a avalanche caiu.

Com o coração batendo forte, ela espera, aterrorizada, pelo próximo som ameaçador, o próximo ronco que pode vir ainda mais de perto.

Mas nada acontece. Somente a nuvem de neve, partículas cintilantes ainda suspensas e caindo no ar. Elin inspira e expira lentamente, mas está acelerada, a adrenalina ainda correndo por seu corpo.

Em poucos minutos, a neve se acomoda, o ar clareando levemente. Ela respira fundo outra vez, se vira, tenta decifrar o percurso da avalanche. Vê de imediato que é à sua direita: a cerca de cem metros, na direção da estrada.

A extensão lisa e imaculada de neve para a qual ela passara os últimos poucos dias olhando desapareceu. Em seu lugar, há pedaços gigantescos e irregulares de neve, um em cima do outro, empilhados a mais de três metros de altura.

Apesar da distância, ela pode ver o que a avalanche trouxe ao descer ruidosamente montanha abaixo: pedras e árvores, troncos inteiros despontando da massa de neve.

Inclinando a cabeça para cima, ela observa o rastro de destruição total. É como se um ancinho tivesse sido raspado na encosta, revirando tudo no caminho. É difícil acreditar que a natureza possa ser tão violenta.

Elin se vira, olha para a frente, perguntando-se se a neve deslocada pela avalanche cobriu qualquer rastro que o assassino possa ter deixado, tornando impossível segui-lo.

Ela considera as opções. A decisão mais sensata seria voltar, mas se fizer isso perderá qualquer chance, por menor que seja, de seguir o rastro, especialmente porque há previsão de mais neve, que com certeza cobriria qualquer indício.

Mais do que isso, Elin sabe que, por causa da nova avalanche, a chance de a polícia chegar até o hotel em breve é ainda menor agora. Isso significa que é ainda mais imprescindível que assuma o controle da situação.

Ela toma uma decisão rápida: precisa seguir em frente. Precisa tentar encontrar Margot.

Ao avançar, o vento sopra em rajadas, eliminando toda a neve que ainda pairava no ar.

Puxando o cachecol para cobrir a boca e o nariz, ela caminha para a esquerda, na direção do quarto de Sara e de Margot. Toma o cuidado de permanecer vários metros afastada para que, quando chegar ao rastro, não o comprometa.

É um trabalho duro, ela está resfolegando, com a neve já à altura dos joelhos, mas segue em frente até ficar paralela à varanda do quarto de Margot.

Ela para e expira, soltando uma grande nuvem de ar. Alívio. A neve deslocada pela avalanche cobriu algumas das marcas na neve, mas, em torno da varanda, ainda há marcas claras cercando uma área mais larga e lisa de neve amassada. Ela ainda pode seguir o rastro.

Olhando para baixo, Elin se dá conta de que sua teoria está correta: o desenho consistente do rastro indica que alguém foi arrastado. Tirando várias fotos, ela segue as marcas, o olhar fixo na neve. Até onde consegue ver, não há sangue, nenhuma fibra ou detrito visível. As marcas seguem na direção da frente do hotel.

A uniformidade daquele caminho na neve confirma o que ela já presumia, que quem arrastou era forte. Forte o bastante para puxá-la com um único movimento suave.

O rastro contorna a lateral do hotel por mais dez, quinze metros, depois termina abruptamente na frente da entrada do hotel.

Elin confere mais uma vez para se assegurar de que o rastro não continua — retrocedendo, ela caminha vários metros além da entrada, mas não há nada lá. A neve está espessa, intocada.

O que a deixa com somente uma conclusão: o assassino deve ter levado Margot para dentro do hotel. Não há outra explicação.

Ela segue na direção da entrada do hotel e as portas se abrem automaticamente, sentindo sua presença. Seu olhar baixa para o chão do saguão.

Tarde demais.

Não há nenhuma evidência de pegadas, como havia no quarto. O concreto polido está uniformemente brilhante: ele foi limpo.

Aquilo quase a faz sorrir: apesar de tudo o que aconteceu, um funcionário recebeu ordens de limpar o chão. Ritual, rotina, são coisas muito arraigadas. *Negócios, como de costume.*

Portanto, para onde ele foi?

Eles tinham revistado o hotel quando Laure desaparecera. Não há nenhum lugar recluso, suficientemente privado, para o assassino estar escondido, muito menos escondendo as vítimas.

Elin sente o coração bater forte no peito. Tem completa noção da pressão recaindo sobre ela. Precisa solucionar isso. O tempo está passando.

Se ela está certa e os impulsos e a violência do assassino aumentaram, agora é uma questão de minutos, e não mais de horas.

E então, qual será o próximo passo dele?

Eles poderiam revistar o hotel de cima a baixo, mas não há garantia de que a encontrariam.

É quando a ficha cai: uma coisa idiota, óbvia.

O telefone de Margot.

Sara confirmou que o telefone sumira. Há uma conclusão hesitante que ela pode tirar daquilo: Margot pode estar com ele. Se estiver, há uma possibilidade de rastrear seus movimentos.

Elin se vira, prestes a entrar no hotel, quando vê algo em uma das janelas do primeiro andar, um movimento no vidro. Ela fixa o olhar.

Há alguém de pé ali, olhando para baixo, o rosto voltado para o vidro.

Mudando de posição, ela encontra um ângulo melhor, pelo qual a luz não é refletida com tanta força.

Agora, ela pode ver claramente a figura: um casaco escuro, um tufo de cabelo louro desgrenhado.

Lucas.

Ele está observando-a, com o olhar fixo, imóvel.

70

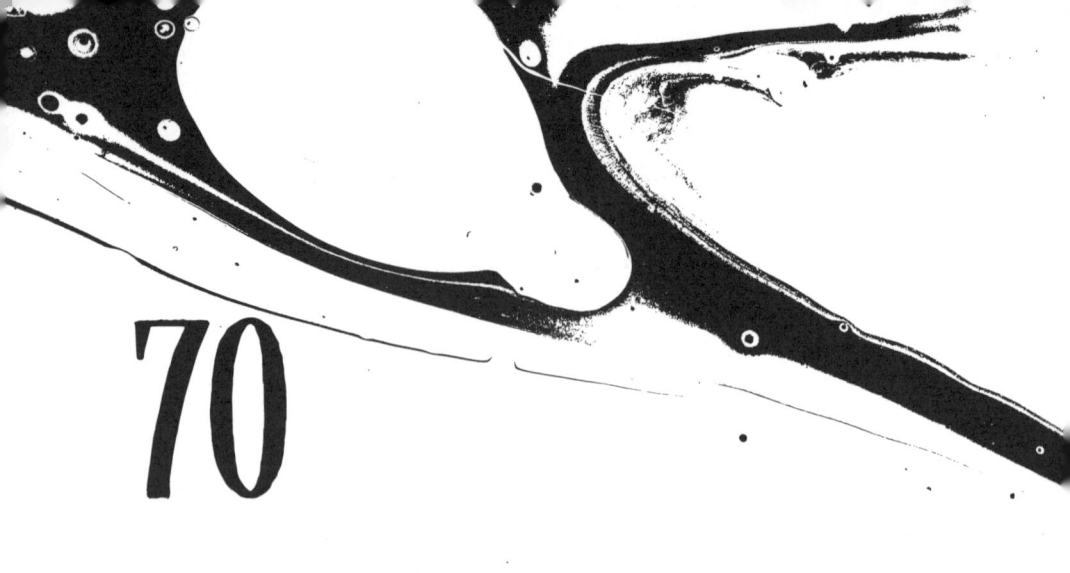

— O telefone de Margot? — pergunta Sara, prendendo uma mecha solta de cabelo por trás da orelha. — Você acha que ela está com ele?

Elin se recosta na cadeira.

— É possível. Se estiver, pode haver uma maneira de rastreá-lo.

Elin sabe que existe um aplicativo chamado Find My iPhone. Mesmo que o telefone tenha sido desligado, ou que a bateria tenha acabado, ele mostrará o último local no qual ele teve sinal.

Ela olha ao redor do lounge. Um grupo de funcionários está sentado a várias mesas delas. Estão conversando entre si, mas ela pode sentir os olhos nela, as perguntas não feitas.

Cécile olha para ela com uma expressão indecifrável.

— Mas, de todo modo, precisamos tentar. — Mudando de posição, sua perna bate na mesa e faz seu café sair voando. O líquido escorre pela madeira clara, já pingando pela borda até o chão. — Merda…

Cécile se levanta rapidamente e vai até o bar. Trazendo um pano de volta, ela o estende sobre o café derramado. Ela se senta e olha atentamente para Elin.

— Está tudo bem?

— Comigo? — Elin franze o cenho. — Estou bem. Foi um choque, mas não foi tão por pouco assim. Acho que ela mais ou menos seguiu o percurso da última avalanche.

Cécile mexe desajeitadamente no pano.

— Eu sei, mas depois que fomos ao quarto de Sara, eu não sabia que você sairia nestas condições, que começaria…

Elin retesa.

— Foi um risco, eu sei, mas eu precisava. — Ela sente um calor familiar subir pelo rosto. — Eu queria dar uma olhada lá fora, explorar a cena. — Sua voz sai mais alta e aguda do que ela pretendia.

Ao lado dela, Sara morde o lábio e desvia o olhar.

— Eu… — Cécile hesita, ainda secando a mancha de café, mas o líquido já foi absorvido há muito tempo. — Só não sei se foi a atitude mais correta. — Ela faz uma careta.

Elin olha para ela, incerta.

Ela tem a sensação desconfortável de estar deixando passar algo, uma camada da conversa que, de alguma maneira, é essencial para sua compreensão. Mas, antes que possa responder, Cécile se levanta abruptamente e leva o pano encharcado de volta para o bar.

Decidindo ignorar aquilo, Elin se volta para Sara.

— Você sabe o login da Margot no iCloud?

— Não sei, mas talvez consiga descobrir. Tenho quase certeza de que ela guarda as senhas no diário.

— Não é lá tão preocupada com segurança, então?

— Não — responde Sara, exibindo um sorriso fraco. — Estávamos brincando sobre isso outro dia. A conta dela da Apple foi hackeada, então ela precisou mudar a senha, mas a nova era difícil demais de lembrar, então ela a anotou.

— Você sabe onde está o diário dela?

— O diário de quem? — pergunta Cécile, sentando-se ao lado delas.

Sara hesita. Seus olhos se fixam nos de Elin, um lampejo de entendimento passa entre elas.

— De Margot — responde ela com clareza. — Ela o guarda na bolsa. Vou mostrar a vocês.

— Isso é estranho. — Sara coloca a bolsa de Margot na cama e começa a revirá-la. — É como se eu estivesse invadindo a privacidade dela.

— Eu sei — diz Elin com delicadeza —, mas precisamos fazer tudo o que pudermos para encontrá-la.

Ela observa Sara retirar os objetos: bolsa de mão, presilhas de cabelo, uma garrafa de água pela metade, chicletes. A última coisa a surgir é um caderno com capa de couro.

— É isso. Ela não usa um diário de verdade.

Depois de folhear as páginas, Sara para, perto do começo do caderno.

— Aqui. — Ela aponta para o topo da página. — Acho que esta é a senha.

Elin pega seu telefone, encontra a função para localizar dispositivos.

— Sabe o e-mail dela?

— Um segundo. — Sara rola rapidamente a tela de seu telefone — MarMassen@hotmail.com.

— E a senha... — Elin a lê do caderno ao mesmo tempo que a digita no segundo campo no meio da tela.

A tela inicial azul dá lugar ao leve contorno de uma bússola, a qual, por sua vez, se torna um quadriculado branco. O quadriculado se transforma em um mapa, dando zoom para mostrar nomes de ruas, marcos. Em segundos, um ponto verde aparece.

Elas conseguiram algo aqui.

Elin pode sentir o batimento acelerado do seu coração. Contrações rápidas. Ela pressiona o dedo na tela.

Uma linha de texto: *iPhone de Margot.* Abaixo: *há 40 minutos.*
— Localizou o telefone dela?
— Sim.
Sara olha para a tela.
— É algum lugar aqui, não é? Algum lugar no hotel.

71

— Você pode indicar o local? — pergunta Elin. Franzindo os olhos, ela estuda o mapa no telefone, fazendo um esforço para se orientar na planta do hotel.

— Acho que sim. — Cécile aponta para o meio da tela. — Não dá para ver detalhes no nível dos quartos, mas a área do hotel é perto do spa, das salas dos geradores.

Uma centelha de empolgação: *progresso*.

— Preciso de um cartão especial para acessá-las?

— Não. O que lhe dei cobre todas as áreas do prédio.

Elin sente que há um toque de raiva na voz de Cécile. Percebe que ela quer dizer algo mais e está ponderando se deveria.

— Tem certeza de que quer ir agora? — pergunta Elin.

Um breve tom de emoção marca a expressão de Cécile. Elin não consegue dizer o que é.

— Sim. — Elin olha para ela, frustrada. *Por que a falta de urgência?*

Cécile está mordiscando o lábio.

— Você se importa se eu telefonar para Lucas, que eu fale com ele sobre isso?

Elin dá de ombros, tensa. Ela sabe que não está se saindo muito bem em esconder sua irritação, mas nunca fora boa em diplomacia. Sempre deixava as coisas a incomodarem, amargurarem, e o que sentia se manifestava em seu rosto.

Um esboço de emoção.

Cécile está falando rápido ao telefone em francês. Alguns instantes depois, ela se vira de volta e guarda o telefone no bolso com uma expressão de preocupação.

— Lucas não acha que você deveria fazer isso sozinha. — Seus lábios estão comprimidos. — Se colocar em uma posição vulnerável.

— O que quer dizer? — Elin vacila.

— Ele acha que é arriscado demais. — Cécile diz isso como se estivesse falando com uma pessoa burra. — Eu... — Ela perde as palavras, ruborizando. — Escute, é difícil dizer isso, mas concordo com ele. Você tem ajudado enormemente, mas depois do que aconteceu com Laure, com você, talvez não esteja em condições de assumir nada agora. Acho que deveríamos esperar a polícia.

— A polícia — repete Elin, incrédula. — Mas sabemos que eles não estão vindo, pelo menos não tão cedo.

Ela cerra o punho sob a mesa, aperta com tanta força que pode sentir as unhas cravando a palma da mão. Uma advertência: *Não perca a cabeça. Não diga algo de que possa se arrepender.*

— E então, você telefonou para Berndt? Informou a ele sobre Margot?

Elin abana a cabeça.

— Ainda não.

Cécile a fita mais uma vez, com o olhar firme, neutro. Algo melindroso é transmitido por aquele olhar.

— Sinto muito. — Ela ergue as mãos como que se desculpando. — Preciso ser sincera. Eu não queria ser a pessoa a dizer isso, mas Lucas... ele descobriu sobre seu trabalho.

— Meu trabalho. — A boca dela está seca.

Cécile assente.

— Lucas descobriu mais cedo que você está de licença estendida. Ele não gosta muito da ideia de você seguindo em frente nestas circunstâncias. Você não comentou isso. Se tivesse nos contado, explicado...

— Mas isso não afeta minha capacidade de ajudar vocês — rebate Elin, sentindo o coração saltar, baques fortes e marcados.

Eles descobriram, a expuseram como uma fraude.

— Sinto muito — diz Cécile, baixando os olhos. — A decisão é de Lucas — ela encerra a questão com um tom levemente soturno.

Elin baixa o olhar para o chão, tentando conter a raiva. Dúvidas conhecidas começam a encher sua cabeça, uma mais intensa do que a outra.

Eles estão certos? Será que ela é incapaz de fazer bons julgamentos?

Ela se levanta e empurra a cadeira para trás.

— Vou voltar para o meu quarto.

Afastando-se, ela se concentra cuidadosamente em cada passo, como se qualquer quebra no ritmo fosse estilhaçar seu autocontrole, forçá-la a retornar para a sala, cheia de recriminações furiosas.

72

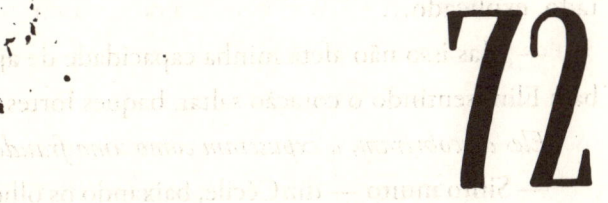

Elin tenta bater a porta do quarto depois de entrar, mas não consegue o efeito dramático desejado — o mecanismo de fechamento suave trava a porta a cerca de meio metro do umbral antes de deslizar de volta para a posição original.

— Calma — murmura Will. — Apenas me diga exatamente o que ela falou.

Andando de um lado para o outro, indo e vindo da janela.

— Ela achava que eu não deveria continuar a procurar por Margot. Que "não estou em condições" — balbucia ela, sentindo o rosto arder ao lembrar das palavras de Cécile. — Eles descobriram, Will. Que estou de licença.

Will toca o braço dela.

— Talvez estejam certos. — As palavras dele são lentas, cautelosas. — Talvez seja melhor esperar a polícia.

— A polícia — repete ela, tentando soar calma. — Houve outra avalanche. Eles não chegarão aqui tão cedo, a menos que o vento diminua e consigam fazer um helicóptero decolar.

— O que Berndt disse? — diz ele, ainda pisando em ovos.

— Não telefonei para ele. — Elin não encara Will. — Ele provavelmente não aprovará que eu tente encontrar Margot, não sem apoio, e não sei se Lucas falou com ele. — Ela hesita. — De todo modo, não adianta esperar que eles cheguem. O assassino poderá ter ferido Margot até lá, e é um risco... o assassino poderia ver a polícia chegando. Perderemos o elemento surpresa.

— Tem razão. — Will belisca a ponte do nariz, empurrando os óculos para cima. — Só fico pensando no que aconteceu na cobertura. Como você escapou por pouco da avalanche. — A voz dele oscila. — Se qualquer coisa acontecesse com você...

— Vou ficar bem. Serei cuidadosa. — Elin o puxa de encontro a ela. — Will, eu não faria isso se não achasse que fosse certo. Esta situação foi além de qualquer coisa que imaginei. Não correrei riscos desnecessários.

— Certo — diz ele abruptamente, fazendo-a levantar os olhos, surpresa. — Procure por ela, mas seja lá o que estiver planejando, você não irá sozinha. Você não parou o dia todo desde hoje de manhã. Está cansada, não comeu nada.

Ela se afasta, surpresa. Ele está duvidando dela? Como Cécile e Lucas?

— Will, sou treinada para situações como esta. O que aconteceu antes foi diferente. Eu não estava esperando aquilo, meu julgamento estava comprometido por causa da minha relação com Laure, mas com isso, estou na ofensiva. Sei quais precauções devo tomar.

— Elin, não há nada mais além disso, entende? Simplesmente, não quero você fazendo isso sozinha.

Ela fica em silêncio por vários segundos. Quando volta a falar, há receio em sua voz.

— Está dizendo que quer vir comigo?

— Você não vai sem mim. Não desta vez.

Elin força um sorriso, mas uma sensação horrível de medo toma conta dela. Ela sabe que eles estão perto: ela pode sentir uma tensão, uma excitação cada vez maior no ar.

73

— Está vendo alguma coisa? — pergunta Will em voz baixa, passos ressoando contra o chão de mármore.

— Até agora, nada — responde Elin.

Ela avança mais na área da recepção do spa, mas não há nenhum sinal de que alguém esteve ali. Nada está desarrumado, fora do lugar. Até as revistas sobre a mesa estão empilhadas de maneira perfeita e uniforme.

Debruçando-se, ela examina o balcão da recepção, mas ele está praticamente vazio: somente o teclado do computador, o monitor de tela plana, uma planta comprida em um vaso branco à esquerda.

O ar está tomado pela mesma combinação de aromas da primeira vez que ela entrara ali: menta e eucalipto, misturando-se com o odor de produtos de limpeza.

Uma memória ganha vida: o tour de Laure pelo spa. Elin pisca para conter as lágrimas ao imaginar o rosto dela, seu sorriso; aquilo lhe dá um senso de propósito renovado: *isso é tanto por Laure quanto por Margot.*

— Vamos ver os vestiários depois — diz Will.

Ele passa por ela, parecendo desconfortável ao olhar ao redor.

Esta era a área que o localizador do iPhone apontara: na direção da piscina, das salas dos geradores. Mas conforme abrem as portas dos vestiários, parece que estão vazios. Os azulejos brancos estão lustrados e brilhando, as portas dos cubículos fechadas.

Isso não os impede de conferir. Começando pela esquerda, examinam sistematicamente cada cubículo. Nada: não há ninguém ali, nenhum indício de qualquer perturbação.

— Para a piscina agora? — pergunta Elin, tentando injetar um pouco de entusiasmo na voz, mas duvida de que encontrarão qualquer coisa.

O mais provável é que o assassino simplesmente tenha se livrado do telefone em algum lugar próximo dali. A localização que eles encontraram no rastreador pode não significar nada.

Will caminha à frente dela, examinando em torno da piscina.

— Nada. — Ele expira audivelmente.

Ele tem razão: a piscina está intocada, a superfície refletindo uma luz trêmula. O chão está seco; nenhuma marca úmida de pés ou de respingos de água. Resta somente um lugar para examinar nesta área: a sala de manutenção.

Ela volta para o vestiário, seguida por Will. Ela sabe pelas câmeras de segurança que a porta de acesso fica na parede oposta, a porta que Laure deve ter usado para entrar no vestiário para observá-la.

Eles a encontram com muita facilidade: uma porta branca de metal no meio da parede ao fundo. Ela levanta o chaveiro até o painel ao lado da porta, que se abre com um clique.

Quando ela entra, é surpreendida por um emaranhado impossível de artérias de metal que se espalha pelo teto, pelo chão: uma massa compacta de máquinas e encanamentos. O espaço é maior do que ela imaginava. Labiríntico. Provavelmente, se estende por todo o comprimento tanto do vestiário quanto da área da piscina.

Há um zumbido baixo, constante, um sombrio batimento cardíaco mecânico que é amplificado pelo cheiro químico, vagamente industrial.

Ela olha para Will.

— Vamos ficar juntos. Eu vou...

Mas ela não consegue terminar a frase.

Tudo escurece e eles são mergulhados em uma impenetrável escuridão líquida.

Elin tateia em busca da porta, do interruptor ao lado dela. Pressionando com força, ela o sente se mover sob seus dedos, mas nada acontece: a luz não acende.

Uma sensação horrível e crescente de pavor.

Ela se vira, desorientada, um alarme começando a soar em sua cabeça.

— Seu telefone — sugere Will. — Use a lanterna.

Elin tateia o bolso e pega o telefone. Ela desliza o dedo para cima na tela para encontrar a função lanterna.

Ela acende, mas a luz é pífia: mal dá para iluminar sua mão.

Will a puxa para trás.

— Elin, não podemos fazer isso. Não conseguimos ver nada. — Sua voz é nervosa. — Alguém fez isso de propósito. Não gosto disso.

Ela volta a lanterna para o rosto dele. O estreito feixe de luz capta as sombras sob os olhos, a escorregadia camada de suor na sua testa.

Ela não deveria ter trazido ele. Ele está entrando em pânico.

— Volte. Vou continuar procurando — sussurra ela. — Se alguém fez isso de propósito, significa que estamos perto.

Os músculos no pescoço dele se enrijecem.

— Não vou sem você.

Eles avançam a passos miúdos, pisando leve e cautelosamente, seguindo a linha da parede, mas a massa gigantesca das máquinas dificulta a navegação. Eles precisam permanecer alertas, ajustando o percurso constantemente.

Cada máquina parece fazer um barulho diferente: algumas batendo, outras zumbindo; outras como um inseto voando, o murmúrio de asas frenéticas.

Alguns passos adiante, o espaço se abre, mas não muito. Elin consegue perceber vários corredores estreitos dobrando entre as máquinas.

Elin ergue o braço e move o telefone em um círculo. A luz ilumina o revestimento de metal em torno das máquinas.

Nada.

Ela está prestes a começar a se mover de novo quando, em algum lugar à sua frente, há um barulho. O som dá um susto em Elin e ela deixa o telefone cair no chão.

Agachando-se, ela tateia e o recupera. Ele está intacto; a luz continua acesa.

Ela dá meia-volta, prestes a falar com Will, quando ouve outro som: um leve rangido.

Elin vira o telefone de modo que o feixe fica posicionado diante dela. No brilho fraco e opaco da luz, ela consegue distinguir uma forma no chão — uma silhueta.

Firmando o feixe de luz, ela inspira rapidamente.

Margot.

Ela está deitada no chão, encolhida em uma posição semifetal, pernas encolhidas sob o corpo. Sua cabeça está voltada para a direção oposta à de Elin, de modo que ela não consegue ver seu rosto.

Não há nenhum outro som, nenhum movimento, mas, mesmo assim, ela continua movendo a lanterna em um círculo, passando alguns metros de Margot para ver se há alguém ali, nas sombras mais além.

Ninguém.

Elin expira forte, aliviada.

É possível que aqui seja apenas um cativeiro. Se for, há uma possibilidade de que eles consigam tirar Margot antes que o assassino volte.

Cobrindo rapidamente o espaço entre elas — um, dois metros — ela mantém a luz focada em Margot. Assim, tão de perto, ela pode ver que os pulsos e os tornozelos dela estão amarrados. Um pedaço de tecido áspero está amarrado com força entre os lábios.

Will permanece atrás, nas sombras, olhando ao redor.

Pousando o telefone no chão com a luz voltada para cima, Elin se ajoelha ao lado dela para enxergar seu rosto.

— Margot, é Elin.

Margot ergue o olhar para ela, olhos vazios, vagos. Seu rosto está sujo de poeira, com manchas escuras na testa, nas bochechas.

— Margot, você está bem agora. Vamos tirar você daqui.

Mas ela não responde. Não há qualquer indício de que Margot a ouviu. Ela só continua com aquele olhar vago.

Ela está em choque. Ou isso, ou ainda está sedada.

Elin pega o telefone, o aponta para os pés de Margot, estudando os nós em torno dos tornozelos.

— Vou desamarrar esses nós e vamos levar você de volta lá para cima.

Mas, do nada, um movimento — um movimento impossível de fazer da maneira como ela está amarrada.

Margot ataca, chutando os joelhos de Elin.

As pernas de Elin cedem debaixo dela.

Incapaz de se equilibrar, ela cai com força no chão, uma onda de choque subindo pelas coxas, nádegas, vértebras. O telefone cai no chão, soltando uma lasca de plástico, mas permanece ligado, a luz o suficiente para iluminar fracamente o espaço entre elas.

Elin grita, tenta olhar para cima, mas as pontadas agudas de dor se movendo pela metade inferior do seu corpo estão deixando-a tonta, borrando sua visão.

Quando o olhar dela se firma, ela leva um susto, encontrando Margot de pé sobre ela, com o corpo tenso, ereto. Os laços pendem soltos em torno dos pulsos e dos tornozelos.

Por um momento, Elin não consegue entender o que está acontecendo.

Será que Margot a confundiu com outra pessoa? Com seu agressor?

Então, a ficha cai com uma clareza nauseante.

74

Elin se levanta desajeitadamente. Em pânico, ela recua, dando vários passos para trás.

Ela se enganou, outra vez. Todas as teorias sobre Lucas, Isaac, estão erradas.

Seus olhos se voltam para os laços pendendo frouxos em torno dos pulsos e tornozelos de Margot. Ela não estava bem amarrada, os nós estavam frouxos o bastante para que ela simplesmente se livrasse deles.

Tudo aquilo... era uma armadilha.

— Você. Você fez isso. — Elin mal consegue dizer as palavras. Sua cabeça está pesada, desequilibrada.

Margot não responde. Ela apenas fita Elin com os olhos vazios, indecifráveis.

O horror infla no peito de Elin. Não há qualquer resquício da pessoa constrangida e insegura que ela conheceu apenas alguns dias antes, curvada, envergonhada do próprio corpo. Margot está ereta, mostrando toda a sua altura, mais de um metro e oitenta. Sua força, sua musculatura, são claramente visíveis.

É possível, não é? Ela poderia ter feito isto. Sequestrado pessoas. Assassinado todas elas.

Margot baixa a mão e pega o telefone. Ela o aponta para o rosto de Elin. A luz a cega, deixando-a atordoada.

Onde está Will?

Elin tenta piscar para se livrar do causticante ponto brilhante.

— Sim — responde Margot finalmente. — Fui eu. — A voz dela é fria, impassível, totalmente desprovida de calor.

— Ninguém sequestrou você, não é? Isto era uma armadilha, como a mensagem de Laure. Você planejou tudo.

Em sua mente, Elin repassa os acontecimentos dos últimos poucos dias, tentando encontrar conexões.

Será que alguma coisa que Margot disse era verdade?

O relacionamento de Isaac e Laure? A discussão entre Laure e Lucas? Elin foi tão ingênua. Engoliu todas as histórias de Margot, inteiras, sem questionar.

Margot interpreta corretamente a hesitação de Elin, e um meio sorriso frio surge em seus lábios.

— Não se preocupe. Você cometeu os mesmos erros que qualquer pessoa cometeria... erros humanos. O ego sempre vence. É uma fraqueza em todo mundo: o desejo de ser quem sabe mais, o herói, aquele que salva o dia. É por isso que você tinha aquele emprego.

Apesar do choque, do medo, Elin sente a raiva invadi-la.

Como ela ousa julgá-la? Falar sobre Elin como se a conhecesse?

Margot dá mais um passo na direção dela.

Então Elin vê uma faca em sua mão, a lâmina cintilando sob a luz da lanterna. Sente o suor escorrer pelas costas, lentamente.

A cabeça dela dispara: *Onde está Will? O que ele está fazendo?*

— Não entendo — começa Elin, tentando ganhar tempo. — Do que se trata tudo isso?

— Da verdade — responde Margot, em um tom robótico. — Este lugar é um veneno. Não deveria ter sido reaberto. — Ela dá outro passo à frente, ficando agora a poucos centímetros de Elin. — Sinto muito. Não era para você estar envolvida nisso.

Os músculos de Elin se enrijecem. É arrepiante como Margot é casual, mesmo em seu estado amplificado. Ela é fria, mecânica. Elin é um obstáculo, portanto precisa ser eliminada.

— Margot, não precisa ser assim. Você não precisa me ferir, nem nenhuma outra pessoa. Podemos encerrar isso aqui.

Mas é como se Margot não a conseguisse ouvir. Em um movimento suave, ela ergue a mão, levando a faca para o alto, seu rosto vazio, inexpressivo. Ela é como um autômato: nada a impedirá agora.

Elin se encolhe, com a respiração curta. Sua cabeça começa a girar.

— Por favor, Margot, não...

Margot guina para a frente. A ação é abrupta, decisiva, a lâmina cortando o ar com precisão.

Elin gira para o lado, evitando por pouco que a faca atinja seu rosto. Mas isso não impede Margot de saltar para a frente, reduzindo com facilidade o espaço que se abriu entre elas.

É agora que Will entra em cena.

Saltando para a frente, ele empurra Margot para o lado. O telefone ricocheteia da mão dela, caindo no chão.

Novamente eles estão mergulhados na escuridão absoluta.

Silêncio. Então Elin ouve um estampido abafado, o baque surdo de algo batendo no chão.

Há uma luta: movimento, confronto, grunhidos, o som de tecido rasgando. Um gemido baixo. Outro baque, dessa vez mais leve, e então algo desliza pelo chão. Apenas poucos instantes depois, outro som: passos, baques pesados na escuridão, respirações ofegantes.

O coração de Elin dá um salto, um horror escorregadio e oleoso afrouxando seu estômago.

Ela não tem dúvidas de que os passos não são de Will.

Ele não fugiria. Ele não a deixaria.

O que quer que a tenha mantido equilibrada até este ponto cede. Ela é tomada por um medo repentino, irracional.

— Will! — A voz dela é alta, incontida. — Você consegue me ouvir?

Ele não responde.

Elin sabe no mesmo instante que não é porque ele não quer responder.

Ele não pode. Não pode respondê-la. Isso é tudo o que ela consegue pensar: *Ele não pode responder.*

Margot tinha razão. Elin queria solucionar o caso, afagar o próprio ego e, ao fazer isso, colocou Will em perigo.

Elin fica de quatro, as mãos tateando pelo chão, movendo-se em círculos em busca do telefone. Os segundos parecem se alongar, se transformando em minutos.

Finalmente, encontra o celular e o agarra.

A lanterna ainda está funcionando?

Arrastando o dedo para cima na tela, ela pressiona o ícone da nterna e a luz acende. Imediatamente, Will fica visível, a cerca de apenas um metro dela. Ele está deitado de lado, com as mãos agarrando a barriga. Há algo escuro se espalhando em torno dele, uma sombra.

Mas não é uma sombra.

Um vazio se abre no peito dela. *É sangue.*

Elin se arrasta na direção dele, mas para. *E se Margot ainda estiver aqui, escondida na escuridão?*

Ela aponta a lanterna ao redor, mas não há ninguém ali.

Margot se foi.

Com os membros pesados, Elin se arrasta alguns metros e para ao lado dele.

— Will — a língua dela parece inchada dentro da boca —, estou aqui.

Ela pousa a lanterna no chão ao lado dele. Ela pode ver a ferida: um corte estreito e profundo alguns centímetros abaixo do umbigo.

Tapando a ferida com uma mão trêmula, ela tenta estancar a hemorragia.

— Vai ficar tudo bem, Will. Vai ficar tudo bem.

75

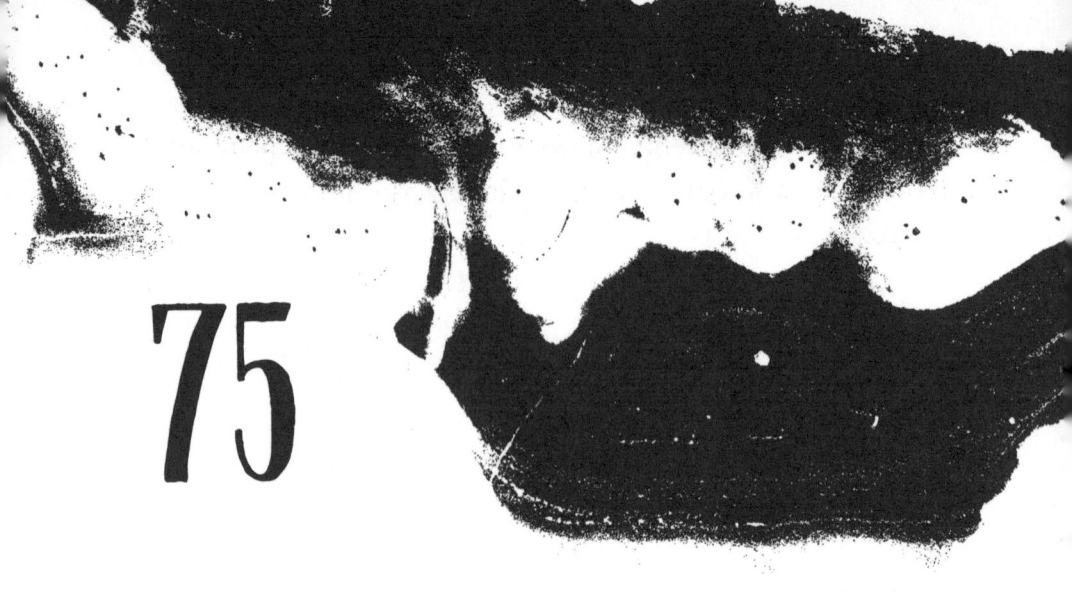

Elin não consegue reconhecer Will naquela figura pálida sobre a cama. Não há nenhuma centelha do entusiasmo dele pela vida, de toda aquela energia pronta para vir à tona. Ela desconfia que sua mente possa estar pregando uma peça, mas a respiração dele parece distante, irregular.

Elin aproxima-se um pouquinho e pousa uma das mãos sobre a dele, mas Will não se move. Ele não sente o peso dos dedos dela. A respiração de Elin fica em suspenso enquanto o observa.

A cabeça dele está inclinada para a esquerda, o louro-escuro do seu cabelo espalhado contra o travesseiro. A cor fugiu do seu rosto, agora marcado por hematomas roxos e várias pequenas contusões. As linhas entre seus traços, tão familiares a Elin, parecem aplainadas, alisadas. Há um lençol estirado sobre a cintura dele, cobrindo a ferida. Ela é profunda, mas a faca não atingira nenhum órgão ou artéria vital.

Depois que o levaram para o quarto, Sara, uma enfermeira, tratou do ferimento com eficiência e muito cuidado. Limpou-o, fez um curativo e administrou analgésicos básicos e sedativos que encontraram na sala da patrulha de esqui. Contudo, logo Will precisará de um tratamento adequado, incluindo antibióticos e monitoração.

Elin congela ao perceber mais uma alteração na respiração dele. Agora, ela percebeu um som rouco pesado antes de retomar ao ritmo irregular. O som animalesco dispara algo dentro dela — pânico. *Isso é tudo minha culpa. Sou responsável por isso.*

Embora Cécile e Lucas tenham lhe dito que ela não poderia ter previsto o envolvimento de Margot, Elin sabe que tem culpa por Will ter ido até lá, antes de mais nada. Ela o colocara em risco.

Recuando da cama, ela franze o cenho, na esperança de mudar a perspectiva, tornar a cena algo diferente. Funciona: o tempo se inclina e se dobra sobre si mesmo. Não na direção de Will, mas na de Sam.

Ela se lembra de vê-lo daquele jeito, estirado ao lado da piscina de pedras. Parecia o mesmo de sempre, o mesmo corpo magro e pálido, o cabelo branco fosco. Porém, parecia haver um vazio em seu interior, como se algo faminto tivesse conseguido entrar nele e devorado tudo.

Ela se lembra de ter sentido calor, depois raiva. Em seu egoísmo infantil, ela esperara *mais*, uma expressão no rosto do irmão, algum sinal de que ele estava triste por ter partido, por tê-la deixado. Mas não havia nada. Apenas um vazio. É o mesmo agora, com Will.

Seus ombros começam a subir e descer.

— Ele vai ficar bem — diz Isaac, pegando a mão dela. — Nós o tiramos de lá a tempo.

Por muito pouco, pensa Elin. Imagens tremulam em sua cabeça: o sangue cobrindo suas mãos, o chão. Ela chamando Isaac, os dedos escorregadios se atrapalhando com o telefone.

Detalhes do que veio a seguir lhe fogem. São cenas fragmentadas de Sara tratando-o no chão imundo, funcionários se movimentando em torno dele, um ciclo contínuo de corpos, instruções dadas aos berros.

— Elin, assim que os paramédicos chegarem aqui, eles o levarão para o hospital. Ele vai ficar bem — assegura Isaac. Ele tenta encontrar o olhar dela, mas ela desvia os olhos.

Ela não consegue parar de pensar no que aconteceu, as palavras se repetem em um ciclo: *Will está naquela cama por causa dela. Por causa do que ela fez.*

Ele quis ir com ela, protegê-la, e ela falhou com ele.

— Eu fiz isso a ele, Isaac. Entrei nessa sem pensar. Ele me avisou...

— Elin, não faça isso. Você não tinha como saber sobre Margot. Ela não enganou apenas você... parece que todos caíram na dela.

— Eu sei, mas eu o coloquei nessa situação imprevisível. Tenho sido uma péssima namorada. E não é apenas isso... tenho feito merda desde que começamos a namorar. Sempre o mantive a distância, nunca o deixei se aproximar... — Elin sente a voz presa na garganta. — E se acontecer alguma coisa? Se ele piorar? Eu nunca disse a ele como me sinto, não de uma forma clara.

Elin para, coloca os dedos nas têmporas.

Algo estranho invade sua cabeça: uma tempestade de emoções, sentimentos se entrecruzando, falhando.

Isaac olha para ela, o rosto tomado de constrangimento, medo. Isaac, que sempre sabe o que dizer, agora está sem palavras. Seu próprio pesar reflete o dela — aquilo tudo é demais para eles. Como a irmã, ele está desmoronando.

A boca dele se move, começa a formar palavras, mas não consegue dizer nenhuma; ou isso, ou ela não as consegue ouvir. Há uma distância estranha. O mundo está recuando até se tornar um pontinho, uma conhecida escuridão. Uma familiaridade. O ar em seus pulmões está sendo substituído por algo mais denso, mais pesado. É como se um rochedo rolasse dentro do seu peito.

— Não consigo fazer isso, Isaac, não consigo — diz Elin.

A respiração dela está irregular, atravancada, incompleta. Ela tenta se concentrar no quadro na parede, nas pinceladas abstratas, mas as linhas estão fora de foco.

— Elin? Está com o inalador?

Ela fecha os olhos. Escuridão. Sente um movimento brusco, a mão de alguém nos seus bolsos, depois perto da sua boca. Um plástico retangular pressiona seus lábios, seus dentes.

— Inspire.

Uma descarga repentina de gás frio e seco atinge a garganta dela.

Só leva alguns segundos. Seu peito começa a relaxar, sua respiração se suaviza.

Com a cabeça ainda girando, ela se vira para Isaac.

— Me desculpe, eu...

— Tudo bem. — Ele pega o braço dela, conduzindo-a para trás, sentando-a no sofá. — Eu não tinha ideia de que a sua asma era tão forte.

Elin se apruma. Por alguns breves instantes, ela pensa em mentir, mas sabe que não consegue. Mentiras em cima de mais mentiras... Isso não pode continuar.

— Isaac, isso... isso não é bem asma. Quero dizer, ainda tenho asma, mas está controlada. O que aconteceu agora foi um ataque de pânico. Eles têm sido piores no último ano, desde mamãe, desde o caso sobre o qual lhe contei. — Ela aponta para o inalador na mão dele. — Isso ajuda, obviamente, mas, de certo modo, é só uma muleta emocional.

Ele olha para ela, fixamente, de modo penetrante.

— Quando isso começou?

— Com Sam. Você tinha razão quando disse que eu sempre preciso buscar respostas. É por causa de Sam. Tudo isso tem a ver com ele. Em todo caso que investigo, estou em busca de respostas, mas é para Sam que fico voltando. Só quero saber o que aconteceu, a verdade, para que eu possa seguir em frente.

As palavras saem em uma enxurrada. Palavras que ela queria dizer há muito tempo. Isaac emite um som de frustração. Ele a encara com os olhos vermelhos, injetados.

— Elin, pare, por favor. Pare com isso.

— Parar o quê?

— De voltar a esse assunto desta maneira, interminavelmente. Mesmo agora, com Will neste estado. — Ele aponta para a cama. — Sam morreu, e não há nada que possamos fazer. Você acha que eu também não fico pensando nisso o tempo todo? Olho para as fotos dele e quero puxá-lo, alcançá-lo com minhas mãos, torná-lo real de novo, mas ele nunca será. Ele não está aqui. Você precisa aceitar isso e seguir em frente.

— Isaac... — começa ela, mas perde as palavras, estupefata. *Como ele pode fazer isso?* Assumir esse tom arrogante quando tudo aquilo tem a ver com *ele*.

— O quê? É verdade. Não aguento ver você assim. Você é uma sombra do que costumava ser. Ninguém culpa você, Elin. Ninguém. Eu não queria precisar dizer isso, mas acho que é o que você precisa ouvir.

Elin olha para ele.

— Me culpar? Por quê? — retruca ela, com a voz aguda. — Tudo isso é por causa de você, Isaac. O que você fez com Sam naquele dia. É isso que está me impedindo de seguir em frente.

— Eu? — titubeia Isaac.

— Fico tendo esses *flashbacks* do que realmente aconteceu. Você, com as mãos cobertas de sangue. Você fez aquilo, não fez? Você o matou. Vocês tiveram aquela discussão, e foi longe demais. — As palavras estão jorrando dela agora, fáceis, feias, alimentadas pelo ressentimento, pela raiva... Tudo o que ela vinha escondendo havia tanto tempo.

— Não — balbucia Isaac, mas, ao encontrar o olhar de Elin, a expressão dele é firme. — Como eu disse, não vamos entrar nisso agora. — Ele olha para a cama. — Não com Will neste estado.

— Não, não vai ser tão fácil assim. Quero saber, Isaac. Quero que me conte exatamente o que aconteceu.

Silêncio. Um longo momento de tensão. Elin sente a garganta pulsar, transbordando de palavras, perguntas.

— Vamos lá — diz ela, agarrando o braço dele com brutalidade. — Pode começar com a primeira mentira. Você não foi ao banheiro, foi? Você estava lá, com Sam.

É quando ela repara em algo estranho nos olhos dele, algo que faz uma fria gota de medo pingar através dela.

Que pena.

Isso não está certo, ela pensa, em pânico. Ele deveria estar triste, sentido, até mesmo na defensiva, mas não isso... não deveria estar com pena dela.

Os olhos de Isaac sobem para encontrar os dela. Eles estão apagados, tristes.

— Tudo bem — diz ele, finalmente. — Você quer a verdade? Eu não estava lá quando ele morreu, Elin. Era você que estava com ele, não eu.

76

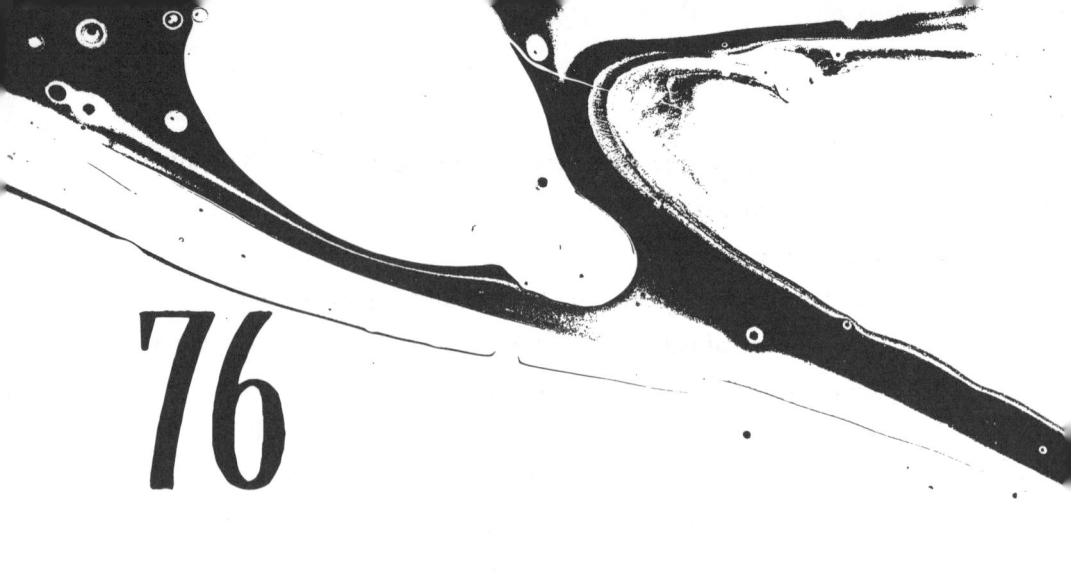

Elin vacila.

— Não entendo o que está dizendo. Eu não estava lá. Estava ao lado do penhasco.

Isaac esfrega os olhos com força.

— Não. Você tinha voltado. Pedi a você para tomar conta de Sam enquanto eu ia ao banheiro. Quando voltei, ele estava na água. Você estava balbuciando, se repetindo, dizendo que o vira entrar, que não conseguira fazer nada. — Ele para por um instante. — Escute, os médicos disseram que você estava em choque. Que você congelou.

— Não. Não. — Balançando para a frente, ela dobra os braços com força em torno do corpo, incapaz de assimilar aquelas palavras. — Isso não está certo.

— Eles disseram que não havia nada que você pudesse ter feito — continua Isaac. — A autópsia mostrou que ele morreu instantaneamente, por causa de uma hemorragia cerebral provocada pela queda. Ele bateu com a cabeça na pedra bem no lugar errado. Foi só isso, azar.

Subitamente, Elin sente uma intensa onda de náusea. O mundo que ela conhecia está se esboroando, tornando-se algo novo.

Passam-se vários instantes até ela quebrar o silêncio.

— Conte-me o que aconteceu — sussurra Elin. — Os detalhes.

— Tem certeza?

Ela assente.

Isaac muda de posição para ficar de frente para a irmã.

— Quando saí para ir ao banheiro, você tinha lançado sua rede ao lado da dele. Foi a última coisa que vi.

— E depois? — pergunta ela, num tom quase inaudível.

— Voltei, vi Sam na água. Entrei na água e o tirei de lá. Eu... — Ele para, e Elin sabe por quê. Ele não quer dizer as palavras. Não quer implicar qualquer coisa. Contar que a viu de pé ali, sem fazer nada.

Ao pensar nisso, ela puxa o ar profundamente, uma inspiração aguda e dolorosa.

Durante todo aquele tempo ela o culpou. Pensando que ele havia matado o Sam, a Laure...

— Mas e o sangue — continua ela — nas suas mãos?

— Foi de quando o tirei da água. Havia um corte no lado da cabeça dele.

Elin está em silêncio, dando-se conta de que seus dedos estão se movendo quase de forma independente do seu cérebro. Contraindo e depois estendendo-se em torno de nada além de ar.

— Então você está dizendo que eu estava lá e não fiz nada para ajudá-lo — gagueja ela.

— Sim, mas os médicos disseram que você estava em choque. — Isaac põe a mão sobre a dela. — As pessoas reagem de modos diferentes quando coisas assim acontecem, você deve saber disso pelo seu trabalho. Elin, você só tinha doze anos. Pensei muito sobre isso, li sobre o que pode acontecer quando você vivencia algo traumático. Você viu uma coisa horrível. Você congelou. É normal.

— Não. Não. Isso não aconteceu. Não pode ter acontecido. Não dessa maneira. — A voz dela soa animalesca. Algo visceral, fora de controle. — Isaac, não — continua ela, socando o braço do sofá com um punho. — Por favor, diga que o que você está falando não está certo. Não está certo.

— Elin — começa Isaac —, eu não queria contar, não desta maneira. Mas, talvez, agora que você sabe a verdade, você possa aceitar o que aconteceu. Seguir em frente. Todos estes medos que você tem sentido... talvez tenham se enraizado em você.

— Em mim?

— Sim. Deveríamos ter feito você ir a um terapeuta, falar sobre isso, mas mamãe estava preocupada, achando que você se culparia. Em vez disso, acho que sua mente ergueu uma barreira em torno daquele dia, contra o que aconteceu.

— Isso não é verdade

Ela não quer a pena dele, aquelas mediocridades. A sensação é como se estivessem lhe arrancando as tripas. Sua cabeça lateja. Ela está prestes a explodir. Não consegue se lembrar de já ter se sentido tão cansada. Tudo o que quer é ficar sozinha.

— Por favor, Isaac, apenas vá embora. — Sua voz soa estranha. Vazia.

Ele hesita, faz menção de dizer algo antes de sair.

Observando-o partir, ela fecha os olhos com força para bloquear aquilo, bloquear tudo, mas fazer isso não os impede de vir: pensamentos, afiados como facas.

Ela não o ajudara. Sam. Seu Sam. Seu irmãozinho. Amante de histórias e de fábulas. O soldado.

O cavaleiro.

A ovelha relutante na fantasia branca de lã.

Elin repousa a cabeça nas mãos. Ela sente engrenagens girando, nas profundezas do seu cérebro, realocando-se.

Tudo faz sentido agora, não faz?

A reticência da mãe dela em falar sobre Sam, a expressão forçada demais em seu rosto sempre que ela mencionava seu nome.

O pai indo embora, suas tentativas pouco entusiasmadas de manter contato.

Eles a culparam, pensaram que ela poderia tê-lo salvado.

Fragmentos de uma memória vêm à tona: o primeiro aniversário da morte de Sam. A mãe no quarto do irmão morto, sentada na cama dele, segurando um livro, *Peepo*. Um dos favoritos de Sam quando era bebê, mas, mesmo depois de crescido, ele continuava adorando a linguagem simples, a repetição daquele texto.

A mãe estava lendo, murmurando as palavras, balançando levemente o corpo. Elin se aproximou, apertou delicadamente seu ombro. Ela se encolhera com o toque da filha, fazendo um gesto intenso o bastante para que o livro voasse de sua mão, chocando-se contra a nave espacial de Lego de Sam.

A nave caíra da base, partindo-se em pedaços. A mãe, ainda sem reconhecer a presença de Elin, se jogou no chão, tateando para pegar as peças.

Naquele momento, Elin achou estranho como a mãe se encolheu ao seu toque, mas nunca havia compreendido de fato o significado daquilo.

Até agora.

Recostando-se na almofada, ele sente lágrimas quentes arderem em seus olhos.

Tudo faz sentido agora.

A mãe dela sabia.

Todos sabiam.

Tinha sido ela.

77

Quinto dia

Quando Elin acorda, ela não tem ideia de que horas são. Estendendo a mão para conferir, faz uma careta de dor: suas costas estão rígidas e ela sente todo o corpo doer. Não só por causa do embate com Margot, mas também por estar dormindo em uma cama de acampamento que o hotel fornecera a ela. Assim, Will pôde ficar com a cama deles para se recuperar. Estreita e frágil, aquela tentativa de colchão mal cobre a dura treliça de molas.

São 6h01, e está claro o bastante para que Elin consiga ver Will. Ele continua pálido, mas sua respiração é ritmada, constante. Aliviada, ela se recosta no travesseiro. Sua cabeça está latejando, pesada, e cada fibra do seu corpo ainda anseia por sono. Virando-se de bruços, ela sente os olhos fecharem.

Desta vez, o sono vem mais forte e mais rápido, tomando-a, engolindo-a. Em poucos minutos, ela está se deixando levar. É perigoso, ela sabe, porque, desta vez, quando o *flashback* vier, não serão os fragmentos de sempre, mas sim a imagem completa.

Sam, debruçado na piscina de pedras, a rede jogada bem fundo no meio da água turva com algas marinhas. A cena se desenrola em câmera lenta: Sam se virando para dizer algo — "Não tem caranguejos", talvez, ou "Meu pescoço está ardendo" — e, ao girar o corpo de volta para olhar para a água, perde o equilíbrio.

Elin começa a rir, a rir da expressão cômica dele, a qual, ela logo percebe, não é de maneira nenhuma uma expressão cômica, é medo. Medo contorcendo seu rosto em caretas porque ele está caindo para trás.

Não há nada pior do que isso, não é mesmo? Não ver para onde você está indo. Sem controle.

Ele rompe a superfície da água sem agitá-la.

Ela sabe agora que aquele foi o primeiro sinal de aviso: Sam deveria ter agitado a água. Deveria ter feito um barulho, gritado ao bater na água, se debatido, rindo, enquanto tentava se endireitar.

Mas não houve nada disso: apenas um único borrifo seguido por um som nauseante de algo quebrando.

Depois, Sam estirado, imóvel, o impacto continuando somente na água: círculos se expandindo em ondas.

Parte da pedra está manchada: um vermelho-escuro intenso na cobertura branca de cracas.

O rosto de Sam não se parece com o rosto de Sam. Os olhos estão arregalados. Olhando para o nada. Seu corpo sem vida, os membros flácidos, como quando era um bebê, ainda sem os ossos totalmente formados.

Há uma fenda no lado da cabeça dele. Mais do que um corte, algo aberto, escancarado. Elin quer se mover, disso ela se lembra: ela quer mergulhar, fazer alguma mágica para ajudá-lo, mas seus pés não conseguem se movimentar.

Eles estão presos. Colados à pedra e à superfície arredondada da lapa pressionada contra o calcanhar esquerdo.

Mexam-se, ela diz para os pés, *mexam-se*.

Mas eles não obedecem. Seus olhos também não. Eles também estão presos.

Presos no corpo de Sam na piscina de pedras, na sua camiseta inflada pela água, a brisa batendo nela, fazendo-a ondular como um balão.

As pernas dele entram no balanço da água, uma bandeira esfarrapada de algas agarrando seu tornozelo. O balde dela se solta de sua mão: um baque forte na pedra abaixo.

A água cheia de algas escorre entre os aglomerados de lapas e cracas. Os caranguejos se movem, os camarões saltitam contra a pedra procurando desesperadamente a água.

É quando sua mente se prende em algo.

Ampliando a imagem em seu pensamento, ela fica presa em uma ação, um ciclo:

Balde se soltando da mão. Balde se soltando da mão.

Elin ergue a mão, agarra o colar com força. Seus dedos se fecham em torno da curva do anzol, seu coração bate forte enquanto aquela memória liberta o eco de outra.

Uma ação parecida.

Algo caindo no chão.

Na briga entre Will e Margot, algo caíra no chão.

Elin fecha os olhos e aquela memória toma contornos definidos: os dois brigando, ofegantes, os grunhidos, e, em meio àquilo tudo, algo mais abafado.

Um baque suave, o arrastar de algo deslizando pelo chão.

Elin se senta, pega a água. Tomando um longo gole, a cabeça dela destrincha o pensamento.

O que poderia ser? O que teria caído no chão?

78

— Tem certeza disso? — pergunta Isaac com um tom suave, mas seus olhos transparecem preocupação. — Depois de tudo o que aconteceu? Você não estava bem quando parti.

Virando-se de novo para o lado da cama, ele pega seu café e esvazia a xícara.

O rosto dele parece cinzento à meia-luz, seus cachos emaranhados e achatados.

Ao fundo, a bagunça do quarto: cobertas repuxadas, xícaras por toda a mesa de cabeceira. Elin sente uma pontada aguda de culpa, afinal, ele está de luto, mal conseguindo administrar aquele sentimento, e agora ela está contando isso para ele.

— Não consigo deixar para lá. — Ela repele o pensamento. — Ouvi algo cair, tenho certeza. Precisamos pelo menos dar uma olhada.

— Mas, se havia algo lá, com certeza teríamos visto quando estávamos ajudando Will. — Os olhos dele examinam o rosto dela. — Havia um grupo lá embaixo. Se alguma outra pessoa tivesse encontrado, teria nos contado.

Elin analisa a reação contida dele, a expressão cuidadosamente neutra. Ele acha que ela está exausta, disposta a tentar qualquer coisa para provar seu ponto.

Um silêncio desconfortável.

Repentinamente, ela se dá conta de como deve estar sua aparência: o rosto melado, úmido de suor, o cabelo desgrenhado pelo sono conturbado. Um rubor sobe pelo seu rosto.

— Não necessariamente — discorda ela, passando a mão pelo cabelo para tentar ajeitá-lo. — Estávamos concentrados em ajudar Will, então facilmente algo pode ter passado despercebido.

— De qualquer forma — diz Isaac, com cuidado —, isto provavelmente não é a decisão certa. É bem provável que Margot esteja aqui, em algum lugar no hotel. Ela saiu da sala, escapou. É arriscado demais. — Ele hesita. — E não é só isso. E quanto a Will? Você não deveria estar com ele?

Elin sente os ombros retesarem: outra onda de culpa.

Ele tem razão.

Ela *deveria* estar com Will. É o mínimo que pode fazer depois do que aconteceu, mas o ímpeto de seguir seus instintos é forte demais.

— Quando saí, ele ainda estava dormindo. Passou bem a noite toda. Sara me enviou uma mensagem dizendo que daria uma olhada nele em um minuto, e isso… não vai demorar. — Ela para, fazendo uma careta ao ouvir as próprias palavras.

Criando desculpas da forma mais egoísta possível.

— Tem certeza? — pergunta Isaac, vestindo um agasalho.

— Sim. O fato de Margot ter me atacado prova que a coisa toda ainda não terminou. Ela queria me tirar do caminho porque tem mais algum plano.

O olhar dele se volta para a janela.

— Ainda acho que você deveria esperar. A previsão do tempo disse que o clima pode melhorar hoje. Talvez a polícia consiga chegar aqui.

— Não é o que parece — retruca ela.

Elin olha para fora. Ainda está escuro, mas as luzes externas iluminam a neve despencando do céu: flocos enormes e espessos.

— Não podemos nos dar ao luxo de esperar. Pela maneira que Margot falou, sei que isso é pessoal. É vingança.

Os olhos de Isaac vagam até pararem na cadeira a pouco mais de um metro dele.

Elin segue seu olhar. *A jaqueta de couro de Laure, pendurada no braço.*

Algo muda na expressão dele.

Ele assente com um movimento rápido, determinado.

— Certo. Vamos lá.

Os olhos de Isaac ardem com uma emoção que vai além da raiva. É algo bruto, mais sombrio, profundamente pessoal.

79

As luzes estão funcionando na sala dos geradores agora. Sob o forte brilho neon, o espaço parece diferente — estéril, inerte, as máquinas com seu barulho ritmado suavemente funcionais em vez de sinistras.

À frente dela, percorrendo o caminho sinuoso entre os equipamentos, Isaac se vira.

— Ela atacou Will mais para o fundo da sala, não foi?

— Sim. Mas não estamos longe.

Alguns metros adiante, Elin consegue ver o sangue. O sangue de Will. Ao se aproximar lentamente, ela sente um aperto no estômago.

Há marcas vermelhas nos azulejos: manchas desordenadas de onde os funcionários levantaram Will. Leves pegadas ensanguentadas traçam um caminho até desaparecerem.

Ela se força a respirar fundo.

— Se deixaram algo cair, deve estar em algum lugar por aqui. — Seus olhos varrem o chão, os espaços entre os equipamentos volumosos.

— Está vendo alguma coisa? — pergunta Isaac, parando ao lado dela.

— Até agora, nada.

Ela morde o lábio, frustrada. Nada que indique o som que ouviu... aquele baque leve, o som rascante de algo deslizando pelo chão.

A menos, pensa Elin, ajoelhando-se, que o impacto tivesse sido forte o bastante de modo que o objeto tenha se movido para mais longe do que ela pensava. Afinal de contas, os azulejos são lisos, escorregadios...

Inclinando a cabeça para o lado, o colar balançando contra o queixo, ela olha sob a máquina à sua frente. *Existe espaço suficiente para algo deslizar para baixo?*

Existe... Ela inclina a cabeça para o outro lado. É quando ela vê: uma quina branca, quase imperceptível, despontando pela metade por baixo de uma gaiola de metal em torno do gerador.

Ela estende a mão para a beirada do objeto, tenta puxá-la na sua direção. *Ela não sai do lugar.*

Segurando de outra maneira, ela agarra a beirada entre o dedo e o polegar e puxa. Desta vez, ela desliza facilmente. Ela olha: *um envelope, abarrotado.*

— Encontrou alguma coisa?

Elin se levanta.

— Um envelope.

Com as mãos tremendo, ela levanta a aba, retira uma pilha grossa de folhas de papel A4 dobradas ao meio.

Examinando a primeira folha, ela inspira de repente. Reconhece as palavras, o layout.

Gotterdorf Klinik.

— É um registro médico. Igual aos do pen-drive de Laure.

No entanto, há uma grande diferença, este não está editado. Ela passa os olhos pela página, começando pelo nome no topo: Anna Massen.

Massen: é o sobrenome de Margot, não é? Então Elin repara no número abaixo do nome: 87534. Ela inspira. *Não pode ser coincidência.*

Olhando o restante do papel, ela não consegue ler mais nada. Aquele vocabulário médico em alemão está além das suas capacidades.

Ela passa para o seguinte.

— Há mais — murmura, então para.

Algo caiu no chão. Fotografias em preto e branco.

Ela sente uma onda de choque ao examinar a primeira imagem. Cinco mulheres deitadas lado a lado em mesas de cirurgia. Um pano cobre frouxamente seus membros inferiores, mas foi displicentemente puxado para baixo, como se tivesse sido movido às pressas para o fotógrafo.

Para que a lente pudesse capturar o trabalho manual.

Não que se pudesse chamar aquilo de trabalho, pensa Elin, sentindo uma forte ânsia de vômito.

Os corpos estão mutilados, barrigas abertas, carne retraída com algum tipo de instrumento metálico para revelar os órgãos internos.

O olhar de Elin se volta para a cabeça das mulheres. Parece que parte dos crânios foi removida, o tecido cerebral exposto.

A mente de Elin está gritando: *Não olhe, não olhe.*

Mas ela precisa olhar. Sente um calafrio diante do que encontra em seguida: três pessoas de pé atrás das mulheres, vestindo roupas cirúrgicas. Todas usam máscaras. As máscaras escondem os rostos, mas ela tem quase certeza de que são homens. A estrutura dos corpos, a altura, a posição formal, com as pernas afastadas.

São as mesmas máscaras grotescas de borracha que estavam presas aos rostos de Adele e de Laure.

A mesma máscara que o assassino usava.

Elin sente outra onda de repulsa ao chegar à conclusão: a única razão lógica para os médicos estarem mascarados é ocultar sua identidade. Eles não queriam que soubessem quem eram porque estavam fazendo algo errado. Certamente parece errado. Longe de ser um procedimento clínico, parece uma cena de crime. Algo desumano. Bárbaro.

Seus dedos se contraem em torno da fotografia e, mais uma vez, ela precisa se forçar a examiná-la, seus olhos encontrando novos detalhes.

Elin inspira mais uma vez ao notar que a mulher mais próxima da câmera está com o braço dependurando ao lado da cama. Vários dedos foram removidos.

Há também algo em torno do pulso dela. É difícil dizer do que é feito porque a imagem não é colorida, mas é definitivamente uma pulseira. Parecida com as pulseiras de cobre que ela encontrou nas caixas.

— É isso. — Elin ainda está digerindo todas aquelas informações e o que significam. — É disso que tudo se trata.

O rosto de Isaac está contorcido de nojo.

— O que eles estão fazendo exatamente?

— Não sei — responde ela, num tom soturno. — Mas, o que quer que seja, não parece legal.

Depois de passar a fotografia para Isaac, Elin ergue a seguinte. Nela figura um gramado alto e o que parece uma cova solitária sem lápide ou marcação, cuja terra havia sido revirada recentemente.

Passando para a próxima, ela leva a mão à boca. Embora não seja tão explícita, a imagem é igualmente perturbadora. Há uma mulher deitada em uma mesa de cirurgia e dois sacos de areia amarrados com força ao seu peito. O peso dos sacos fez seu peito ceder, encurvar. Os olhos da mulher estão fechados.

Elin não consegue dizer se a mulher está viva ou morta. Ela duvida que esteja viva, pois parece impossível respirar com o peso dos sacos de areia no peito. Aquilo indica que seus pulmões teriam lutado para inflar. Novamente, há três homens mascarados atrás dela.

A pose fixa deles, as máscaras... é assustador.

Com dedos atrapalhados, ela segue para a seguinte. A imagem mostra duas mulheres, mais uma vez em mesas de cirurgia. Lençóis cobrem quase inteiramente os corpos, mas há longas incisões no pescoço. Elin olha, estremecendo à medida que a cena entra mais em foco.

Sua mente faz a conexão. O saco de areia, a incisão no pescoço... aqueles foram os métodos usados para matar Adele e Laure.

Sua teoria está certa: como elas foram mortas, a assinatura...

Isso.

Margot está reencenando o que aconteceu naquelas imagens. Cada mínimo detalhe, do método de matar até as máscaras, além das pulseiras.

Elin vira-se para Isaac, pronta para dizer algo, quando percebe que ele ainda está olhando atentamente para a primeira fotografia.

— O que foi? — pergunta ela.

— Olhe para isso. Há algo escrito no verso.

Ele lhe entrega a fotografia. Isaac tem razão: há algo escrito a lápis, uma caligrafia antiquada, arredondada, do tipo que não se vê mais. *Sanatorium du Plumachit, 1927.*

Uma ideia ocorre a Elin, e ela repassa as fotografias até encontrar a da cova. Aproximando-a dos olhos, escrutina o cenário. Embora não haja neve no solo como agora, ela reconhece o aglomerado de pinheiros erguendo-se resoluto, o vislumbre da montanha alta acima.

— Isso foi tirado perto do sanatório, não foi? Essas mulheres foram enterradas aqui perto.

— É o que parece. Em covas rasas.

Elin encontra a primeira fotografia, vira para o verso, seu olhar seguindo mais para baixo desta vez.

Abaixo do nome do sanatório, há cinco conjuntos de números, escritos um abaixo do outro. Cada conjunto contém cinco dígitos em uma linha. Seu pensamento dá um salto: *Cinco mulheres. Cinco conjuntos de números.*

Ela passa o dedo sobre a sequência numérica no alto: 87534. Uma lenta chama de reconhecimento: a mesma que ela encontrara no arquivo médico no pen-drive de Laure, em um dos braceletes ao lado do corpo de Adele... é a mesma sequência.

Uma dessas mulheres é parente de Margot.

Elin olha nos olhos de Isaac.

— Ele bate com os registros médicos. Os números atrás da fotografia são números de pacientes.

— Quer dizer que os números em cada pulseira correspondem a um paciente?

— Sim. Tenho quase certeza, olhando para isso, de que uma dessas mulheres era parente de Margot.

— Mas os arquivos se referem à clínica alemã, uma instituição psiquiátrica. Como vieram parar aqui?

— Não sei. Precisamos que alguém traduza os arquivos, mas meu palpite é que elas não foram transferidas para cá por questões de saúde mental.

Vários detalhes a incomodam: a maneira como os homens atrás das mulheres estão alinhados, em uma fileira. Há uma hierarquia implícita na postura deles, nas posições — as mulheres deitadas vulneráveis, cirurgiões mascarados de pé sobre elas, no controle.

Uma ameaça.

E então, a cova, o fato de que não há nenhuma lápide, nenhum sinal de qualquer tipo de cerimônia. *Será que foi feito em segredo?*

Elin empurra o cabelo para trás.

— É disso que se trata, todos esses crimes, Isaac. Vingança. De alguma maneira, Margot conseguiu esses registros, essas fotografias, e agora está se vingando.

A expressão dele muda, seus traços se retesam.

— Se você estiver certa — ele aponta para as figuras mascaradas —, e se ela estiver agindo de acordo com essas fotografias, há cinco pessoas, Elin. — Ele ergue a fotografia. — Se incluirmos Daniel, ela matou três até agora. Portanto, isso significa...

— Que ainda faltam duas — completa Elin.

Uma pausa.

— Mas o que não entendo — começa ele — é por que ela os escolheu. Adele e Laure... Daniel. O que aconteceu nessas fotos foi anos atrás. É horrível, traumático, mas deve ter ocorrido algo mais recente para que ela tenha os escolhido agora.

— Concordo, mas é impossível dizer, pelo menos até que saibamos mais.

— E agora? — Isaac move os olhos para o envelope na mão da irmã. — Temos essa informação, mas ela não nos diz onde Margot está, o que está planejando.

— Tem razão — reconhece Elin, e é aí que repara em algo, bem na borda do envelope. Um pedacinho de esmalte escuro.

O esmalte de Margot.

De súbito, o subconsciente de Elin dá um solavanco. Uma imagem: pedacinhos de esmalte no balcão. Margot estendendo a mão para removê-los e, com o gesto, uma bolsa caindo, seu conteúdo se espalhando pelo chão.

O pensamento que até agora permanecera disforme, elusivo, se consolida em algo. Algo que a parte consciente de sua mente não tinha captado na hora, mas que, claramente, seu subconsciente tinha percebido.

Elin sente uma pontada de medo no estômago.

— Precisamos encontrar os Caron. Acho que sei onde Margot pode estar, Isaac. Acho que ela esteve no hotel o tempo todo.

80

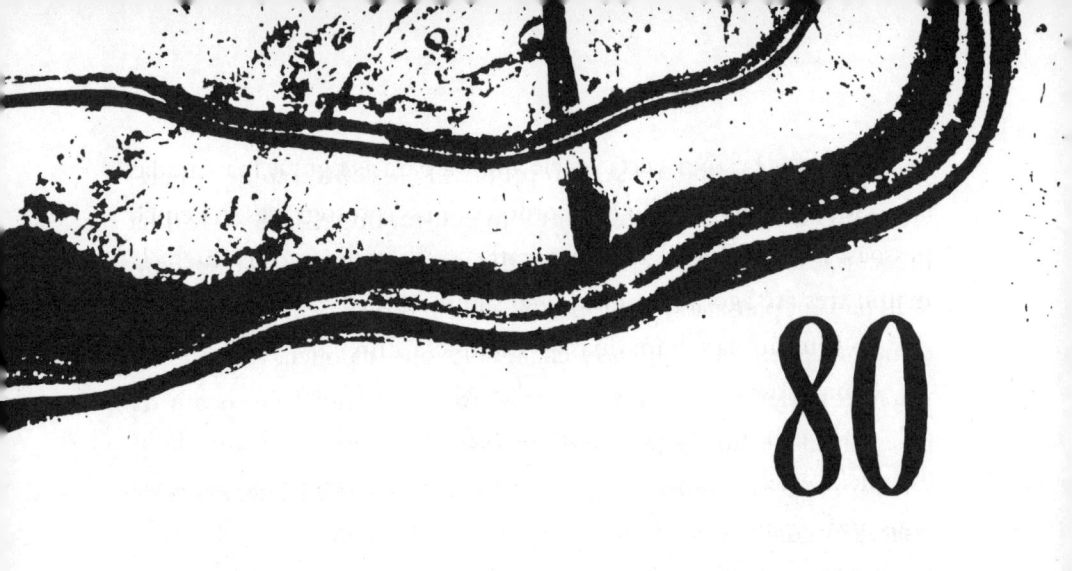

— A sala de arquivos? — diz Lucas com desdém, deslizando sua xícara de café sobre a mesa. — Não há nada lá.

Elin pode sentir a tensão emanando dele: os ombros rígidos, a mandíbula projetada para fora.

Não é porque ela o acordou que ele está incomodado, mas sim porque não obedeceu à sua recomendação. Porque ela ainda está investigando.

— Tem certeza? Não há nenhuma outra porta? Nenhuma outra saída da sala?

— Não — responde Lucas, grosseiramente. Abaixando a tampa do laptop, ele encontra o olhar dela, um ar de desafio nos olhos. — O que faz você ter tanta certeza de que ela tem estado lá?

— É um palpite — diz Elin, e logo se repreende.

Um palpite. Ela soa como uma amadora.

— Você quer se colocar em risco por causa de um palpite? — Ele troca um olhar com Cécile, os lábios se contorcendo. — A polícia talvez chegue hoje. O tempo deve estar melhorando. Eu prefiro aguardar, como nos aconselharam.

Ele não menciona que sabe da licença dela, e que Elin havia mentido, mas não precisa: aquela informação é um peso que paira sobre eles.

— Aguardar poderia ser um problema. — Elin escolhe as palavras com cuidado, mantendo um tom neutro, impassível. — Minha preocupação é que ela esteja fora de controle. O que ela fez com Will não foi planejado, foi espontâneo, e é muito provável que faça o mesmo outra vez. Quando ela souber que a polícia está aqui, a situação poderia piorar em um minuto — conclui Elin, o fim da frase sendo abafado pelo som do vento.

Elin sente o celular vibrar no bolso e vê que é uma chamada de Isaac. Ela guarda o telefone; vai ligar para ele depois.

— Você realmente acha que Margot é capaz de tudo isso? — pergunta Cécile.

Elin baixa o envelope sem muita firmeza nas mãos.

Era isso o que ela estava esperando, a reação deles à imagem.

— Acho que ela é capaz — afirma Elin, num tom brando — por causa disto. — Tirando a primeira fotografia, ela a pousa na mesa. — Este é o motivo de Margot. Não consigo pensar em outro.

Cécile se encolhe, levando uma das mãos à boca. A expressão de Lucas é mais difícil de decifrar, imutável.

— O que é isso? — pergunta ele, coçando a barba no queixo com uma das mãos.

— Esta fotografia foi tirada aqui. Achamos que uma destas mulheres é parente de Margot. — Elin vira a fotografia. — Um dos números no verso bate com o número do paciente no registro médico que encontramos no mesmo envelope e também com o número em uma das pulseiras.

— Mas o que estão fazendo com estas mulheres? — Cécile pega a imagem, com os olhos vidrados. — Não parece uma operação normal.

— Acredito que não seja. Estas mulheres vieram de uma clínica psiquiátrica na Alemanha. Não há nenhum motivo médico legítimo, até onde sei, para que tenham sido transferidas para cá, para um sanatório de tuberculosos.

Elin enfia a mão no envelope e tira o registro médico que pertencia à parente de Margot.

— Saberemos mais com esse documento — diz ela. — Não consegui entender nada.

— Posso traduzir — diz Cécile.

Primeiro ela lê em silêncio, depois conta:

— Diz aqui que ela foi internada na clínica por razões psiquiátricas depois do nascimento do quarto filho. O médico da família a encaminhou para cá depois de conversar com o marido. O registro detalha medicamentos, tratamentos — ela franze o cenho —, no entanto, não há nenhuma menção a uma transferência aqui.

— Não acredito que haveria. Acho que isso foi feito em segredo. Sem registro. — Elin vira a imagem. — Está escrito muito claramente. *Sanatorium du Plumachit.* — Colocando de novo a mão no envelope, ela pega a fotografia que mostra a cova e a passa para eles. — Também encontramos isso entre as fotografias. Parece que foi tirada aqui. Perto do hotel.

— Uma cova... — diz Cécile lentamente. — Você acha que estas mulheres foram enterradas aqui?

Elin assente.

— Vocês não tinham ideia de que algo desse tipo acontecia aqui? — pergunta ela.

— Não. — Cécile assume uma expressão sombria. — Não há nada sobre isso nos arquivos.

— Lucas? — Elin espera a reação dele. Qualquer sinal ou indício que o traia. — Você não tinha nenhuma informação sobre as covas quando estava planejando a construção?

Desviando o olhar da imagem, ele balança a cabeça, negando.

Elin percebe que há algo na reação dele; sua expressão é neutra *demais*, distante demais. Concentrando-se nele, com a cabeça a mil, ela não percebe que Cécile está lhe dizendo algo.

— O que disse?

— Eu estava dizendo que isso aconteceu há muito tempo. — Cécile franze o cenho mais uma vez. — O que isso tem a ver com Adele e Laure? Com o Daniel? Por que matá-los?

— Não sei — admite Elin. — Só Margot pode nos dizer.

Os olhos de Cécile esquadrinham a fotografia.

— Vendo isso, acho que você tem razão. Se os crimes têm relação com o que aconteceu nestas fotos, quem sabe o que Margot poderá fazer a seguir? Acho que você deveria tentar encontrá-la. Confrontá-la.

Lucas parece desconfortável.

— Não sei...

Elin capta os olhos dele, mantendo seu olhar fixo.

— Esta pode ser nossa única chance de ir para a ofensiva, de pegá-la desprevenida. Até agora, ela tem estado um passo à nossa frente. Se agirmos logo, teremos a vantagem do elemento surpresa.

Lucas assente e se vira para Cécile.

— Você pode ir para o refeitório e supervisioná-lo enquanto todos tomam o café da manhã? Irei com Elin.

— Será que nós... — interrompe-se Elin ao sentir o telefone vibrar de novo no bolso. Ela o pega e vê que é Isaac ligando outra vez. — Só vou atender esta chamada — diz, dirigindo-se para o canto da sala.

— Por onde você estava? Não atendeu ao telefone.

— Estava mostrando as fotografias para Lucas e Cécile.

— Você deveria estar disponível, Elin. Você sabe disso.

Elin está prestes a responder, mas desiste, percebendo o tom sombrio dele.

— O que há de errado?

Uma pausa.

— Isaac? É Will?

— A pressão dele... — A frase de Isaac morre, como se ele estivesse lutando para encontrar as palavras. De repente, Elin fica enjoada, tomada por um calor em todo o corpo — ... caiu um pouco. Sara não tem certeza se é uma infecção ou uma hemorragia interna. Ela diz que é improvável, por causa do local do ferimento, mas acha que precisamos levá-lo a um hospital.

Elin sente uma forte pressão em sua cabeça, como se estivesse sendo comprimida por um torno.

Isso não pode estar acontecendo. Ela não pode deixar isso acontecer. Não de novo.

— Como? Estamos presos aqui. — Elin está ciente de que sua voz soa desequilibrada. Descontrolada. — Não há como sair daqui.

Lucas olha para ela.

— Eu sei. Só queria que você soubesse o que ela disse.

Ela percebe que ele está se esforçando para manter a voz calma. Ele não sabe o que fazer com a informação; como ele próprio deve reagir, muito menos como contar a ela.

— Vou subir. Vou vê-lo antes de ir com Lucas.

— Certo.

Elin explica a situação para Lucas, depois deixa o escritório, o coração batendo forte.

Fique calma, ela diz a si mesma, mas tudo em que consegue pensar é em perder Will.

Ela não pode perder mais uma pessoa amada.

81

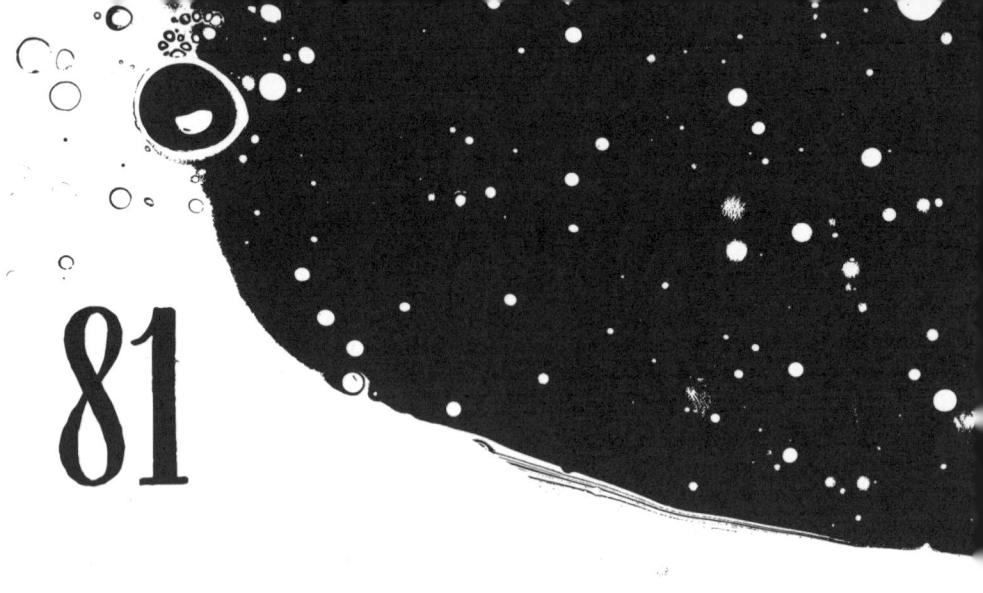

Fechando a porta do quarto ao entrar, os olhos de Elin se enchem de lágrimas — lágrimas que ela precisou reprimir quando estava sentada ao lado de Will. Ela estava tentando ser forte, não demonstrar nenhum medo, mas aquilo era só fachada.

Will parecia pior. Frágil. Sob a luz forte acima da cama, sua pele estava quase translúcida, os traços azulados das veias em torno das têmporas agora visíveis. A respiração parecia rasa, como se estivesse fazendo um esforço gigantesco para manter as funções mais básicas.

Apesar de Sara assegurar que a pressão dele tinha voltado ao normal, que as coisas estavam sob controle, a cabeça de Elin segue levantando as piores hipóteses:

E se a pressão dele cair de novo?

E se Sara estiver escondendo o pior porque sabe que não há nada que possam fazer até que a ajuda chegue?

Mas ela sabe que não pode se deixar dominar pelo medo. Se fizer isso, não será apenas a vida de Will que estará em jogo, serão as de todas as outras pessoas naquele hotel.

Descendo rapidamente o corredor, ela seca as lágrimas dos olhos.

Foco, diz a si mesma. *Permaneça no controle.*

Lucas está aguardando fora da sala de arquivos.

— Como está Will?

Ele abre a porta, seus olhos tomados por uma preocupação genuína.

— A pressão dele... caiu de repente, mas tinha subido de volta quando parti. Sara acha que pode ser o começo de uma infecção. Ele precisa de antibióticos.

Elin para, sentindo uma nova onda de culpa.

Ela deveria mesmo estar deixando-o para fazer isso?

Lucas olha sem jeito para ela.

— Escute — o tom dele suaviza —, ficarei feliz em fazer isso sozinho, se quiser ficar com ele.

Elin adentra mais na sala.

— Não, preciso fazer isso.

Não somente porque quer se assegurar de que Margot não possa fazer mal a mais ninguém, mas porque, agora, é profundamente pessoal. Margot fez mal a Will e a Laure. Ela precisa ser detida.

— É isso.

Ela se agacha no meio da sala de arquivos, passa os dedos sobre o piso de borracha.

Seus olhos se fixam nos buracos em forma de diamante no piso, onde ela nota um pequeno pedaço de metal inclinado sobre eles, com as estrelas prateadas o decorando.

— O que é? — pergunta Lucas, se ajoelhando ao lado dela.

— Uma presilha de cabelo. É de Margot. Quando estive aqui antes, a vi no chão. Não fiz a ligação até ver o esmalte dela no envelope. Aquilo desencadeou alguma coisa... Eu me lembrei dela cutucando as unhas no balcão. Quando ela espanou os pedacinhos de esmalte com a mão, seu braço derrubou a bolsa. Algumas presilhas de cabelo caíram no chão...

Os olhos de Elin encontram outra coisa, vários fragmentos minúsculos e escuros entre os buracos no piso. Elin lambe um dos dedos e o pressiona entre um deles. Vários daqueles pedacinhos grudam no dedo.

É o esmalte de Margot. Essa cor cinza muito particular...

— O que é isso?

— Esmalte de unha. — Se ela tinha alguma dúvida antes, agora não mais. — Margot esteve aqui. Recentemente.

Ela olha com mais atenção. Dá para ver vários fragmentos de esmalte maiores nos buracos do piso. Se ela estivesse apenas cutucando as unhas, eles teriam se espalhado por uma área maior, também sobre o piso. Não haveria nada sob ele daquela maneira. Algo fizera o esmalte se soltar.

— Este piso não é original, é?

Lucas se apruma.

— Não. Era impossível recuperar o piso original. Isto deveria ser apenas temporário, mas os planos para a sala mudaram, então deixamos assim.

Elin ainda está examinando o piso. É quando ela repara em na linha fina marcada na superfície. Seu olhar acompanha a linha que forma um quadrado grande, com aproximadamente um metro de cada lado.

Ela passa uma das mãos sobre a linha, sentindo a ponta dos dedos formigarem.

Isso não pode ser uma coincidência.

— O que foi? — Lucas lança um olhar indagador para ela.

— Ainda não sei. Me dê um minuto.

Tirando seu canivete do bolso, ela se agacha, insere a ponta da lâmina no canto da linha marcada. Pressiona com força para baixo até a quina do piso de borracha se levantar. Então, puxando pela beirada, ela levanta e remove aquela parte do piso. Abaixo, há uma fina camada de piso de azulejo de vinil. Nada de mais, a não ser pelo fato de ele também estar salpicado de minúsculos pontinhos de esmalte de unha. Ele também tem a mesma marca: um grande quadrado com exatamente a mesma forma do piso de borracha.

Elin sente a vibração irregular da sua pulsação. *Está descobrindo algo.*

Ela crava a lâmina na linha marcada no vinil e remove o quadrado, que sai com facilidade, como se alguém já tivesse feito aquilo antes. Quando termina de removê-lo, ela para e observa.

Abaixo do vinil, não há o chão de concreto que seria de se esperar, mas algo totalmente diferente. Um alçapão de madeira, duas alças de metal dobradas contra o topo. A superfície está coberta por uma espessa camada de poeira, mas Elin consegue detectar com esforço mais flocos escuros.

Margot esteve aqui. Ela levantou este alçapão várias vezes, e o piso acima fez seu esmalte descascar.

Elin levanta o olhar para Lucas.

— Você sabe o que é isso?

— Não — responde ele, sem pensar duas vezes —, nunca vi isso.

— Nem durante as obras?

— Não. Quando começamos a reforma, tinha vinil por toda parte. Estava velho, imundo. Irregular. Instruímos os operários a nivelá-lo com o piso até decidirmos o que fazer com ele. — Ele baixa os olhos para o alçapão. — Você acha que foi por aqui que...

— É possível — diz Elin com um tom de incerteza. Caso *haja* uma sala lá embaixo, seria o local ideal para manter alguém preso. Acesso fácil ao hotel, mas com privacidade absoluta.

Segurando firme as alças, ela puxa o alçapão para cima, de encontro ao seu corpo. Ele cede sem resistência, então uma lufada de ar parado e bolorento sobe na direção deles. Movendo-se para a frente, ela espia no buraco. Escuro como breu. Não consegue ver nada.

Elin tira uma lanterna da bolsa e a acende. O feixe de luz revela alguns degraus cunhados grosseiramente na pedra.

— Vou entrar.

— Agora? — pergunta Lucas, olhando surpreso para ela.

— Não podemos esperar. Precisamos detê-la antes que ataque outra pessoa.

— Certo, mas vou com você. Não é seguro você ir sozinha.

— Tudo bem — concorda ela, encontrando o olhar dele. — Mas vou na frente.

82

Segurando firme a lanterna na mão direita, Elin desce os degraus, com Lucas seguindo-a. O odor bolorento é avassalador, e o ar, parado, enevoado de poeira.

Alguns degraus abaixo, ela se vira para Lucas.

— Antes de descermos mais, você pode conferir se há uma alça na parte de baixo? — sussurra para ele.

Subindo de volta os primeiros poucos degraus, ele examina o alçapão por baixo.

— Há, sim.

— Então Margot poderia ter entrado e saído por aqui... — diz ela, pensando alto. Com as câmeras de segurança desligadas, ela poderia ter entrado e saído daquela sala facilmente se não houvesse ninguém por perto, mesmo que o alçapão fosse fechado por cima.

— É possível — responde Lucas.

Quando chega ao final dos degraus, Elin percebe que eles quase perderam a iluminação da sala de arquivos. Ligando a lanterna, ela a move em um círculo para ter uma noção do espaço. Ele foi aberto, mas não muito. Um vazio escuro se estende diante dela.

Um túnel.

Não é um porão, como ela imaginara. Ele deve se estender para além do hotel, sob o spa, o estacionamento. Talvez ainda mais longe.

Ao mover a luz da lanterna sobre as paredes, ela pode ver que, assim como os degraus, elas são entalhadas grosseiramente, a superfície coberta de feixes de água.

Virando a lanterna para cima, ela vê uma lâmpada fluorescente comprida e antiquada presa ao teto. Parece estar queimada há muito tempo: está coberta de poeira, a cobertura externa fraturada com minúsculas rachaduras.

Elin a estuda. A luz significa que o túnel é, na verdade, parte do prédio, e não um acréscimo construído depois. Ela olha para Lucas.

— Tem certeza de que este túnel não aparece na planta?

— Tenho. — Ele pega a própria lanterna do bolso e a acende. — Nem na inspeção que fizemos antes da construção. — Ele está tentando não demonstrar medo, mas Elin pode senti-lo: o movimento espasmódico do seu peito revela sua respiração curta.

— E vocês não repararam em nenhum sinal dele fora da saída do túnel? Nenhuma estrutura incomum?

— Nada. A saída deve estar bloqueada, a menos que fique a vários quilômetros do hotel, o que não faria sentido, considerando para o que era utilizada.

— Então você sabe para o que era utilizada?

— Não posso afirmar, mas havia vários sanatórios em Leysin com túneis. Serviam para transportar comida e suprimentos para dentro do prédio, e também... — sua expressão retesa — ... para transportar os mortos, mantê-los fora da vista dos outros pacientes.

Elin pensa no que ele disse. Se fosse verdade, então como ele não sabia da sua existência? Certamente, o túnel teria sido registrado, teriam falado sobre ele, não teriam? A menos, ela pensa, que sempre tenha permanecido escondido por algum motivo.

— Talvez — começa ela, nauseada com o pensamento — os médicos que vimos naquelas fotografias também usassem este espaço. Pode ser por isso que não está registrado.

— Possivelmente.

Elin começa a avançar novamente, se sentindo mais apreensiva a cada passo.

Depois de alguns metros, há uma mudança: o chão do túnel se divide em duas superfícies distintas. O lado direito tem degraus, enquanto à esquerda há um caminho reto.

— Você sabe por que ele foi construído desta maneira?

Lucas assente, tão tenso que as veias do seu pescoço parecem prestes a romper a pele.

— Este lado, o caminho, se for o mesmo que os de Leysin, era usado para transportar os corpos com macas motorizadas. Os degraus que percorrem ao lado eram para os funcionários.

Desejando não ter perguntado, Elin segue caminhando, o feixe da lanterna perfurando muito levemente a escuridão. Ela ainda não consegue ver nada: nenhum sinal de habitação. Nenhum sinal de que Margot esteve aqui.

Será que eles entenderam errado? E se isto não estiver de maneira alguma ligado aos assassinatos?

É quando ela repara que a lanterna de Lucas parou de se mover.

Ela está parada, fixa em algo mais adiante.

— O túnel — sussurra ele — se alarga, aqui.

Avançando alguns passos, ela move a lanterna de um lado para o outro.

Ele tem razão: o túnel se alarga antes de se estreitar de novo mais adiante. Antes que Elin avance mais um passo, a luz da lanterna capta um brilho metálico, cerca de meio metro acima do chão.

Aproximando-se, ela foca o feixe da lanterna, sentindo um alarme interior começar a disparar. A cena diante dela se destaca com clareza na escuridão: o metal que a lanterna captou é parte de uma maca. Ela está coberta por um lençol de borracha, repuxado grosseiramente. Pedaços de corda estão presos aos lados, dois na parte de cima, dois na de baixo.

Elin fica completamente imóvel, examinando. Perto da parte de baixo da maca há várias garrafas de água e toalhas espalhadas em torno de vários sacos de lona. À esquerda, uma mesinha coberta de instrumentos de metal: pinças, tesouras, uma faca.

Sangue mancha a superfície dos instrumentos, escuro, intenso.

Ela tapa a boca com uma das mãos. *Foi aqui que aconteceu. Foi aqui que Laure foi mutilada antes de morrer. Adele também.*

Elin fica olhando, uma imagem após a outra preenchendo sua mente. A palma da mão dela está suada, escorregadia em torno da lanterna.

— Foi aqui... — Lucas não termina a frase. Ele parece perplexo.

— Sim — balbucia ela. — O local perfeito. Espaço suficiente, privacidade. Acesso fácil para... — Ela para, reparando em algo... um cheiro diferente, mais forte.

O bolor fétido dos últimos poucos metros do túnel foi substituído por outra coisa: cheiro de decomposição. Algo carnoso, metálico.

Elin avança, sua respiração mais curta agora.

Deve ser apenas o sangue dos instrumentos, o sangue que Margot tentou limpar, mas que permaneceu naquele lugar sem ventilação, preso nas rachaduras.

Antes de se virar de volta para Lucas, Elin nota algo enfiado na curva da parede do túnel na parte mais larga. Ela congela, e uma onda repentina e aguda de náusea a invade.

Impossível.

83

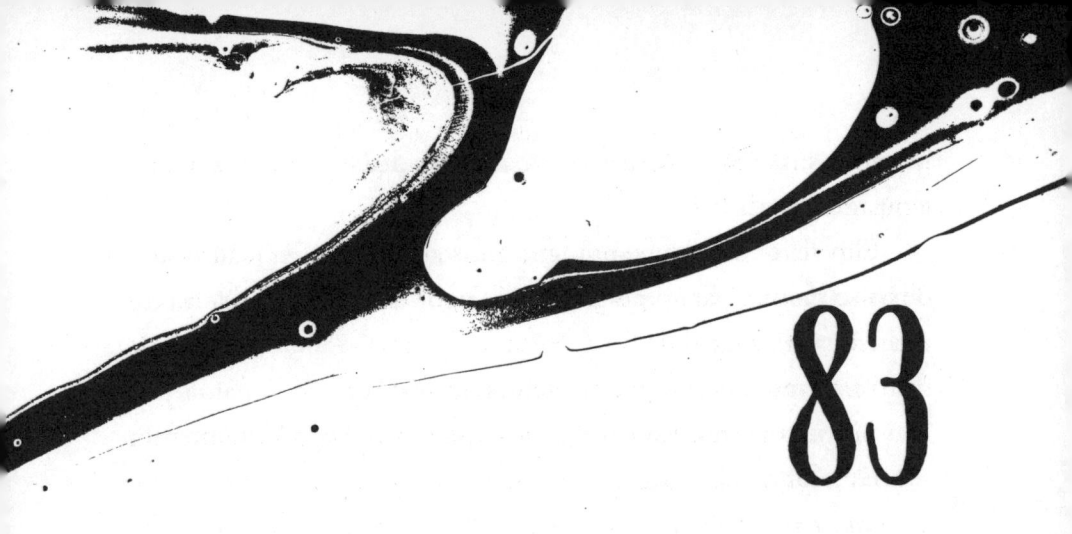

Elin cobre a boca com a mão, sentindo a ânsia subir pela garganta, prestes a vomitar.

Margot.

Ela está içada em um estranho sistema de roldanas preso a uma estrutura de madeira.

A grotesca máscara de borracha está parcialmente dependurada de seu rosto, de modo que seu perfil está claro, a feição lívida de onde o sangue se acumulara, se instaurara.

Um olho está fechado, e o outro, aberto: vazios, sem vida.

Elin treme enquanto olha, tentando compreender o que está diante dela.

Será que ela se matou? Cometeu suicídio porque sabia que descobrimos o seu segredo?

Mas à medida que seus olhos descem, ela pode ver que o torso de Margot está esticado por um complexo sistema de cordas atadas aos seus pulsos e tornozelos. A corda em torno dos tornozelos está ligada a algum tipo de manivela, uma roda giratória.

Não há como ela ter feito isso a si mesma.

O olhar de Elin se move para a esquerda, para a cabeça de Margot. Uma prensa de metal está presa à sua testa, e sangue escorre pelo rosto a partir de onde a pele foi perfurada. Há anzóis de metal na superfície da prensa, presos a um pedaço de corda, atado a outra manivela.

Elin sente o pulsar do sangue em seus ouvidos enquanto seus olhos se movem para o pescoço de Margot. Há marcas onde a pele está esticada e rasgada.

Se a prensa de metal perfurando sua cabeça não a matou primeiro, então a força daquela estrutura medieval fora o bastante para separar a cabeça da espinha.

Morte instantânea.

Imagens giram na mente de Elin: Margot como ela a vira há somente poucos dias, e agora *isto*. Esta barbaridade. Elin sabe com certeza que é esta cena que ficará registrada em sua retina pelo resto da vida.

Respirando fundo, espera a velha conhecida crise de pânico. Mas ela não vem. Sua mente continua aguçada, assimilando o que está diante de si, mas o pensamento que vem em seguida quase a faz desejar o contrário.

— Margot estava trabalhando com outra pessoa — conclui, virando-se para Lucas. — Todo este tempo, ela estava trabalhando com outra pessoa.

84

Não há resposta.

Elin circula, olhando cautelosamente ao redor.

— Lucas — diz ela, as palavras ecoando na escuridão do túnel.

Ainda sem resposta.

Uma leve pontada de medo. Ela se vira de novo, lentamente desta vez, movendo a lanterna em um círculo.

Lampejos: *A maca de metal. Equipamentos descartados. O concreto manchado das paredes.*

Mas nada de Lucas.

Onde ele poderia estar?

Ele estava bem atrás dela há somente alguns instantes. A mente de Elin começa a disparar possibilidades: talvez ele tenha ouvido ou visto algo e avançara mais no túnel?

Avançando alguns metros, ela examina o espaço adiante, com a boca seca.

Nenhum sinal dele.

Ela começa a voltar na outra direção quando ouve um baque distante. Sua mente vagueia por um momento e, então, identifica aquele som em um átimo.

O alçapão.

Ele foi embora. Saiu pelo caminho pelo qual vieram.

Em um estalo devastador, Elin compreende. Só há um motivo pelo qual ele fugiria naquele momento. *Lucas é a pessoa com quem Margot estava trabalhando. Ele é o assassino.* Mas então por que ele não a matara no túnel, quando tivera a oportunidade?

Virando-se, ela começa a correr de volta. O chão é inclinado em uma subida, exigindo esforço de Elin. Cada passo dele parece desajeitado, inútil, como se não estivesse realizando nenhum progresso. Uma gota de suor escorre pela sua testa, e ela a limpa impacientemente, seguindo em frente.

Seus pensamentos se voltam para Margot: *Por que Lucas a mataria?*

Será que algo dera errado ou o plano sempre fora este? Teria ele seduzido Margot para que se tornasse a pessoa perfeita para levar a culpa? Será que queria que parecesse vingança para que pudesse seguir adiante sem empecilhos?

Lampejos de pensamentos invadem sua mente: o que Cécile lhe contara, o relacionamento dele com Laure, sua obsessão com o hotel. *As mentiras dele.*

Faz sentido, não faz? O motivo dele poderia ser um que ela já considerara, talvez o maior motivo de todos: proteger o hotel. Ela se lembra de Cécile falando sobre a paixão dele pelo lugar, *construir um monumento para si mesmo.*

Seria aquilo uma tentativa iludida de proteger o seu legado? É possível. Os assassinatos podem ser uma forma de tentar ocultar a verdade sobre o passado sombrio do sanatório.

Será que as pessoas que ele matou sabiam algo a respeito?

Se Lucas tivesse raciocinado direito teria percebido que aquilo nunca poderia funcionar, mas ela sabia que a lógica de um assassino nunca era racional. Na cabeça dele, seu curso de ação faria total sentido: a única conclusão viável. É esta sensação de convicção absoluta que capacita um assassino a fazer o que faz, uma obstinação impiedosa.

Seja qual for a resposta, ela sabe que precisa agir rapidamente.

Finalmente, alcança os degraus. Sobe os primeiros e inclina a cabeça para cima. Está completamente escuro, não há nenhuma luz vindo da sala de arquivos acima. A suspeita dela estava certa, ele fechou o alçapão. Prendendo a lanterna entre os dentes, Elin estica os braços para cima, empurra com toda a força a alça presa à parte de baixo, mas o alçapão não se move. Tenta de novo, desta vez tateando a superfície com os dedos em busca de um ponto fraco, mas não encontra nenhum.

Pensa em uma nova tática. Descendo um degrau, ela se agacha e dá um salto, jogando o corpo para o alto com todo seu peso. Não funciona; a madeira se move apenas alguns milímetros, revelando somente uma fina fresta de luz.

Tropeçando de leve ao cair de volta no degrau estreito, Elin olha ao redor com uma sensação crescente de pânico.

Ele a trancou lá dentro.

Vários minutos passam enquanto ela tenta elaborar um plano: ninguém além de Lucas e Cécile sabem que ela está aqui embaixo. Cécile poderia não vir procurá-la ainda, o que daria a Lucas tempo suficiente para executar o que quer que tenha planejado.

Não faz sentido tentar voltar pelo túnel para encontrar a saída, já que Lucas disse que, provavelmente, ela estaria bloqueada.

Pense, Elin, pense.

Então, uma ideia passa por sua cabeça, algo básico que ela nem sequer considerara.

Seu telefone.

Ela gira no degrau e o tira do bolso. Quando a tela se ilumina, Elin não se sente mais tão esperta — há somente uma barra de sinal, que pisca indicando instabilidade. Ela o move para trás e para a frente. Nada: a barra continua piscando, sendo substituída por duas palavras: *sem serviço.*

Desta vez, ela sobe o máximo que consegue, até ficar agachada no último degrau. Olhando para a tela, ela vê que o nome da Swisscom apareceu e que a barra parou de piscar. Um sinal fraco, mas pode ser o suficiente. Sentando-se no degrau, ela digita uma mensagem para Isaac.

Estou presa na sala de arquivos. Há uma abertura no centro do chão — como se alguém tivesse gravado um quadrado na borracha. Levante-o, depois o azulejo abaixo, e encontrará um alçapão.

A resposta chega imediatamente:

Estou indo.

Vários minutos depois, ela ouve algo acima: baques ásperos, sons rascantes.

Um ranger alto e, de repente, uma onda de luz.

Elin pisca, com a vista ofuscada por um momento. Ela consegue ver Isaac acima, ajoelhado sobre a abertura. O rosto dele está corado, suado.

Estendendo uma das mãos, ele a ajuda a subir.

— Você está bem? — pergunta ele, com a voz meio rouca, transparecendo comoção.

— Estou bem. — Aprumando-se, ela respira fundo. — Margot está morta, Isaac.

— Morta? — titubeia. — Mas você achava...

Elin expira pesadamente.

— Eu sei. Encontrei ela no túnel.

Ela vacila quando a imagem do corpo brutalmente ferido de Margot invade sua mente. Imagens horríveis, explícitas.

— Quer dizer que não era ela?

Elin pensa duas vezes, tentando organizar os pensamentos.

— Não estou certa. Tenho praticamente certeza de que ela estava envolvida, mas acho que estava trabalhando com outra pessoa. A pessoa que me trancou aqui embaixo.

Isaac franze o cenho.

— O que quer dizer?

— Lucas — diz ela, com franqueza. — Ele desceu comigo para encontrar Margot. Estava comigo o tempo todo, e então, quando eu estava examinando o corpo de Margot, dei meia-volta e ele tinha partido.

Expelindo ar e inflando as bochechas, Isaac dá um assobio baixo.

— Você realmente acha que ele poderia estar envolvido?

— Por qual outro motivo ele me deixaria lá embaixo, tentaria me trancar lá dentro?

— Mas por que ele simplesmente não te matou? Não se livrou de você logo?

— Não sei — responde Elin. — Tenho pensado sobre isso. Eu estava distraída com Margot... talvez ele não tenha achado que precisasse fazer isso.

Isaac olha ansiosamente para a porta.

— E o que você vai fazer agora?

— Precisamos encontrá-lo. Antes que ele ataque outra pessoa.

85

Quando Elin entra no lounge, ele está mais claro, mas só um pouco. As janelas revelam um prateado leitoso no céu lá fora que faz com que pareça mais o amanhecer do que o final da manhã.

Dois grupos pequenos estão reunidos nas mesas perto do bar, mas não há nenhum burburinho de conversa. Todos estão imersos no telefone ou bebericando drinques.

Elin vê Cécile na primeira mesa, segurando uma pequena xícara de café.

Ao se aproximar, sente o estômago se revirando. *Como Cécile vai reagir quando ela lhe contar sobre Lucas?*

Cécile levanta os olhos. O rosto dela está retraído.

— Como está Will?

— Estável, por enquanto.

— Ótimo.

— Cécile, acho que precisamos conversar a sós — diz Elin em voz baixa.

— Tudo bem.

Cécile se levanta, arrastando a cadeira para trás no chão. Elas vão para uma mesa no outro lado da sala, fora do alcance dos ouvidos dos grupos atrás.

Sentando-se, Elin puxa sua camisa. Está quente. O fogo, apenas a cerca de um metro delas, arde na lareira.

Aos trancos e barrancos, ela relata o que aconteceu, fazendo interrupções, surpresa com as expressões conflitantes no rosto de Cécile: confusão, descrença, e alguma outra coisa, algo inesperado, um ar de resignação.

É como se algo tivesse se soltado, à deriva em sua feição.

Será que ela suspeitava o tempo todo?

— Você realmente acha que Lucas faz parte disso? — pergunta ela quando Elin termina. Seus olhos são como sombras, vazios.

Elin inspira profundamente.

— Ele fugiu, Cécile. Tentou me deixar trancada. Pode haver outra explicação, mas não tenho certeza do que poderia ser.

Cécile permanece em silêncio por um momento, seu olhar passa pela caixa de vidro suspensa no teto a apenas cerca de um metro delas. Elin já a vira; ela contém um antigo manômetro de vidro e madeira. A legenda dentro da caixa explica que ele era usado para medir a pressão do ar quando o cirurgião colapsava os pulmões dos pacientes tuberculosos.

Vendo-a agora, depois do que descobriu, Elin sente uma repulsa absoluta: Lucas incorporou conscientemente aquilo ao design. Fez daquilo uma atração.

— E então, o que você quer fazer? — indaga Cécile, rompendo o silêncio. No espelho atrás do bar, o reflexo dela parece se distorcer, seus traços marcados se alongam.

— Duas coisas. Precisamos manter todos juntos, nos assegurarmos de que ninguém deixe esta sala. Depois, precisamos encontrar Lucas.

— Ele poderia estar em qualquer lugar. O hotel é enorme, e é possível que haja outro espaço oculto, como o túnel, não é?

— Sim, mas se ele estiver planejando fazer algo em breve, é mais provável que esteja em algum lugar no prédio principal.

Cécile assente uma única vez, abruptamente, os olhos endurecendo.

— Vamos começar pelo escritório dele.

O espaço está irreconhecível, a perfeição imaculada do design destruída.

A mesa de Lucas está uma bagunça: papéis espalhados na superfície lisa de madeira, vários cadernos caídos no chão. Gavetas estão abertas, a cadeira dele afastada da mesa.

É como se tivesse sido saqueada. Um roubo.

Uma constatação cruza a mente de Elin, fazendo-a sentir um arrepio e seu estômago se embrulhar: *Ele esteve aqui. Procurando algo.*

Segue até a mesa dele e começa a folhear os papéis descartados. São principalmente documentos de negócios, cópias de apresentações.

Em meio à pilha de arquivos, seus olhos pousam em algo familiar.

As cartas — os bilhetes anônimos ameaçadores que Lucas lhe mostrara. As cartas que ela agora sabe que eram de Laure.

Parece haver mais de dez cartas, todas diferentes. Ela as junta em uma pilha desordenada.

Ele mencionara somente três, não é mesmo?

Será que aquilo estava acontecendo por mais tempo do que ela pensava? Caso estivesse, é possível que tivessem desempenhado um papel em disparar o primeiro assassinato. Se ele tivesse se sentido ameaçado...

— O que foi? — pergunta Cécile, voltando-se para a direção da mesa.

— Encontrei mais algumas cartas. As que Laure enviou para ele.

Ela franze o cenho.

— Por que ele estaria procurando por elas?

— Não sei.

Balançando a cabeça, Elin olha de novo para as cartas e, desta vez, algo se fixa, cutucando sua consciência. *Algo na sala não parece certo.*

Ela leva um momento para decifrar o que é: os armários.

Eles são as únicas coisas que permaneceram intocadas. Há uma longa fileira deles, a cerca de somente meio metro acima do chão.

Há uma pequena fechadura no meio de cada porta.

Aproximando-se, ela se agacha ao lado dos armários e examina a fechadura.

— Você tem a chave deles?

— Não. Ele provavelmente as tem.

Ela se levanta de novo, varre a sala com os olhos, procurando por algo forte o bastante para quebrar a fechadura.

Há um grande peso de papel na quina da mesa de Lucas. Ela o pega e se ajoelha. Posicionando o peso de papel acima da fechadura no primeiro armário, que também é o maior, ela bate com força com ele contra o mecanismo.

Não funciona: suas mãos úmidas de suor perdem a firmeza ao segurar o vidro, que derrapa na superfície antes de cair no chão.

Ela seca a palma das mãos na calça e tenta de novo. Desta vez, acerta a fechadura bem no centro, que cede com um clique alto.

Quando Elin consegue enfiar os dedos na beira da porta, ela a desliza, abrindo-a.

Elin se retrai.

O armário está vazio, exceto por uma coisa: *uma máscara.*

A mesma máscara de borracha preta que lançou sua sombra horrível sobre os últimos dias. Sem um rosto para preenchê-la, ela está frouxa, dobrada sobre si mesma.

Seus olhos não conseguem se desviar daquele objeto. O momento se prolonga, e uma engrenagem gira na mente de Elin.

Não há dúvida agora. É a mesma máscara que ela viu nos corpos de Adele e de Laure. Também no de Margot.

Lucas está por trás disso.

Cécile aparece ao lado dela.

— Isto estava lá dentro? — pergunta.

— Sim.

Elin pega a máscara, examinando os detalhes: as rachaduras finas como fios de cabelo na borracha, o tubo largo ligando o nariz e a boca. Virando-a entre as mãos, o vislumbre de um pensamento surge na mente de Elin, mas antes que ela consiga assimilá-lo, ele se fragmenta e desaparece.

Cécile se agacha ao lado dela.

— Sei o que isso parece, mas não faz sentido — dispara ela, as palavras se atropelando. — Por que ele sabotaria o hotel, depois de ter se dedicado tanto para construir tudo isso? Ele sabe que o hotel não sobreviveria a isso, com certeza. — Ela toca na máscara. — Tenho certeza de que é um engano. Um mal-entendido.

Um buraco se abre no estômago de Elin. Cécile se esforçará ao máximo para encontrar uma explicação para aquilo. Ela ainda está protegendo Lucas, mesmo agora.

Mas Elin não pode condená-la, porque compreende. É o que Isaac fez por ela todos estes anos, não é? Impediu que a verdade viesse à tona. Protegeu a irmã.

— Cécile, eu...

— Vou tentar os outros armários — interpõe Cécile, pegando o peso de papel. — Sem dúvida ele tem vários desses objetos. Artefatos do sanatório. — Ela gesticula ao redor. — Olhe para as paredes, para os quadros. Ele está interessado na história deste lugar, só isso. Não significa nada além disso.

— Cécile, sei que isso é difícil, mas...

Elin não consegue terminar a frase.

As mãos de Cécile afrouxam em torno do peso de papel, que, rolando do colo dela para o chão, cai com um baque surdo.

— Isso... — começa ela, a voz falhando — ... é minha culpa. Tudo minha culpa.

Elin pode ver a resignação nos olhos dela.

Ela sabe, não sabe? Ela sabe o que ele fez.

— Não é culpa sua, Cécile. — Elin pousa uma mão no braço dela. — Nada disso é culpa sua.

— É, sim. — Cécile se vira para ela. Seus olhos estão vermelhos, injetados. — Há uma coisa que não contei. Algo que você deveria saber.

86

Cécile se levanta e caminha até a janela.

— Tem a ver com Daniel. Com o que aconteceu com ele — continua ela, deslizando os olhos até o chão.

Mais mentiras, pensa Elin, aprumando-se. *Mentira atrás de mentira.*

— Antes de Daniel desaparecer, ele estivera em uma reunião no sanatório com Lucas e com os empreiteiros. Ninguém sabia de nada de errado naquele momento. A esposa dele tinha recebido uma mensagem de Daniel dizendo que ele havia bebido demais em um jantar na cidade para poder dirigir de volta para casa, e por isso estava pensando em ficar com os pais, em Crans.

Elin assente em silêncio.

— No dia seguinte, o supervisor do prédio veio para cá. Ele era apenas um rapaz que verificava o prédio uma vez por semana. O prédio estava mais ou menos degradado. Pessoas o invadiam o tempo todo. — Cécile para, os olhos pairando na direção da janela. — Naquela tarde, Lucas recebeu um telefonema. O rapaz começara a verificar os quartos. Em uma das antigas alas, encontrou um corpo. — Cécile se interrompe mais uma vez e respira demoradamente. — Desmembrado, com uma máscara sobre o rosto.

— Como esta? — Elin olha para a máscara em suas mãos.

— Sim. É igual. Lucas estava no escritório em Lausanne quando o rapaz telefonou. Disse a ele para não contar para ninguém, que chegaria assim que conseguisse. Depois, Lucas disse que parte dele esperara que fosse uma brincadeira estúpida. Um dos manifestantes, mas não... — O rosto de Cécile se fecha. — O rapaz tinha razão. Havia um corpo. O corpo de Daniel.

— Imagino que ele não tenha telefonado para a polícia.

Elin morde o lábio, sua cabeça tentando desesperadamente dissecar o que Cécile está dizendo. Ela tem tantas perguntas, que não sabe qual fazer primeiro.

— Não. Telefonou para mim, em pânico, perguntando o que deveria fazer. Eu estava na casa dos nossos pais na cidade e o encontrei lá. — Cécile leva uma mão à boca, e um barulho estranho sai da sua garganta: uma exalação irregular, gutural. — Daniel estava estirado em uma daquelas cadeiras de rodas, com aquela máscara horrível ainda presa ao rosto. — Lágrimas brotam dos seus olhos, e ela as seca com uma das mãos.

— E, mesmo assim, você não telefonou para a polícia?

Elin percebe o tom acusatório em sua voz, mas não consegue contê-lo. Parte dela não quer ouvir o que virá em seguida, mas ela se força a escutar.

— Não. Lucas não queria. Ele estava em pânico, disse que aquilo mataria o projeto definitivamente. — Cécile encolhe os ombros. — Ele tinha razão. Já havia tanta oposição à reforma que o projeto não sobreviveria àquilo. — Ela hesita. — Eu sabia o que isto significava para ele. Ele investira tudo no projeto... não só dinheiro, capital, mas sua vida. O casamento. Tudo neste único projeto.

— E o que você fez?

— Lucas se livrou do corpo de Daniel. Removeu da cena.

— Você não perguntou o que ele fez com o corpo? — A voz de Elin é acusatória, instável.

— Não. — O rosto de Cécile endurece por um momento. — Eu não queria saber. Tinha feito a minha parte. Prometera guardar o segredo dele.

— Mas e quanto à cena, onde ele fora assassinado? Certamente, a polícia a investigou quando informaram que Daniel tinha desaparecido. Pelo que você descreveu, haveria sangue, evidências.

— Lucas a limpou, fez com que parecesse que aquilo nunca acontecera. Mudou móveis de lugar, mexeu um pouco naquela bagunça. Foi bem fácil. O lugar já estava uma zona. — Ela encara as mãos. — A polícia não foi muito meticulosa. A teoria principal deles na época era a de que Daniel havia partido por vontade própria.

— Mas e o supervisor que encontrou Daniel? Certamente ele queria procurar a polícia, não?

— Lucas o subornou. — A voz de Cécile soa oca, metálica. — Pagou muito dinheiro a ele na esperança de que ele fosse embora. E ele foi.

Elin tenta colocar seus pensamentos em ordem.

— E você falou com Lucas depois que o corpo de Adele foi encontrado? Discutiu as semelhanças?

— Sim, mas ele disse que seríamos presos se lhe contássemos o que havia acontecido com Daniel. Ocultar um corpo, não informar a polícia, esconder as evidências... — conta Cécile, com a voz fraca. Seus ombros curvos fazem com que ela pareça de alguma maneira diminuída. — Lucas disse que esperava que encontrássemos o criminoso que estivesse fazendo isso, que ninguém ligaria o caso de Adele ao de Daniel. Nunca pensei que seria ele quem... — A voz dela quebra.

Elin olha para ela, repentinamente cansada. Quantas outras mentiras surgiriam? Pessoas lhe contando somente metade da história... Ela estivera em desvantagem o tempo todo.

Cécile fica em silêncio por um momento antes de falar de novo.

— Sabe, quando finalmente saiu do hospital, Lucas disse algo que nunca mais esqueci. Ele disse que não aguentava mais não ter voz nas decisões, as pessoas dizendo a ele o que fazer. — Ela para, tropeçando nas palavras. — Ele disse: "A partir de agora, vou fazer o que quiser. Dane-se quem entrar no meu caminho."

Elin observa a neve dançar contra o vidro.

Ele conseguiu o que queria. Ninguém podia dizer que ele não tinha voz nas decisões agora.

Ela se vira de volta para Cécile.

— Vou começar uma busca de quarto em quarto. Você pode voltar para o lounge, conferir como está todo mundo?

— Não quer que eu vá com você?

— Não. Se ele vir mais do que uma pessoa, poderá se assustar. Precisamos fazer isso com cuidado.

— Se você acha melhor assim... — Cécile caminha na direção da porta. — Me chame se precisar de qualquer coisa.

— Pode deixar — responde Elin. E, ao colocar a máscara no armário e pegar sua bolsa, ela se dá conta de que as palavras de Cécile sobre Lucas ainda estão girando em sua mente:

A partir de agora, vou fazer o que quiser. Dane-se quem entrar no meu caminho.

Algo se move em seu cérebro, uma engrenagem girando. Elin para e olha para o chão, tentando processar o pensamento.

Ela pode estar certa? Ou é a mente dela que está exausta, sobrecarregada, imaginando coisas? Um arranhão sobre vinil — seu pensamento saltando para o lugar errado, encontrando a conclusão errada.

Há uma maneira de conferir: procurar pelas evidências. Algo concreto, irrefutável.

Ela pega seu telefone e encontra o site do qual precisa em segundos. Suas mãos estão suadas, seu dedo deixa marcas úmidas à medida que rola a tela, tentando encontrar a seção relevante.

Rápido demais — ela foi longe demais.

Elin desacelera e rola cuidadosamente a tela de volta para cima.

As palavras saltam da tela.

A teoria dela... está certa.

É neste instante que, enquanto ela olha, outra coisa cruza sua consciência. Algo tão sutil que jamais poderia ter lhe ocorrido, a menos que tivesse feito a outra conexão.

Elin caminha de volta para o armário e abre a porta. Ajoelhando-se, pega a máscara e a aproxima do rosto. Ela inspira, uma respiração profunda, forte. A máscara escorrega para seu colo.

Ela está certa. Ela está certa.

As peças finalmente começam a se encaixar, como pequenos pedaços se fundindo: fragmentos de conversas, a linguagem corporal...

Não resta nenhuma dúvida agora.

Ela só espera não chegar tarde demais.

Ao longe, uma porta bate em um baque surdo, abafado.

O tempo parece comprimido, dobrado até o nada. Quanto tempo levará? Três minutos? Quatro?

Ela começa a correr.

87

As portas automáticas se separam, cuspindo-a para uma massa de neve giratória.

Elin avança no deque, um pouco ofegante pela corrida do escritório de Lucas até ali. Ela se acalma, examina a área à sua frente, franzindo os olhos contra a neve. A cobertura da piscina está retraída, expondo a água vívida, obscenamente brilhante acima dos pontos de luz submersos. O vapor serpenteia no ar, mas com seu ir e vir, ela identifica uma figura ao lado da piscina principal.

Lucas. Ela tinha razão. Sabia que, se ele não estivesse perto da piscina interna, estaria aqui.

Mas ele não está sozinho. Tudo o que ela decifrou é verdade.

Elin se dirige para a piscina, seus pés lançando neve para o alto. Flocos de neve voam contra seu rosto e seus olhos, como minúsculos projéteis emplumados. A adrenalina está no máximo, deixando-a desajeitada, seus pés cedendo na neve fresca e macia. Ela precisa jogar conscientemente seu peso para trás para evitar escorregar.

Finalmente, chega à piscina principal. Lucas está caído em uma das espreguiçadeiras na extremidade direita. Ele tenta virar a cabeça na direção dela, mas o movimento é como o de uma marionete, espasmódico. Seus olhos giram para trás no crânio, revelando frestas de um branco avermelhado.

Será que ela chegou tarde demais?

Acelerando o passo, ela contorna a piscina até alcançá-lo.

— Tudo bem, ele está voltando a si.

Cécile está de pé sobre ele, curvada, tentando erguê-lo para uma posição ereta. Há algo de enfermeira em seu comportamento — carinhosa, maternal —, mas Elin não se deixa enganar.

— Pode parar de fingir, Cécile — diz ela em voz baixa, calma. A simplicidade das palavras projeta uma segurança que ela não sente. — Sei que é você. Era você quem estava trabalhando com Margot. Não Lucas.

Cécile a contempla, uma ruga se formando em sua testa.

Ela retribui o tom ponderado de Elin, mas adiciona condescendência, como se estivesse falando com uma criança.

— Não. Encontrei ele aqui assim. Estou tentando ajudar.

Elin sabe no mesmo instante que Cécile escolheu a reação errada: deparando-se com uma acusação, ela deveria estar furiosa, incrédula. Na defensiva. Não com aquela superioridade calculada.

Aquilo a entrega.

Lucas faz um barulho, um som líquido, gutural.

Elin o observa. Ele mudou de posição, e ela pode ver o lado esquerdo do seu rosto. Acima da sobrancelha, a testa ensanguentada, uma camada coagulada em torno da têmpora. A pele dele está pálida, úmida de suor ou de neve. Elin pigarreia. Sente a boca seca.

Ela precisa ganhar tempo.

— Sei que é você. Você se entregou. Foi bem inteligente, até os últimos poucos instantes.

A expressão de Cécile é inescrutável.

— Me entreguei? — retruca ela.

— Sim. O que você disse naquela hora, no escritório do Lucas. *A partir de agora, vou fazer o que quiser. Dane-se quem entrar no meu caminho.* Essa expressão... Percebi que eu já tinha lido em algum lugar. Em um blog, protestando contra a construção do hotel. Alguém usou exatamente as mesmas palavras. Em um comentário no Twitter também. — Elin para por um segundo. — Você estava atacando o próprio irmão, porque é disso que tudo se trata, não é? Dele.

As palavras voam pelo espaço entre elas, mas não parecem alcançar Cécile. A mulher parece amortecida, inabalável.

— Uma expressão? — Ela faz uma careta, uma máscara de descrença. — Está me acusando por causa de umas palavras?

— Não é só isso. — Elin se apruma. — Senti cheiro de cloro na máscara da sala de Lucas. Eu estava sentindo esse cheiro em vários lugares… quando encontrei Laure no elevador e quando fui atacada, na escada que descia da cobertura, mas não o tinha registrado, não até hoje. Você nada todo dia, não nada?

Cécile olha para ela em silêncio, o vento fazendo seu cabelo voar em torno do rosto. Nenhuma emoção ainda.

— Foi por isso que imaginei que você o traria para cá, para a piscina. Ou para a piscina interna, ou para esta. É sua zona de conforto, né? O único lugar em que você se sente em casa.

— Você não sabe do que está falando. — A voz de Cécile é vazia. — O que você está dizendo é uma suposição. Nada mais.

— Não é. Eu estava certa quanto ao que eu disse antes, não estava? Não se trata somente do hotel, do passado do sanatório. É uma questão pessoal, entre você e Lucas. Ele fez algo, algo que você não pode perdoar. Algo que fez você buscar vingança.

— Não, eu...

Elin continua, percebendo uma fraqueza.

— Isto, o que aconteceu, todos que você matou… Você foi esperta, fazendo parecer que tudo era sobre o sanatório, como se tudo só tivesse a ver com o passado, mas não tem. — Ela fixa os olhos em Lucas. — Tem a ver com ele, não é? Ele começou isso.

Cécile recua um passo. Agora toda aquela fachada desmoronou. Ela vacila antes de se recobrar.

— Não, escute, eu...

Elin avança, suas botas afundando profundamente na neve a cada passo.

— O que ele fez, Cécile? Diga-me o que ele fez.

O rosto de Cécile se contrai, suas feições se deformam, como se alguém as tivesse esmagado sob um pé. Um som estranho e amargo escapa do fundo da sua garganta.

— Não é o que ele fez. É o que não fez. Nada disso começou com Lucas. — Ela faz uma careta. — Começou com o Daniel. Daniel Lemaitre. Ele me estuprou. — Ela aponta para Lucas, a mão em espasmos erráticos. — Ele sabia e não fez nada.

88

Um silêncio pesado. Um silêncio que Elin não experimentara desde que chegara aqui. Ela pode sentir o vento parando e a neve, pela primeira vez, caindo diretamente no chão.

— Nada a dizer? — O olhar de Cécile salta para Lucas. Ao lado dele, a água cintila, o vapor sobe em espirais no ar.

Ele olha para ela sob as pálpebras pesadas, sem qualquer reação.

— Fala, Lucas, você estava lá naquela noite, não estava? Depois da festa de aniversário do Daniel, em Sion. A de dezoito anos. Você nos levou de volta de carro para a casa do Daniel. Nós dormimos lá, todos apagaram na sala de estar.

Cécile continua falando num tom impassível, um vazio onde deveria haver emoções. Elin sabe que isso sempre é perigoso. Diferentemente de uma fúria ardente, passional, uma raiva fria e amarga como aquela não pode se esgotar. Ela passou deste ponto e endureceu até se tornar algo sólido. Inquebrável.

— Não foi um daqueles clichês — continua Cécile. — Um estranho me arrastando para algum beco escuro. Ele era meu amigo. E seu melhor amigo. Praticamente da família, e eu tinha dezesseis anos, Lucas. Uma menina.

— Cécile, não… — começa Lucas, com as palavras embotadas.

— O que é, Lucas? Não gosta de ouvir o que você tentou ignorar? — A expressão dela endurece. — Daniel e eu estávamos nos beijando, rindo de precisarmos fazer silêncio, não acordar ninguém. Então, ele começou a levantar meu vestido, abriu as minhas pernas. Tentei dizer não, mas ele tapou minha boca com a mão e, depois, me estuprou. — Ela balança a cabeça, recriminando a si própria. — Não fiz nada. Congelei. O oposto do que eu achava que faria em uma situação como aquela. Simplesmente deixei que ele fizesse aquilo.

Lucas a observa, minúsculos flocos de neve prendendo no seu cabelo.

— Quando ele finalmente saiu de cima de mim, virei a cabeça para você. Você fingiu estar dormindo, mas eu tinha visto seus olhos abertos. Eu sabia que estava acordado, que tinha visto o que ele fez.

Ele pigarreia.

— Isso não é verdade, Cécile, você sabe que não é.

— É sim, Lucas. Parece inacreditável, não parece? Que você não tenha feito nada? Não tenha tentado impedir? Também achei. No dia seguinte, fiquei repassando tudo na cabeça, me perguntando por que você não o puxou, mas lhe concedi o benefício da dúvida. Achei que você tinha dúvidas sobre o que havia visto, ou que não queria me constranger.

Ela dá um passo na direção dele.

Elin retesa. Apesar do frio, ela pode sentir o suor se formando em gotículas na sua testa.

— Nunca pensei que seria isso, Lucas. Fiquei esperando você dizer alguma coisa, me perguntar o que tinha acontecido, se eu estava bem. — Cécile hesita, e suas palavras adquirem um novo ritmo, curioso, mecânico. — Eu tinha tudo planejado: o que aconteceria depois que contássemos, como procuraríamos nossos pais, como falaríamos para a polícia.

Lucas também percebeu algo errado no tom robótico dela. Ele está se erguendo levemente, tentando mudar de posição, mover o corpo mais para cima, mas o sedativo que ela aplicou nele está deixando seus movimentos lentos e difíceis demais.

— Mas isso não aconteceu, não foi, Lucas?

— Cécile, eu era um garoto. Nós dois éramos. Não sabia exatamente o que tinha acontecido, como lidar com aquilo.

— Não. — Os olhos dela endurecem. — Você não era um garoto. Um garoto pode mentir uma, mas não duas vezes. — Ela se vira para Elin. — Poucas semanas depois, consegui contar aos nossos pais. — As palavras dela são nítidas, precisas. — Eles perguntaram a você, não perguntaram, Lucas? Sei que perguntaram. Perguntaram a você e você mentiu. Fingiu que não tinha visto nada.

Elin vê a primeira centelha de emoção e, com ela, um vislumbre de algo na mão de Cécile: uma lâmina, iluminada pelo reflexo das lâmpadas acima. Ela pode sentir seus dedos estremecendo com a visão, precisa fechá-los em um punho para conter o movimento.

— Depois de tudo o que eu tinha feito por você... todas aquelas horas no hospital, depois na escola, defendendo você dos valentões. Aquela era a única coisa que eu precisava que fizesse por mim, e você não conseguiu. Não conseguiu dar a cara a tapa.

A expressão de Lucas muda, um movimento espasmódico do choque para a culpa. Seus olhos injetados examinam o rosto de Cécile antes de ele pender a cabeça.

— Me desculpe.

— Não — diz Cécile impassível, segurando a faca cada vez mais forte, os nós dos dedos ficando brancos. — Desculpas não servem agora, Lucas. Porque você não me defendeu e disse a verdade. Mamãe e papai tentaram encobrir a coisa toda. Achavam que tinha uma "explicação". — Ela revira os olhos. — Eles sabiam que eu gostava dele, então nunca entendi se simplesmente não acreditaram em mim ou se apenas escolheram a saída mais fácil. Se escolheram não complicar as coisas porque eram amigos da família e Daniel era o garoto de ouro do papai. Tudo o que disseram foi que tinha acabado, que coisas ruins acontecem às vezes e que não fazia sentido eu ficar remoendo aquilo, esquentando a minha cabeça. — Ela dá um sorriso gélido. — Mesmo quando descobri que estava grávida, eles me disseram para não fazer alvoroço. Fiz um aborto, e isso foi o fim aos olhos deles.

Lucas fecha os olhos, inclinando a cabeça para trás contra a espreguiçadeira. Elin sabe por que ele está fazendo aquilo, ele sente culpa. Está tentando bloquear aquilo, bloquear Cécile.

— As coisas nunca mais foram iguais depois daquilo. — Cécile respira. — Quando eu ia nadar, tudo o que via, a cada braçada, era o rosto dele pairando sobre mim. Cada poro, cada sarda. O corpo dele pressionando o meu para baixo, provando que era mais forte do que eu. — Ela pausa. — Aquilo fez com que me sentisse... minúscula. Que toda a força que eu tinha na piscina era imaginária. Nada n comparação ao poder dele.

Cécile avança de novo, girando o cabo da faca entre os dedos. Sentindo aquele movimento, Lucas abre os olhos de repente.

— Foi como ele fez com que eu me sentisse, sabe? Como um nada. — Cécile ergue a mão, mostrando um espaço minúsculo entre o dedo e o polegar. — Pequena assim. Uma fraude. Sempre que entrava na piscina, não conseguia nadar. As competições, minha carreira... tudo acabou.

— Mas você nunca me falou sobre isso. — As palavras de Lucas continuam lentas, pouco claras. — Eu não sabia como isso tinha afetado você.

— Você não perguntou, Lucas. Não perguntou por que era mais fácil fingir que nada aconteceu. Daniel era seu amigo, e você preferiu seu amigo a mim.

Ela fica em silêncio. Elin a observa, sentindo que há mais por vir.

— Eu reprimi aquilo, tentei ser normal. Abandonei a natação, fui para a faculdade de hotelaria em Lausanne. Comecei a me convencer de que poderia ter um futuro diferente, que eu não seria definida pelo que o Daniel tinha feito. — Cécile chuta a neve no chão. — Foi quando conheci Michel. Cerca de um ano depois, tentei engravidar. Nada aconteceu. Fizemos exames, e o especialista disse que eu não podia engravidar. Tive uma infecção no aborto que me deixou estéril.

Elin sente o corpo ficar tenso. Ela não gosta do tom de Cécile. A coerência artificial, a disciplina das suas palavras... tudo aquilo é muito fora do normal.

— Foi aí que nosso casamento começou a desmoronar. Michel me deixou oito meses depois. Ele disse que era porque eu tinha mudado, mas eu sabia que era porque eu estava quebrada. Ele queria alguém saudável, que não tivesse esses problemas.

— Você deveria ter me contado — diz Lucas. — Deveria ter me contado tudo isso.

Mas é como se Cécile não conseguisse ouvi-lo. Ela continua, implacável.

— Foi aí que você telefonou, me contou sobre seus planos para o sanatório, me pediu para ser parte de tudo. — Ela assente com ar soturno. — Eu sabia que era a minha chance de confrontar Daniel, de fazê-lo assumir o que tinha feito.

— Você falou com ele? — pergunta Lucas, mudando de posição na espreguiçadeira. O sangue escorre pelo seu rosto, da sobrancelha para a bochecha, mas ele não levanta a mão para limpá-lo. Seu foco está em Cécile.

Cécile se aproxima, bem ao lado dele; não haveria nada de errado na postura dela se não fosse pela faca na mão.

— Sim. Poucas semanas depois que voltei. Eu disse a ele que você havia me pedido para trabalhar para você, que queria saber se, por ele, estava tudo bem.

— O que ele disse?

— Que, por ele, tudo bem. Não teve qualquer reação. Nem piscou. — Os olhos de Cécile se entristecem. — Você sabe, eu costumava me perguntar se ele sequer pensava a respeito. Se o que ele fizera o consumira com o passar dos anos, se, quando fechava os olhos à noite, ele se lembrava de mim, mas ao vê-lo naquele momento, eu soube que ele não fazia nada disso. Eu soube que ele jamais seria responsabilizado, nem mesmo por si próprio. Ele deixara aquilo de lado, talvez até tenha convencido a si mesmo de que eu queria, ou talvez nem se lembrasse. — Ela hesita. — De todo modo, ele tinha me diminuído. Me compartimentalizado. Justamente como os médicos faziam aqui. Os médicos em quem confiavam para curar as pessoas.

Cécile se vira para encarar Elin.

— Veja bem, é aí que você está errada, sobre isto não se tratar do sanatório, do que aconteceu aqui. Este lugar, seus segredos… foram a gota d'água. — O olhar dela volta a Lucas. — Conte a ela, Lucas. Conte a ela a verdade sobre este lugar.

89

— Antes da construção começar, Margot entrou em contato com a gente, fazendo perguntas sobre uma parente — conta Lucas com a voz baixa, ainda um pouco enrolada. — Ela havia descoberto por meio de uma clínica na Alemanha que ela fora transferida para cá, para o sanatório. Nós procuramos, mas não conseguimos encontrar nada nos arquivos oficiais. Eu disse que investigaríamos.

— Margot contatou você diretamente? — Elin fecha a mão com força, depois a abre. Seus dedos estão congelando agora, dormentes nas pontas.

— Sim. Procuramos, como ela tinha pedido, e encontramos algo em uma das alas antigas. Uma caixa. Dava para ver que não era aberta havia anos. Dentro, tinha documentos, fotografias, registros de pacientes. Todos eram mulheres. Comecei a ler e me dei conta de que aquelas pacientes... elas não tinham tuberculose. Não era por isso que vinham para o sanatório.

Elin ouve o que ele diz com uma sensação horrível de inevitabilidade sobre o que virá a seguir.

— As pacientes eram encaminhadas da clínica na Alemanha. Enquanto estavam aqui, participavam de testes. Começou como experimentos para novos tratamentos, mas depois pareceu... — Sua voz vacila — evoluir. Quanto mais investigávamos, mais encontrávamos. Fotografias, registros... mas dava para ver pelas imagens, pelas anotações, que não eram mais experimentos. Eles tinham se tornado algo... diferente.

— Era abuso — diz Cécile, sua voz é quase inaudível. — O histórico abuso de poder; era uma exploração de mulheres vulneráveis. — Ela encontra o olhar de Elin. — Não havia nada de errado com a saúde daquelas mulheres. Elas eram enviadas para a clínica na Alemanha pelos pais, maridos, médicos, sob o disfarce de problemas médicos, mas muitas vezes era simplesmente porque o comportamento delas ia contra as convenções, contra o que era aceitável para as mulheres na época. Elas tinham ideias demais, eram extrovertidas demais. Não era algo incomum. — Ela volta o rosto para o chão, sua feição marcada por nojo. — Algumas delas, as poucas que não tiveram sorte, foram transferidas para cá.

Elin assente.

— Mas por que vocês não revelaram os registros imediatamente? — pergunta Elin, mantendo a voz estável.

— Lucas disse que a cobertura negativa pela imprensa afetaria o hotel. Tudo o que ele queria era seguir em frente com a construção. — Cécile faz uma careta. — Daniel teve a mesma reação quando contamos a ele. "Isso é passado. Esqueçam."

— Cécile, isso não é justo — protesta Lucas, tentando se sentar. — Se as pessoas soubessem o que tinha acontecido, haveria uma investigação, afetaria os planos para o hotel.

— Nada impediria você, não é mesmo? O hotel era tudo o que importava. — Ela olha para Elin. — Lucas e Daniel já sabiam da cova mostrada na fotografia, que havia outras. Isso foi sinalizado durante o levantamento topográfico do local. Lucas escolheu ignorar. Seguir em frente. Outro suborno. Outra pessoa escolhendo fazer vista grossa.

Expirando pesadamente, Lucas faz uma careta de dor ao mudar de posição.

— Não vejo por que algo que aconteceu há tanto tempo deveria afetar o que este lugar tinha o potencial de se tornar.

— Mas é isso, Lucas. Você não vê? O ponto é que ainda está acontecendo. Todo abuso de poder, todo estupro, todo assédio. Ainda está acontecendo. — Cécile se agacha ao seu lado, mantendo o rosto apenas a alguns centímetros do dele. — É fácil demais, não é? Oferecer a outra face. Ignorar as consequências. Pior ainda, somos cúmplices. Não só homens; mulheres também.

— Mulheres... — diz Elin, avançando um passo e esperando que Cécile não perceba.

— Sim. Adele. Ela estava com o supervisor empregado por Lucas quando encontraram o corpo de Daniel. Era namorada dele. Ela foi comprada, como ele. Lucas deu a ela um emprego aqui com um salário superinflacionado, bom o bastante para mantê-la de boca fechada.

Isso explica a ligação entre os dois. A foto no Instagram.

— Encontramos uma fotografia de Adele e Lucas juntos, aqui no hotel. Em uma festa. Parecia que estavam discutindo.

— Sim. Ela estava pedindo mais dinheiro — diz Lucas, sua voz soando abafada.

Elin se volta de novo para Cécile.

— Mas você matou Daniel, não matou? Assassinou. Por que iria querer que Adele falasse?

Cécile olha para ela, os olhos brilhando, cintilando. Pela primeira vez, Elin consegue ver uma emoção real.

— Porque eu nunca quis ser anônima. Quando matei Daniel, esperava ser pega. Eu queria que minha história fosse contada, que as histórias daquelas mulheres fossem contadas. Queria que as pessoas perguntassem *por que* eu o matara daquela maneira, mas não. Todos quiseram encobrir.

— Mas você poderia ter procurado alguém... a polícia, a imprensa. Ter contado sua história.

Cécile olha para ela com descrença.

— Não adiantaria nada procurar a imprensa sozinha; seria a minha palavra contra a dele. Ninguém acreditou em mim na época, então por que acreditariam depois? A única maneira de conseguir justiça era se eu agisse com minhas próprias mãos. Eu os faria pagar.

Elin olha para ela, e tudo entra em foco, seguindo uma lógica macabra, bruta. Vingança na sua forma mais visceral, fazendo a balança do poder pender para o outro lado.

— Então por que o intervalo entre assassinar Daniel e Adele?

— Eu estava esperando a hora certa. Quando descobri que Adele estava pedindo mais dinheiro a Lucas, algo se quebrou. Eu sabia que ela precisava sumir.

— E, àquela altura, você já tinha recrutado Margot, não tinha? Ela era vulnerável, então você a seduziu.

— Eu não chamaria de seduzir. Ela estava simplesmente aberta a sugestões. A mãe dela morreu há pouco tempo. Ela havia desenvolvido uma obsessão com a parente.

— Uma obsessão? — repete Elin. — Ela estava doente, Cécile. Sofria de uma forma grave de depressão. Depressão psicótica. Encontrei um material sobre isso na mesa de Laure. Imaginei que fosse sobre Laure, mas ela estava pesquisando porque estava preocupada com Margot, não estava? A própria Laure sofria de depressão, ela conhecia os sinais.

Cécile abana a mão no ar com impaciência, desconsiderando as palavras de Elin.

— Não importa o nome que você dê a isso. O que importa é o motivo por trás.

— Cécile...

— Não. É verdade. Antes da mãe de Margot morrer, ela lhe pediu para descobrir o que aconteceu com a bisavó de Margot. O desaparecimento dela... o que deixara uma cicatriz em todas as gerações da família delas. Consumira a avó, e agora também a mãe. Tudo o que elas queriam eram respostas. Mas quando Margot descobriu qual era de fato a verdade, aquilo não lhe trouxe nenhuma paz. Aquilo despertou algo sombrio. O envelope que você encontrou com as fotografias dentro... ela o carregava para onde quer que fosse. Estava obcecada por ele.

— E você tirou proveito da obsessão, não tirou? A vulnerabilidade dela a tornou predisposta a ser uma marionete. Você a usou. Ela ajudou você, não ajudou? Com os assassinatos?

— Foi assim que eu soube — diz Lucas em voz baixa. — Foi como decifrei tudo, no túnel. Quando me dei conta de que Margot estava trabalhando com outra pessoa, me veio um estalo. Eu sabia que tinha de ser Cécile. Somente ela poderia saber da existência do túnel, e somente ela sabia a verdade sobre o que aconteceu com a bisavó de Margot. Sei que ela poderia ter se aproveitado daquilo, feito Margot trabalhar com ela.

— Mas por que me trancou? — pergunta Elin.

— Eu queria falar com ela. De irmão para irmã. Dar a ela uma chance de explicar. Mas não tive a oportunidade. Ela já estava me esperando e não queria conversar.

— E o que você pediu que Margot fizesse? — quer saber Elin, virando-se para Cécile.

— Amarrá-los. Ela não tinha estômago para mais nada. — Cécile dá um leve sorriso. — De todo modo, o envolvimento dela... é culpa de Lucas. Tudo o que ela queria era reconhecimento, a constatação do que acontecera no sanatório, que a história da bisavó fosse contada. Algum tipo de memorial, uma declaração, que as vozes daquelas mulheres fossem ouvidas, mas Lucas não fez nada.

— Eu estava planejando a sala de arquivos...

— Mas nunca a concluiu. Você não tinha realmente a intenção de terminá-la. Aquilo era só para se livrar de Margot. Pior ainda, você ofereceu a ela um emprego para mitigar sua culpa. Como se aquilo fosse bastar. — Cécile olha para ele com nojo, suas bochechas brilhando agora, uma mistura de lágrimas e neve. — E você colocou aquelas caixas de vidro pelo hotel. Fetichizando o passado do sanatório, usando-o como entretenimento para os hóspedes. Depois de tudo o que você sabia.

Elin respira fundo.

— Então você decidiu virar isso de ponta-cabeça... — sugere ela.

— Sim. Coloquei as vítimas em exibição, justamente como os médicos fizeram com aquelas mulheres nas fotografias.

— Mas e quanto a Laure? — pergunta Elin, a voz entrecortada ao mencionar o nome. — Por que matá-la? Ela era amiga de Margot, sua colega.

— Ela era igual a todo o resto, no final das contas. Covarde. — Cécile passa uma das mãos no rosto. — Começou com ela flertando com o Lucas. Ele a tratara mal. Ela estava com raiva e amargurada, começou a fazer perguntas sobre a construção, sobre as acusações de suborno e corrupção. Ela estava planejando publicar em um blog para desmascará-lo, mas o plano nunca saiu do papel. Quando voltou com seu irmão, decidiu deixar isso tudo para lá.

— Então você se envolveu — conclui Elin, sentindo a voz tremer ao observar a mão de Cécile, segurando a faca, se aproximar mais do rosto de Lucas.

Cécile assente.

— Foi quando aumentei a aposta. Há poucos meses — Cécile ergue a faca rapidamente para enfatizar seu ponto — fiz Margot dar a ela o pen-drive com os registros editados. Pensamos que ela ficaria intrigada, iria querer descobrir o que estava acontecendo, mas ela se negou. Disse que não queria se envolver. Não ficou interessada nem quando Margot lhe mostrou os registros não editados, a história completa.

— Mas é uma reação normal. Provavelmente, ela estava com medo.

— Não. — O rosto de Cécile se contorce. Agora atingiu um tom vermelho furioso, violento. — Não estava. Ela queria fazer vista grossa. Como o Lucas. Como a Adele. — Seus olhos cintilam. — Até Margot, no final. Até ela não aguentava mais, queria parar.

— Mas por que *matar* Laure? Ela não representava nenhuma ameaça para você.

Elin tenta respirar fundo, mas seu peito está apertado. Não de frio, mas de raiva. Apesar do medo do que Cécile está prestes a fazer, ela se sente intocada pelas suas justificativas — justificativas para atos horripilantes, que só fazem sentido para ela.

— Foi necessário. Quando Lucas e eu voltamos mais cedo de viagem, Laure sabia que eu estava planejando alguma coisa. Ela me telefonou na noite antes de desaparecer. Queria me impedir. Quando neguei, ela me disse que tinha algo que poderia usar contra mim.

— O pen-drive.

— Sim. Eu tinha mandado alguém hackear o banco de dados da clínica para obter os registros eletrônicos, mas sabia que eles poderiam ser rastreados até mim. Foi por isso que ela desapareceu. Ela esperava que eu pensasse que ela tinha fugido, mas eu sabia que ela estava aqui. Observado, pronta para me desmascarar.

— Então é por isso que Laure carregava com ela o pen-drive criptografado — diz Elin, pensando sobre aquilo. — Mas você não daria a ela a oportunidade de usá-lo, daria? Foi por isso que a sequestrou.

— Sim. Com a ajuda de Margot. Laure entrou em contato com Margot ao mesmo tempo que enviou a mensagem para você, para tentar convencê-la a me deter. Margot combinou de encontrá-la para conversar, cedo.

— Antes que eu fosse para a cobertura...

— Isso mesmo. Era uma armadilha. Margot não estava esperando por ela. Era eu.

— E você a matou.

— Sim. Foi fácil. Objetivo. Ela não sabia de nada. Eu achava que tinha tudo sob controle, mas cometi um erro.

— Deixou o pen-drive no corpo dela.

Cécile assente.

— Eu sabia que estava com ela, mas não me dera conta de que ela havia transferido os arquivos para outro pen-drive, disfarçado de isqueiro. Funcionou. Eu estava procurando pelo antigo, então não o encontrei com ela.

— Esse foi o atraso em subir para a cobertura.

— Sim. Mas não importa agora. Deu certo, como tudo está dando certo aqui. — Cécile fica ereta e puxa Lucas até que ele fique de pé. — Elin, por favor. Não quero machucar você. Somos parecidas, você e eu. Solitárias. Guerreiras. Exigindo respostas, justiça. — A mão dela está tremendo em torno da cintura de Lucas. — Aturando irmãos egoístas. Deixe-me terminar o que comecei.

Seus olhos se estreitam em pequenas frestas, seu cabelo agora molhado de neve, grudado na cabeça.

Lucas tosse, as pernas cedendo sob seu corpo.

Elin não se move. Pode ver o brilho da faca pressionada contra o pescoço de Lucas. Avança muito lentamente, pois precisa fazer isso com cautela.

— Não posso ir embora — diz Elin com firmeza, ainda se movendo. — Isso... não é certo. Você pode achar que é, mas não é.

— Vá embora! — A voz é mais alta agora. Mais insistente. Lágrimas escorrem pelo seu rosto.

— Cécile, não posso. Podemos conversar, esclarecer tudo antes de você decidir o que fazer. Eu entendo...

— Entende? — Cécile balança a cabeça. Elin sente que algo mudou no tom de Cécile. *Ela está perdendo o controle.* — Ninguém sabe o que passei. Ninguém. Como você *pode* entender, Elin?

— Posso *tentar*, não posso? Se conversarmos de novo sobre isso...

— Conversar? Isso não adianta nada. Preciso de ação. *Disso.* — Ela pressiona a faca com mais força contra a garganta de Lucas, fazendo a pele em torno do fio da lâmina esbranquiçar e dobrar. — Isso é o que preciso fazer. Isso. Por mim. Por todas aquelas mulheres.

— Cécile...

— Não. Não tente me impedir! — grita Cécile, mantendo os olhos fixos em Lucas. — Tudo o que todos fazem é tentar me impedir. De dizer a verdade, de me vingar...

O rosto de Lucas está paralisado, uma máscara congelada de medo. Elin pode ver que o efeito do sedativo está passando — ele é capaz de entender o que está acontecendo agora, o quanto está em perigo.

É agora ou nunca.

Elin age, salta na direção de Cécile, os braços esticados.

90

O movimento é suficiente para desequilibrar Cécile. Fazendo uma careta, ela cai de lado, o braço esquerdo abanando enquanto tenta se aprumar.

Elin sente uma centelha de esperança: se conseguir isolá-la, prendê-la ao chão...

Mas não dá certo, o ângulo está errado.

Tudo parece acontecer em câmera lenta, o tronco de Cécile girando enquanto ela cai na direção da piscina, segurando firme o bastante para puxar Lucas com ela. Ele cai em cima dela, submergindo-a brevemente, a água subindo em arcos no ar.

Cécile não fica submersa muito tempo. Apenas alguns segundos depois, ela emerge, a água escorrendo pelo rosto.

Ela já está em cima de Lucas, braços em espasmos violentos acima da cabeça antes que as mãos se fechem com força em torno do pescoço dele.

A realidade atinge Elin: Cécile é uma nadadora forte. Forte o bastante para afundar os dois.

O pânico incendeia os olhos de Lucas, e os de Elin também: esta é a pior situação possível.

Ela não pode entrar na água.

A mente de Elin está vazia, um horror afiado, cegante.

Aquele conhecido medo a consome. A cena diante dela se modifica, dá uma guinada repentina; seus sentidos parecem estar entrando em um túnel. Um pedaço de cada vez, tudo é eliminado.

A superfície da piscina dança com movimento: água remexida, os braços de Lucas abanando, as mãos de Cécile lutando violentamente, empurrando a cabeça dele de volta na água.

Mas, ainda assim, o corpo de Elin é hostil; ele se recusa a se mover. Ela sente a neve no rosto, mas não consegue se mover, não consegue erguer a mão e tirar a neve.

Finalmente, Lucas reage: é como se a água lhe tivesse dado um choque que eliminou qualquer resquício de letargia. E, reanimando-se, ele estica a mão para cima, empurra Cécile para trás, afastando-a. Depois começa a nadar para a borda.

Não funciona: praticamente sem respirar, Cécile nada ao lado dele. Golpeando com os cotovelos, ela o pega pela garganta, pela traqueia.

Uma, duas vezes — golpes fortes, rápidos.

Lucas grita, os olhos brilhando de medo antes da sua cabeça submergir.

A visão liberta uma memória em Elin, um eco daquele dia de verão. De Sam. Do caso um ano atrás. Uma memória da sua própria falta de ação. Do seu medo, da paralisia.

Ela não pode deixar acontecer de novo.

Elin leva a mão até o pescoço e a fecha em torno do colar.

Mantendo a mão cerrada em torno do anzol, ela o puxa com força, sente a corrente ceder e depois quebrar totalmente. Metade dela cai na neve fresca macia, a outra metade permanece em sua mão.

Elin respira fundo, ainda agarrando o colar, e mergulha na água. Ela rompe a superfície sem agitar a água, sem se permitir pensar, se força a subir e a virar. Nada atrás de Cécile.

Cécile sequer se vira. Agora, toda sua concentração está em destruir Lucas.

Elin está agora de frente para Cécile. Ainda agarrando o anzol, ela o levanta entre os dedos e o move com força na direção do rosto de Cécile.

Com a mão vibrando de tensão, ela a gira em um rápido movimento circular até sentir alguma resistência. Ela sente o anzol perfurar a bochecha de Cécile, penetrando a pele macia.

Elin contrai o braço e o estica de volta com força.

Um grito de dor. É o bastante: Cécile afrouxa as mãos que seguram Lucas.

A faca cai da sua mão.

Elin passa o braço direito em torno do peito de Lucas, tenta puxá-lo para longe, esperando que ele ao menos consiga recuperar o fôlego. Ela repara na faca submergindo sob a superfície agitada da água, um cintilar fragmentado de metal.

Sem hesitar, estende o braço e tenta pegar a faca com a mão esquerda.

Cécile faz o mesmo, o sangue escorrendo do seu rosto. Seus dedos se chocam, mas Elin chega primeiro. Agarrando com firmeza o cabo, ela gira a faca para longe de Cécile.

Um momento de distração, mas Cécile o aproveita: ela ataca Lucas de novo. Ele está resistindo, afastando-se das duas, tentando segurar na borda da piscina, hastear o corpo para fora, mas o esforço é grande demais. Suas mãos estão molhadas, escorregando nos azulejos cobertos de neve.

Cécile o alcança em segundos, agarrando-o e puxando-o por trás de volta para a água.

— Cécile! Pare! Solte-o!

— Não! — A voz dela está esganiçada. — Ele precisa pagar pelas suas mentiras.

— Ele vai pagar. Sei o que você quer, o que queria o tempo todo. Você queria que sua história fosse ouvida. Justiça. Reconhecimento. — Elin respira. — Você tem isso, Cécile. Agora nós sabemos o que aconteceu com você, com elas. As histórias daquelas mulheres serão contadas agora. Você revelou a verdade delas. E a sua. Matar Lucas não lhe dará nada que você já não tenha.

— Ele me deu as costas! — As palavras são gritadas, mas perderam a força, o poder. Ela está soluçando, o movimento percorrendo seu corpo com tanta força que a faz tremer.

— Eu sei, mas, Cécile, você disse a ele como se sente. Ele precisa viver com isso. Mas você, não. Não mais.

Elin prende a respiração, aguardando. Observando.

O tempo parece se arrastar enquanto Cécile se move para trás na água e solta Lucas.

Cuidadosamente, Elin passa um braço em torno do peito dele e o puxa na direção da escada na lateral da piscina. Saindo primeiro, ela o ajuda a sair da água. Quando o ar congelante atinge a pele dele, ele estremece, tendo espasmos por todo o corpo.

Elin fica de pé na borda, o ar frio mordendo sua carne. Ela se vira e olha de novo para Cécile.

Ela está estirada de costas no meio da piscina.

Com os braços e as pernas esticados, ela está flutuando, seus olhos acompanhando os flocos de neve que caem do céu.

91

Cinco semanas depois

— Estamos adiantados. — Will baixa o olhar para o relógio. — Ainda faltam alguns minutos até o bonde sair.

Elin assente. Seu rosto já está ardendo, a ideia de ir embora pesando. Nem ela nem Isaac são bons nisso: despedidas.

Pairando no meio-fio, os olhos dela se fixam nas costas de Isaac. Uma minúscula pena branca conseguiu sair pela costura do seu casaco acolchoado azul. Ela é pega pela brisa, tremulando de um lado para o outro antes de se soltar e sair voando.

À frente deles, um ônibus avança com dificuldade na estrada, fazendo voar pedacinhos de sal, de sujeira. A grade de metal na traseira está cheia, abarrotada de esquis e *snowboards*. Esperando-o passar, Elin segue Isaac, atravessando a rua até a estação.

O prédio de concreto não é bonito. É simples, funcional, as bordas cegas do telhado plano cortando a beleza bruta das montanhas com cumes cobertos de neve atrás dele.

Mais além, o céu é de um azul intenso. Não o azul pálido de um dia de inverno inglês, mas sim uma cor profunda e explosiva que torna o branco das montanhas mais branco, a névoa marmoreada de nuvens um pouco definida e sólida.

Tem estado assim há dias, tanto tempo que é difícil se lembrar de como foram os altos e baixos da tempestade, de como eles a fizeram se sentir — as ondas agudas e avassaladoras de pânico vindo a cada hora com vento ou neve.

— Está cheio — Isaac diz quando entram na estação.

Ele tem razão. Pessoas estão se aglomerando em grupos desordenados: um casal de idosos, meninas adolescentes com mochilas pendendo baixas contra as costas, um grupo grande de crianças de uma escola.

À esquerda, um pequeno quiosque vende café e doces. O cheiro amargo e amanteigado faz o estômago dela rosnar.

— Espere aqui. Vou pegar as passagens. — Will já está caminhando na direção do balcão, arrastando as malas deles atrás de si. Embora precisem das passagens, Elin sabe que ele está deliberadamente dando a ela e a Isaac o tempo e o espaço para se despedirem.

Isaac raspa a ponta do sapato no asfalto, o rosto contraído.

— É estranho nos despedirmos assim. Logo agora que me acostumei a ter você por perto. — Ele para, os dedos agarrando com mais força a garrafa de água em sua mão.

Elin não consegue desviar o olhar dele: seus olhos, o cabelo, a expressão contraída e ansiosa no seu rosto. Parece errado deixá-lo aqui sozinho.

— Então venha com a gente — diz ela abruptamente. — Compraremos uma passagem para você. Apenas fique algumas semanas comigo, veja como vai se sentir.

— Ainda não. Quero tentar voltar à vida normal. Ver o que acontece. — Pressionando os lábios, ele desvia o olhar. — Não consigo parar de pensar, sabe, sobre como duvidei dela. Logo antes de você me dizer que ela estava morta, eu estava queimando as fotografias que tinha dela na carteira. Eu achava que ela tinha me traído, enquanto ela estava lá o tempo todo. Eu poderia tê-la encontrado, em vez de... — A voz dele falha.

— Isaac, não faz sentido se punir. A situação era horrível. Duvidei de você também, não foi? Quando descobri sobre as acusações de intimidação, cheguei a conclusões precipitadas quando deveria simplesmente ter perguntado. — Mesmo agora, o pensamento do que ela fez... ligar para a universidade... faz seu rosto arder.

— Mas você e eu não nos víamos havia anos. Nosso relacionamento estava deteriorado. Entendo por que você poderia ter dúvidas, mas Laure e eu estávamos noivos. Eu não deveria ter perguntado a ela. Eu deveria saber.

— Mas como? Laure se escondeu deliberadamente no anexo. Ela sabia que ele não era usado, que não seria encontrada. Não havia câmeras, nenhuma maneira óbvia pela qual você poderia tê-la encontrado.

— Eu sei, mas é como um inseto na minha cabeça, girando e girando. O fato de que ela estava lá, tão perto, todo aquele tempo.

— É por isso que você deveria voltar com a gente. Se distrair. — Ela sorri. — Principalmente com a comida horrível que eu faço. Você pode assumir a cozinha, se quiser.

Elin dá um passo na direção dele, estende uma mão, mas depois a retrai, se repreendendo.

Ela está exagerando. Intensa demais.

Vários instantes se passam.

Isaac puxa sua mochila mais para cima no ombro.

— Eu vou visitar — diz ele finalmente, seu olhar encontrando o dela. — Não estou só falando por falar.

— Eu sei. — Elin morde o lábio.

— Estou falando sério. — Ele toca o braço dela. — Não vai voltar a ser como antes. É diferente agora, não é? Você e eu. Estamos diferentes.

— Certo. — Ela aceitará aquilo. *Diferentes.*

— Vou me despedir de Will e, depois, é melhor que eu vá. — Isaac olha para o quiosque. — Will, amigo, estou indo — Isaac levanta a voz quando Will começa a caminhar em sua direção com as passagens na mão. Eles fazem primeiro aquele lance de meio abraço, e depois batem os punhos um contra o outro, mãos agarradas, firmes, antes de Isaac se afastar.

Ele se vira para Elin, puxa-a para perto. Ela pode sentir lágrimas quentes no fundo dos olhos. *Por que isso parece tão errado? Deixá-lo?*

Ao se separarem, ela pode ouvir o ruído alto das máquinas — um zumbido mecânico ritmado. O bonde está quase aqui.

— Antes de ir, tem uma coisa que quero dar a você — aumentando a voz acima do barulho, ele põe a mão na sua bolsa. — Mandei fazer uma cópia para você. Will disse que você não tem nenhuma foto de Sam... de nós três... no seu apartamento.

Elin quase não consegue olhar, mas se força.

É uma foto dos três na praia, pernas sujas de areia. Um castelo de areia desmoronado atrás deles, pontilhado com bandeiras de papel.

Os olhos dela se fixam nele. *Sam.* Seu irmãozinho.

Finalmente, uma foto real. Uma para substituir os *flashbacks* falhos e confusos.

92

O bonde começa a se mover, e com ele os arredores, esquis e neve dando lugar a árvores e chalés com os telhados cobertos de neve, os 4x4 serpenteando nas estradas estreitas da montanha.

Uma imagem de cartão-postal.

Elin coloca os dedos na janela. Pode sentir os olhos de Will sobre ela.

— Você vai consertar o colar? — pergunta ele.

Em piloto automático, ela levanta a mão, tenta encontrá-lo, mas é claro que não há nada lá. Ela encolhe os ombros.

— Não sei. — Ela gosta da cavidade vazia no pescoço. Parece mais leve, de alguma maneira. Livre.

Will pigarreia.

— Tem certeza de que está pronta para deixar Isaac? — Ele pousa uma das mãos na dela. A palma dele está quente.

Ela se força a encontrar o olhar dele.

— Acho que ele vai ficar bem. Saber que Cécile foi presa... ele disse que ajuda.

— Você sabe o que aconteceu com Lucas?

— Sim. Berndt me disse hoje de manhã. Ele foi preso por seu papel no que aconteceu... se livrar do corpo do Daniel e das evidências, encobrir a verdade sobre o passado do sanatório — ela pausa.

— Ele admitiu saber sobre a documentação, as covas, e que subornou oficiais para que nada fosse revelado.

Alguns instantes de silêncio.

— E você? — pergunta ele. — Está se sentindo bem sobre a gente ir embora?

— Acho que sim. — É estranho, no entanto, o pensamento de partir, porque ela não estava deixando somente aquele lugar para trás, estava deixando outras coisas também... Isaac, Laure e uma versão da verdade que ela carregara por tanto tempo dentro de si que aquilo a definira. *Tornara-se ela*. Agora, ela precisa viver com algo novo.

— Estou mais preocupada com você — diz ela. — Todo machucado.

— Está melhorando. — Will leva uma das mãos até a barriga.

Aquele gesto é tão típico dele, tão discreto, sutil, que ela é tomada por um ímpeto de abraçá-lo. Tocá-lo. Abrir-se de uma maneira à qual ela sempre resistiu.

Puxando-o na sua direção, ela o envolve em um abraço desajeitado, bruto, sente o cheiro familiar da pele dele.

— Sinto muito pelo que aconteceu. — A voz dela soa estranha. — Nunca tive a intenção de que você precisasse lidar com nada disso. Você... você é tudo para mim.

— Eu sei — sussurra ele no cabelo dela. — Acabou agora. Podemos seguir em frente.

— Falando nisso... — Desfazendo o abraço, ela abre o zíper da bolsa e tira uma revista. A capa está dobrada, então ela a estica com os dedos.

Will examina a capa.

— *Viveretc*? Onde conseguiu isso?

— No supermercado, em Crans. Me custou umas vinte libras, mas... — Elin folheia as páginas, encontra a que procura. — Este aqui — ela cutuca a página com o dedo. — Este sofá aqui. O que acha?

— Para quê?

— Nossa casa nova.

Ele fica em silêncio por um momento, depois sorri.

— Gostei.

Elin está prestes a responder quando sente o telefone vibrar no bolso.

Pegando-o, ela baixa os olhos para a tela.

— O que foi? — Will olha sobre o ombro dela.

— Trabalho. — Seus olhos acompanham as palavras na tela. — Eles aceitaram que eu ficasse um pouco mais tempo afastada por causa do Isaac, mas precisam saber até a semana que vem.

Will assente e olha pela janela. Elin segue seu olhar. Estão quase no fundo do vale. Os chalés deram lugar a casas, vinhedos cobertos de neve. Apenas algumas das vinhas estão visíveis, manchas finas e escuras despontando da neve.

Ele se vira de volta, olha para ela.

— E então, tomou uma decisão?

— Acho que sim.

Ao lado deles, um passageiro ergue o braço e abre uma das janelas. Ao inclinar a cabeça para cima, Elin pode sentir a brisa fria passar pelo rosto. Ainda é cedo, apenas o começo de março, mas ela acha que consegue sentir... o gosto de primavera no ar.

Vida nova.

EPÍLOGO

Ele só tem uma bagagem de mão.

Se olhassem para lá, poderiam vê-lo. Ele é quem está recostado contra a janela, o único que não admira a paisagem.

Há um pequeno grupo na frente dele — do Oriente Médio. Estão passando uma garrafa de água de mão em mão, falando rápido em árabe.

A cada poucos minutos, apontam para algo através do vidro borrado: um chalé, uma igreja, os restos desmoronados de um anexo de madeira. Eles não reparam nele. Ninguém sequer cruzara seu olhar.

Atrás dele, uma família suíça — mãe, pai, duas meninas com não mais do que dez anos. As meninas usam roupas de esqui de cores vívidas, tiras de arco-íris que se enrugam quando se movem. A menina mais nova, ruiva, sardenta, está mastigando uma baguete abarrotada, com a bochecha pousada contra o peito da irmã mais velha.

A mãe tira uma foto delas e o pai suspira, irritado. Ele está carregado de bastões de esqui, uma mochila, um sobretudo grosso pendurado no braço.

Nenhum dos dois olha quando ele ergue a cabeça acima do grupo à sua frente.

Ele olha de volta para Elin. Ela está sorrindo, gesticulando enquanto diz algo para o namorado. Ela está animada, algo que ele não vê nela há muito tempo.

Está claro que ela está alheia a ele, da mesma maneira que estava alheia no hotel, alheia ao que aconteceu na piscina de mergulho, exatamente a mão de quem estava na base das suas costas. *Pressionando. Empurrando.*

Ele não se importa: o anonimato lhe cai bem. Não há pressa, não é mesmo?

Ele descobriu que é melhor esperar até que a pessoa esteja relaxada, tenha baixado a guarda.

Este é o ponto ideal, não é?

Aquele espaço minúsculo entre felicidade e medo.

ARTIGO: LOCAL.CH (AGOSTO DE 2020)

A polícia suíça encontrou 32 covas humanas em um sanatório suíço adaptado onde mulheres eram "abusadas física e emocionalmente".

— Covas humanas foram descobertas por unidades da polícia forense no Le Sommet, um hotel de luxo suíço recentemente adaptado de um sanatório para tuberculosos.

— As covas foram descobertas pela polícia durante a investigação de três assassinatos cometidos no hotel em janeiro deste ano.

— Registros em arquivo mostram que pelo menos 32 mulheres da Alemanha foram enviadas para o Sanatorium du Plumachit, ostensivamente para se recuperar de tuberculose.

— Outras regiões e países europeus estão agora examinando registros, temendo que isso possa ser o começo de uma onda de investigações.

A polícia suíça encontrou 32 covas humanas perto do hotel Le Sommet, no resort suíço de Crans-Montana, onde, supostamente, mulheres eram internadas ilegalmente e abusadas física e emocionalmente no final da década de 1920 e na década de 1930.

Anomalias consistentes com covas em potencial foram descobertas no local, anteriormente conhecido como Sanatorium du Plumachit, onde pacientes residiam para receber tratamento contra tuberculose.

A Police Judiciaire de Valais fez a descoberta enquanto investigava uma série de assassinatos recentes cometidos no hotel, relata o *Le Matin*.

Um dos suspeitos revelou que o motivo para os assassinatos era o passado do hotel como sanatório, levando a polícia a examinar o local mais detalhadamente.

O local das covas fica no lado nordeste do hotel, onde se acredita que mulheres foram enterradas décadas atrás, antes do sanatório fechar, quando antibióticos começaram a ser usados no tratamento de tuberculose.

Usando equipamento com tecnologia de ponta, cientistas forenses da polícia de Valais e da Universidade de Lausanne encontraram as 32 covas usando um radar que penetra no solo e retira amostras.

O sanatório não registrou os locais onde estavam as covas. Documentações falsificadas foram encontradas, as quais afirmavam que as pacientes tinham sido enviadas para outro lugar para serem enterradas. Contudo, documentações anteriormente ocultas confirmam que muitas mulheres morreram sob circunstâncias desconhecidas, mais provavelmente devido a ferimentos sofridos durante os abusos cometidos sob o disfarce de tratamento médico.

Acredita-se que todas as mulheres tenham sido transferidas da Clínica Gotterdorf, na Alemanha. Ainda não se sabe se estas pacientes tinham tuberculose ou se o diagnóstico foi manipulado para que as mulheres fossem internadas.

Na época, não era incomum que mulheres fossem colocadas sob cuidados médicos e internadas para serem submetidas a tratamentos contra a sua vontade e sem justificativa médica. Muitas foram internadas em clínicas espalhadas pela Europa sob determinação de um guardião ou parente do sexo masculino, como uma maneira de assumir o controle — de uma herança, ou de pensamentos e ideias independentes.

O promotor Hugo Tapparel, da polícia de Valais, disse: "Estamos estudando as descobertas do relatório. Entraremos em contato com as famílias das vítimas e discutiremos os próximos passos mais adequados, à medida que o trabalho avançar."

Um parente de uma das vítimas comentou: "Acreditamos que todas estas mulheres estavam sob os cuidados do doutor Pierre Yerli, um cirurgião pulmonar proeminente que era conhecido por seus tratamentos experimentais. Quando a investigação estiver concluída, planejamos erguer um memorial em homenagem às vítimas."

AGRADECIMENTOS

Gostaria de agradecer a todos que me ajudaram a dar vida a este livro e a publicá-lo. Eu honestamente não sabia quantas pessoas esse processo envolvia, e me sinto incrivelmente privilegiada por ter sido beneficiada pelo conhecimento e pelos *insights* de cada uma delas.

Um gigantesco obrigado à minha brilhante editora, Tash Barsby, da Transworld. Jamais poderei lhe agradecer o suficiente por querer dar vida a este livro e por investir tanta habilidade e tempo no desenvolvimento e no refinamento da história. Seu olhar certeiro e anotações inteligentes deram brilho a este romance, e você mudou meu mundo da melhor maneira possível. Um obrigado ainda maior a todos da Transworld, e uma menção especial a Sarah Day, por sua habilidade na revisão.

Outro grande obrigado a Jeramie Orten, meu maravilhoso editor na Pamela Dorman Books. Eu não poderia ter desejado um editor mais profissional ou intuitivo para levar meu livro aos leitores na América do Norte.

Um obrigado enorme à minha incrível agente literária, Charlotte Seymour, que percebeu algo no meu texto e acreditou nesta história desde o começo (e teve um ávido interesse pelos meus álbuns de recortes!). Você encontrou os editores perfeitos para mim, e sua confiança inabalável no meu trabalho é muito importante para mim.

O agradecimento também é estendido a toda a equipe da Andrew Nurnberg Associates, especialmente à maravilhosa equipe de direitos de tradução em Londres, os escritórios associados da ANA e os coagentes que venderam meu livro em mais países do que eu poderia ter imaginado. Um agradecimento especial à incansável Halina Koscia, cujos e-mails trouxeram muitas notícias maravilhosas em nome deles. Você tem o hábito de me fazer "ganhar a semana"! Obrigada também aos meus editores estrangeiros por terem acolhido a história em seu coração.

Um grande agradecimento a todas as pessoas que me passaram gentilmente seus conhecimentos enquanto eu estava fazendo a pesquisa para o livro, especialmente à polícia de Valais, em Sion. Obrigada por serem tão pacientes e generosos com seu tempo. As conversas "e se" que tivemos destravaram muito do romance, e embora Elin tenha sido deixada com seus próprios recursos, no final das contas aceitamos o argumento de que a polícia suíça pode chegar em qualquer lugar e a qualquer hora. Qualquer imprecisão factual relativa ao procedimento da polícia suíça ou é erro meu, ou foi feita para se encaixar na história.

Também tive a sorte de contar com o apoio de vários membros da British Association of Snowsport Instructors. Em particular, o de Jaz Lamb, de bass Morzine, que respondeu a muitas perguntas e também me apresentou à equipe de Resgate em Montanhas em Portes du Soleil e a um de seus líderes, Jeremy Helvic — *merci*. Em Crans-Montana, Stéphane Romang nos indicou alguns recursos excelentes acerca do legado dos sanatórios na cidade. Muitos outros moradores das montanhas ajudaram a inspirar certas cenas.

Em um tom mais pessoal, obrigada a Axel Schimd e sua família por me apresentarem ao lugar tão especial que é Crans-Montana, nos Alpes Suíços — foi a atmosfera única e a paisagem dramática do lugar que me inspiraram a escrever este romance, e sou grata todo dia por a termos como o "lugar feliz" da minha família. Vejo vocês em Amadeus.

Um gigantesco e cintilante obrigada aos meus pais e irmãs — onde tudo começou. Obrigada por cultivarem um amor tão grande pela leitura e por me estimularem a escrever. Minha infância toda girou em torno de palavras — histórias para dormir intermináveis, audiolivros e as idas semanais à biblioteca. Vocês me ouviram e me deram muito tempo, amor e inspiração (e comida!). Sem vocês, nada disso teria sido possível, estou muito feliz por poder compartilhar tudo isso com vocês. Obrigada também aos meus amigos, tanto on-line quanto off-line, por seu apoio inabalável à minha escrita e ao meu livro — sua bondade e conselhos (e fornecimento de café) foram inestimáveis.

Obrigada à minha avó, que costumava a ler dinamicamente pelo menos um livro por dia e me emprestou muitos dos seus romances favoritos, e ao meu avô, que, apesar da sua degeneração macular, lia meus contos mesmo que levasse um tempo impossivelmente longo. Vocês dois teriam amado acompanhar a minha jornada e espero que, em algum lugar, estejam acompanhando-a de longe.

Finalmente, obrigada às minhas filhas, Rosie e Molly, e ao meu marido, James, por seu entusiasmo e paixão pela história desde o primeiríssimo passo. Obrigada por compartilharem um amor pelas montanhas, por dias começando às seis da manhã e por ajudarem com as cenas complicadas e me forçarem a ir um pouco mais além. Ter pessoas me estimulando e acreditando na minha escrita durante os altos e baixos é o que me mantém sentada escrevendo dia após dia. Tenho muito orgulho de todos vocês e, honestamente, não sei o que faria sem vocês... FTB.

1ª edição	DEZEMBRO DE 2021
impressão	CROMOSETE
papel de capa	CARTÃO SUPREMO ALTA ALVURA 250G/M²
tipografia	ADOBE GARAMOND PRO

Miolo:

PRODUZIDO COM PAPEL
HECHO CON / MADE WITH
BO PAPER — IVORY BULK 65

De elevado corpo e opacidade, **Ivory**® é um papel offwhite ecológico para livros com toque sofisticado, que proporciona conforto visual na medida certa ao leitor.

Distribuidor Exclusivo no Brasil:

Tecnologia em Papel
Tecpel